DE WERELD NA AMERIKA

Ook van Fareed Zakaria

De toekomst van vrijheid: De paradoxen en schaduwzijden van democratie

Fareed Zakaria

De wereld na Amerika

Vertaald door Peter van Huizen

2008
Uitgeverij Contact
Amsterdam/Antwerpen

© 2008 Nederlandse vertaling door Peter van Huizen
Oorspronkelijke titel *The Post-American World*
Omslagontwerp ViaVermeulen / Rick Vermeulen
Auteursfoto © Wes Thompson/Corbis
ISBN 978 90 254 2899 0
D/2008/0108/945
NUR 686

www.uitgeverijcontact.nl

Voor Arshad Zakaria

Groei vindt plaats op alle momenten waarop een uitdaging een succesvolle reactie oproept, die op haar beurt weer een nieuwe en andere uitdaging oproept. We hebben geen intrinsieke reden gevonden waarom dit proces zich niet eeuwig zou herhalen, ook al is het een historisch feit dat de meeste beschavingen ten onder zijn gegaan.

Arnold J. Toynbee
A Study of History

Inhoud

1

De opkomst van de anderen

Dit is geen boek over de teruggang van Amerika, maar over de opkomst van alle anderen. Een boek over de grote transformatie die zich in de hele wereld voltrekt, een transformatie die wel veel wordt besproken, maar nog steeds slecht wordt begrepen. Dit hoeft ons niet te verbazen. Ook grote, ingrijpende veranderingen vinden geleidelijk plaats. Hoewel we van een nieuw tijdperk spreken, lijkt de wereld ons nog steeds vertrouwd. Maar in feite is het een heel andere wereld. In de laatste vijfhonderd jaar hebben er drie aardverschuivingen plaatsgevonden, fundamentele veranderingen in de machtsverdeling die de internationale situatie hebben herschapen – politiek, economisch en cultureel. De eerste was de opkomst van de westerse wereld, een proces dat in de vijftiende eeuw begon en zich aan het eind van de achttiende eeuw opzienbarend heeft versneld. Dit proces heeft de moderne wereld tot stand gebracht zoals we die kennen: met wetenschap en techniek, handel en kapitalisme, de agrarische en industriële revoluties. Het heeft ook een langdurige politieke dominantie van de naties van het Westen met zich meegebracht.

De tweede verschuiving, die aan het eind van de negentiende eeuw heeft plaatsgevonden, was de opkomst van de Verenigde Staten. Al snel na hun industrialisatie werden de Verenigde Staten de machtigste natie sinds het Romeinse Rijk, en de enige die sterker was dan enige waarschijnlijke combinatie van andere naties. Het grootste deel van de vorige eeuw hebben de Verenigde Staten wereldwijd de economie, de politiek, de wetenschap, de cultuur en de opvattingen gedomineerd. In de laatste twintig jaar is deze dominantie onbetwist geweest, een verschijnsel dat zich in de moderne geschiedenis nooit eerder heeft voorgedaan.

Op dit moment beleven we de derde grote machtsverschuiving van de moderne tijd. Deze verschuiving kan worden aangeduid als 'de opkomst van de anderen'. In de afgelopen tientallen jaren hebben landen die over de hele aarde verspreid liggen een economische groei doorgemaakt die vroeger ondenkbaar was. Hoewel deze landen ups en downs hebben gekend, is er onmiskenbaar sprake van een stijgende lijn. Deze groei heeft zich het duidelijkst gemanifesteerd in Azië, maar blijft niet langer tot dit werelddeel beperkt. Daarom is de omschrijving 'de opkomst van Azië' niet nauwkeurig genoeg. In 2006 en 2007 zijn 124 landen met vier procent of meer gegroeid. Tot deze landen behoren meer dan dertig landen in Afrika, tweederde van de landen in dit werelddeel. Antoine van Agtmael, de fondsmanager die de term 'opkomende markten' heeft ingevoerd, heeft de 25 ondernemingen aangewezen die waarschijnlijk de volgende grote multinationals van de wereld zullen worden. Zijn lijstje bevat voor elk van de landen Brazilië, Mexico, Zuid-Korea en Taiwan vier ondernemingen, drie in India, twee in China, en één in Argentinië, Chili, Maleisië en Zuid-Afrika.

Als we om ons heen kijken zien we dat het hoogste gebouw nu in Taipei staat en spoedig zal worden overtroffen door een gebouw dat wordt opgetrokken in Dubai. De rijkste man ter wereld is een Mexicaan en de grootste beursgenoteerde onderneming is Chinees. Het grootste vliegtuig ter wereld wordt gebouwd in Rusland en Oekraïne, de grootste raffinaderij is in aanbouw in India en de grootste fabrieken staan allemaal in China. In vele opzichten is Londen het toonaangevende financiële centrum en het rijkst bedeelde investeringsfonds is gevestigd in de Verenigde Arabische Emiraten. Statussymbolen die ooit typisch Amerikaans waren zijn door vreemdelingen overgenomen. Het grootste reuzenrad van de wereld staat in Singapore. Het grootste casino staat niet in Las Vegas maar in Macao, dat Las Vegas ook achter zich heeft gelaten in zijn jaarlijkse opbrengsten uit gokken. De grootste filmindustrie, zowel in termen van films als van verkochte kaartjes, is Bollywood, niet Hollywood. Zelfs het winkelen, de meest beoefende sport in Amerika, heeft zich over de hele aarde uitgezaaid. Van de top tien winkelcentra in de wereld staat er slechts één in de Verenigde Staten, en de grootste in Beijing. Zulke lijstjes zijn willekeurig, maar het is wel opmerkelijk dat Amerika nog maar tien jaar geleden in bijna alle categorieën aan de top stond.

Het kan vreemd lijken de aandacht vooral op groeiende welvaart te richten zolang er nog honderden miljoenen mensen in bittere armoede leven. Maar in werkelijkheid is het percentage mensen dat van een dollar of minder per dag moet leven gedaald van 40 procent in 1981 tot 18 procent in 2004, en verwacht men dat het in 2015 zal zijn teruggelopen tot 12 procent. Alleen al de groei van China heeft meer dan vierhonderd miljoen mensen uit armoede verlost. De armoede is in 80 procent van de landen van de wereld op zijn retour. De vijftig landen waarin de armste mensen van deze wereld leven zijn hulpeloze gevallen die dringend om aandacht vragen. In de andere 142, met inbegrip van China, India, Brazilië, Rusland, Indonesië, Turkije, Kenia en Zuid-Afrika, worden de armen geleidelijk opgenomen in productieve en groeiende economieën. Voor de eerste keer in de geschiedenis zijn we getuige van een echt wereldwijde groei. Hierdoor ontwikkelt zich een internationaal systeem waarin landen in alle werelddelen niet langer lijdende voorwerpen of toeschouwers zijn, maar zelf deelnemer zijn geworden. Dit is werkelijk de geboorte van een wereldorde.

Een hiermee verwant aspect van deze nieuwe tijd is het verschuiven van macht van staten naar andere instanties. De 'anderen' die in opkomst zijn, zijn niet alleen staten. Er is macht toebedeeld aan groepen en individuen, en hiërarchie, centralisatie en controlerend toezicht worden ondermijnd. Functies die vroeger in handen van regeringen waren, worden nu mede vervuld door internationale lichamen zoals de Wereldhandelsorganisatie en de Europese Unie. Niet-gouvernementele organisaties nemen overal explosief in aantal toe. Ondernemingen en kapitaal verplaatsen zich voortdurend, op zoek naar de beste plek om zaken te doen, waarbij ze sommige regeringen belonen en andere straffen. Terroristische organisaties zoals Al-Qaeda, drugskartels, opstandelingen en allerlei milities vinden een ruimte voor hun acties in de hoeken en gaten van het internationale systeem. De macht is uit de nationale staten aan het weglekken, naar boven, naar beneden en naar opzij. In een dergelijke situatie zijn de gebruikelijke toepassingen van nationale macht, zowel economisch als militair, minder effectief geworden.

Het opkomende internationale systeem zal waarschijnlijk heel anders worden dan de systemen die eraan zijn voorafgegaan. Honderd jaar geleden was er een multipolaire orde die bestierd werd door een verzameling van Europese regeringen, met voortdurend wisselende bondgenootschappen, rivaliteiten, misrekeningen en oorlogen. Daarna kwam de bipolaire orde van de Koude Oorlog, een orde die in vele opzichten stabieler was, maar waarbij de supermachten op elke beweging van de ander reageerden en overreageerden. Sinds 1991 hebben we onder een Amerikaans imperium geleefd, in een unieke, unipolaire wereld waarin de open wereldeconomie zich indrukwekkend heeft uitgebreid en versterkt. Deze uitbreiding is nu de motor achter de volgende verandering in het karakter van de internationale orde.

Op het politiek-militaire niveau blijft er een wereld met één enkele supermacht. Maar in alle andere opzichten (industrieel, financieel, educatief, sociaal, cultureel) is de machtsverdeling aan het verschuiven, weg van de Amerikaanse dominantie. Dit betekent niet dat we in een anti-Amerikaanse wereld terechtkomen. Maar we bewegen ons wel in de richting van een post-Amerikaanse wereld, een wereld die bepaald en bestuurd wordt vanuit vele plaatsen en door veel verschillende mensen.

Welke kansen en welke problemen zullen deze veranderingen brengen? Wat houden ze in voor de Verenigde Staten en voor de dominante positie van dit land? Hoe zal dit nieuwe tijdperk eruitzien in termen van oorlog en vrede, economie en zaken, ideeën en cultuur? Kortom, wat zal het betekenen om in een post-Amerikaanse wereld te leven?

2

De beker vloeit over

Stel je voor dat het weer even januari 2000 is en dat je een waarzegger vraagt de toekomst van de wereldeconomie voor de volgende jaren te voorspellen. Laten we zeggen dat je hem een paar aanwijzingen geeft terwijl hij in zijn kristallen bol staart. De Verenigde Staten zullen door de ergste terroristische aanslag in de geschiedenis getroffen worden en zullen hierop reageren door twee oorlogen te beginnen, waarvan er een ernstig fout zal gaan en Irak, het land met op twee na de grootste oliereserves van de wereld, jarenlang zal ontredderen. In het Midden-Oosten zal Iran krachtiger worden en zich ontwikkelen tot een kernmogendheid. Noord-Korea zal nog een stap verder gaan en de achtste kernmacht van de wereld worden. Rusland zal vijandig en heerszuchtig worden in zijn contacten met zijn buren en het Westen. In Latijns-Amerika zal Hugo Chávez in Venezuela de heftigste antiwesterse campagne van zijn generatie lanceren, en daarmee veel bondgenoten en aanhangers werven. Israël en Hezbollah zullen een oorlog uitvechten in Zuid-Libanon, waardoor de kwetsbare regering in Beiroet wordt gedestabiliseerd, Iran en Syrië in het conflict betrokken raken, en de Israëli's het benauwd krijgen. Gaza wordt een mislukte staat onder gezag van Hamas en de vredesbesprekingen tussen Israël en de Palestijnen leiden tot niets. Hoe zal de wereldeconomie er, in het licht van deze gebeurtenissen, in de volgende zes jaar uitzien? vraag je dan aan de waarzegger.

Dit is geen hypothetische situatie. We hebben voor deze jaren de voorspellingen van deskundigen. Ze hebben het allemaal fout gehad. De juiste voorspelling zou zijn geweest dat de wereldeconomie tussen 2002 en 2007 het snelst zou groeien in bijna veertig jaar. Het inkomen per persoon zou wereldwijd sneller stijgen (met 3,2 procent) dan in enige andere periode in de geschiedenis. In de twintig jaar sinds het einde van de Koude Oorlog hebben we in een paradoxale situatie geleefd, een situatie die we elke morgen in de krant kunnen vinden. De wereldpolitiek lijkt ernstig verstoord te zijn, met dagelijkse meldingen van bomaanslagen, terroristische complotten, schurkenstaten, het uiteenvallen van naties en burgeroorlogen. En niettemin schrijdt de wereldeconomie met grote stappen voorwaarts, niet zonder belangrijke onderbrekingen, panieksituaties en crises, maar over het geheel gezien krachtig voorwaarts. De voorpagina van de krant lijkt volledig losgekoppeld te zijn van het economische katern.

Ik herinner me een gesprek met een vooraanstaand lid van de Israëlische regering enkele dagen na de oorlog met Hezbollah in juli 2006. Hij maakte zich ernstige zorgen over de veiligheid van zijn land. De raketten van Hezbollah waren verder in Israël doorgedrongen dan men voor mogelijk had gehouden, en de militaire reactie van de Israëli's had geen vertrouwen ingeboezemd. Toen vroeg ik hem naar de economie, zijn deskundigheidsgebied. 'Die heeft ons allemaal verbaasd doen staan,' zei hij. 'De aandelenmarkt was op de laatste dag van de oorlog beter dan op de eerste! En hetzelfde geldt voor de sjekel (de Israëlische munteenheid).' De regering was misschien in paniek geraakt, maar de markt niet.

Of denk aan de oorlog in Irak die dit land in een diepe en blijvende chaos heeft gestort en een uittocht van meer dan twee miljoen vluchtelingen naar de omliggende landen op gang heeft gebracht. Het lijkt zeker dat zo'n politieke crisis zich zal uitzaaien. Maar wie in de afgelopen jaren het Midden-Oosten heeft bereisd zal met verbazing geconstateerd hebben hoe weinig de moeilijkheden in Irak de regio gedestabiliseerd hebben. Overal waar je komt wordt de buitenlandse politiek van de vs heftig veroordeeld. Maar waar zie je de feitelijke bewijzen van regionale instabiliteit? De meeste landen in het Midden-Oosten, Jordanië, Saudi-Arabië en Egypte bijvoorbeeld, gaat het voor de wind. De economie van Turkije, dat grenst aan Irak, is sinds het begin van de oorlog gemiddeld met meer dan zeven procent per jaar gegroeid. Abu Dhabi en Dubai, op één uur vliegen van Bagdad, gaan door met het bouwen van oogverblindende wolkenkrabbers alsof deze landen op een andere planeet gelegen zijn. De landen die bij Irak betrokken zijn geraakt, Syrië en Iran, staan in hoofdzaak buiten de wereldeconomie en hebben dus minder te verliezen door onrust te stoken. Wat is de verklaring voor het gebrek aan aansluiting tussen een politiek in een neerwaartse spiraal en een economie die gezond blijft? Ten eerste kunnen we de waterval van slecht nieuws wat zorgvuldiger bekijken. Het lijkt of we waanzinnig gewelddadige tijden doormaken. Maar je hoeft niet alles te geloven wat je op televisie ziet. De indruk die we uit al deze beelden krijgen is verkeerd. Oorlog en georganiseerd geweld zijn de laatste twintig jaar op een indrukwekkende schaal teruggelopen. Ted Robert Gurr en een team van deskundigen van het Center for International Development and Conflict Management aan de Universiteit van Maryland hebben de gegevens zorgvuldig geïnspecteerd en zijn tot de volgende conclusie gekomen: 'De omvang van de oorlogvoering is wereldwijd [sinds het midden van de jaren 1980] met meer dan 60 procent verminderd en eind 2004 gedaald tot zijn laagste niveau sinds het einde van de jaren vijftig.'[1] Het geweld is tijdens de hele Koude Oorlog voortdurend toegenomen (met een factor zes tussen de jaren vijftig en begin jaren negentig), maar deze tendens bereikte zijn hoogtepunt juist voor de ineenstorting van de Sovjet-Unie in 1991 en 'de omvang van de oorlogvoering tussen en binnen staten is in de eerste tien jaar na de Koude Oorlog met bijna 50 procent teruggelopen.' De veelzijdige hoogleraar Steven Pinker van Harvard heeft de uitspraak gedaan dat we 'op dit moment waarschijnlijk in het vreedzaamste tijdperk leven sinds het ontstaan van onze soort'.[2]

Eén reden voor het gebrek aan afstemming tussen de werkelijkheid en ons beeld daarvan kan zijn dat we in deze zelfde periode een omwenteling in de informatietechnologie hebben meegemaakt die ons nu ogenblikkelijk, voortdurend en indringend het nieuws uit de hele wereld brengt. De directheid van de beelden en de intensiteit van berichtgeving rond de klok leveren met elkaar voortdurend superlatieven op. Elke verstoring van het weer is 'de storm van de eeuw'. Elke bom die ontploft is 'breaking news'. Het is moeilijk dit allemaal in verhouding te zien, omdat de informatierevolutie nog zo recent is. We werden niet dagelijks op de hoogte gehouden van de ruwweg twee miljoen mensen die in de jaren 1970 op de killing fields van Cambodja het leven lieten of het miljoen dat omkwam in het zand van de oorlog tussen Iran en Irak in de jaren 1980. We hebben zelfs niet veel informatie gekregen over de oorlog in Congo in de jaren 1990 waarin miljoenen zijn omgekomen. Maar nu zien we bijna dagelijks live-uitzendingen van de effecten van zelfgemaakte explosieven of autobommen of raketten, gebeurtenissen die uiteraard tragisch zijn maar vaak minder dan tien slachtoffers maken. De onvoorspelbaarheid van terroristisch geweld, de gerichtheid van dit geweld tegen burgers en het gemak waarmee moderne samenlevingen kunnen worden geïnfiltreerd, dragen aan onze bezorgdheid bij. 'Dit had míj kunnen overkomen,' zeggen mensen na een terroristische aanslag.

Het voelt aan als een heel gevaarlijke wereld. Maar dat is het niet. De kans om als gevolg van enig soort georganiseerd geweld te sterven is klein en wordt nog kleiner. De gegevens wijzen op een algemene teruggang van oorlog tussen grote landen, het soort conflict dat op grote schaal slachtoffers eist. Ik geloof niet dat oorlog een achterhaald verschijnsel is of iets dergelijks onzinnigs. De menselijke natuur blijft dezelfde en de internationale politiek eveneens. De geschiedenis heeft rustige perioden gekend die door extreem bloedvergieten gevolgd zijn. En het kwaad van de oorlog wordt niet alleen in aantallen uitgedrukt. De aard van de slachtingen in het voormalige Joegoslavië begin jaren 1990 – waarbij mensen met voorbedachten rade, religieus gemotiveerd en stelselmatig vermoord werden – maakte deze oorlog, die tweehonderdduizend slachtoffers eiste, tot een verschrikking die op grond van elk criterium als een grote schandvlek moet worden aangemerkt. En ook het barbaarse optreden van Al-Qaeda, dat mensen in koelen bloede onthoofdt en onschuldige mensen tot doelwit maakt, is gruwelijk ondanks het betrekkelijk kleine aantal slachtoffers. Maar als we de tijd waarin we leven willen begrijpen, moeten we deze tijd eerst nauwkeurig beschrijven. En voorlopig is deze tijd, binnen de historische context, ongewoon rustig.

De dreiging van de islam

Islamitische terreur, die dagelijks de krantenkoppen haalt, is een groot en aanhoudend probleem, maar telt kleine aantallen fanatici. Deze terreur voedt zich met wantoestanden in de islamitische wereld, het gevoel van (werkelijke of ingebeelde) vernedering door het Westen en de gemakkelijke toegang tot technische hulpmiddelen voor het plegen van geweld. Maar staat hij op één lijn met het Duitse streven naar wereldmacht aan het begin van de twintigste eeuw? Of de Sovjetexpansie in de tweede helft van deze eeuw? Of de pogingen van Mao in de jaren vijftig en zestig om in de hele derde wereld oorlogen en revoluties te ontketenen? Dat waren allemaal dreigingen die ondersteund werden door de macht en de oogmerken van grote landen, vaak met belangrijke bondgenoten, en door een ideologie die als een geloofwaardig alternatief werd beschouwd voor de liberale democratie. Hoe staat het dan, daarmee vergeleken, met de dreiging van de jihadisten? Vóór 9/11, toen groepen als Al-Qaeda nog onopvallend te werk gingen, werden ze door regeringen als onbelangrijke kwelgeesten beschouwd en konden ze zich vrij bewegen, enige kracht opbouwen, en zich richten op het treffen van symbolische, vaak militaire doelen waarbij Amerikanen en andere buitenlanders de dood vonden. Maar de schade die ze toebrachten was betrekkelijk beperkt. Sinds 2001 hebben regeringen overal ter wereld een agressief beleid gevoerd om terroristische netwerken op te rollen en hun geldverkeer en rekruten op het spoor te komen, met bijna onmiddellijke resultaten. In Indonesië, de grootste moslimnatie ter wereld, heeft de regering zowel de leider als de militaire bevelvoerder in handen gekregen van Jemaah Islamiah, de dodelijkste jihadistische groep van het land en de groep die in 2002 de bomaanslagen op Bali heeft gepleegd. Met Amerikaanse hulp heeft het Filipijnse leger de in de stijl van Al-Qaeda opererende terreurgroep Abu Sayaf uitgeschakeld. De leider van de groep is in januari 2007 door de Filipijnse troepen gedood en het ledental is teruggelopen van tweeduizend strijders zes jaar geleden tot enkele honderden op dit moment. In Egypte en Saudi-Arabië, de oorspronkelijke bases en aanvalsdoelen van Al-Qaeda, zijn terroristische cellen opgerold en zijn de resterende cellen al drie jaar lang niet in staat geweest nieuwe aanslagen te plegen. Ministeries van Financiën, vooral dat in de Verenigde Staten, hebben het leven voor terroristen veel moeilijker gemaakt. Wereldomspannende organisaties kunnen niet vooruitkomen zonder in staat te zijn geld rond te pompen, dus hoe meer terroristische geldbronnen worden opgespoord en uitgeschakeld, des te meer deze organisaties zich moeten verlaten op kleinschalige en haastig geïmproviseerde operaties. Deze strijd tussen regeringen en terroristen zal blijven bestaan, maar de eerste van beide partijen heeft de overhand.

In Irak, waar de terroristische aanslagen zijn afgenomen, is Al-Qaeda door een veelzeggende complicatie verzwakt geraakt. In zijn oorspronkelijke fatwa's en andere uitspraken heeft Al-Qaeda geen melding gemaakt van sjiieten, en alleen de 'kruisvaarders' en 'joden' veroordeeld. Maar Irak heeft deze stand van zaken veranderd. Op zoek naar manieren om de steun van soennieten te verwerven heeft Al-Qaeda zich ontwikkeld tot een anti-sjiitische groep en een zuiver soennitisch wereldbeeld aangenomen. Wijlen Abu Mussab-al-Zarqawi, het hoofd van Al-Qaeda in Mesopotamië, koesterde een felle haat tegen sjiieten op grond van zijn wahabitische puritanisme. In een brief uit februari 2004 aan Osama bin Laden stelde hij: 'Het gevaar van de sjia is groter dan de Amerikanen. Onze enige oplossing is de religieuze, militaire en andere kaders van de sjia slag op slag toe te brengen totdat zij

voor de soenni's buigen.' Als er ooit tussen hem en Bin Laden een debat is gevoerd, heeft Zarqawi dit debat gewonnen. Het gevolg was dat
een beweging die hoopte de hele islamitische wereld op te roepen tot
een heilige oorlog tegen het Westen, werd meegesleept in een vuile
oorlog binnen de islam.

De splitsing tussen soennieten en sjiieten vormt slechts een van de
scheidslijnen binnen de islamitische wereld. Binnen die wereld leven
sjiieten en soennieten, Perzen en Arabieren, bewoners van Zuidoost-
Azië en het Midden-Oosten en, wat van belang is, gematigden en radi-
calen. Net zoals de verscheidenheid binnen de communistische wereld
deze wereld uiteindelijk minder bedreigend maakte, ondermijnen de
vele verschillen binnen de islam zijn vermogen om zich tot een enkele
monolithische vijand te verenigen. Sommige westerse leiders spreken
van één enkele wereldwijde islamistische beweging en scheren daarmee op een onzinnige manier Tsjetsjeense separatisten in Rusland,
door Pakistan gesteunde militanten in India, sjiitische krijgsheren in
Libanon en soennitische jihadisten in Egypte over één kam. Een ge-
wiekste strateeg zou er juist de nadruk op leggen dat al deze groepen
van elkaar verschillen en verschillende agenda's, vijanden en vrienden
hebben. Dat zou hen beroven van hun pretentie de islam te vertegenwoordigen. Het zou ze ook beschrijven op een manier die vaak met de
werkelijkheid overeenkomt: als kleine plaatselijke bendes van onaan-
gepaste figuren die hopen door nihilisme en barbarij de aandacht te
trekken.

Conflicten in verband met radicale islamitische groepen duren nog
voort, maar deze hebben doorgaans meer te maken met specifieke plaatselijke omstandigheden dan met wereldomspannende aspiraties. Hoewel Noord-Afrika voortdurend met terreur te maken heeft gehad, vooral in Algerije, maakt de voornaamste groep daar, de Salafistische Groep
voor Prediking en Gevecht (die bekendstaat onder zijn Franse afkorting,
GSPC) deel uit van een lange oorlog tussen de Algerijnse regering en islamitische verzetsbewegingen en kan hij niet uitsluitend door de bril van
Al-Qaeda worden gezien of als een anti-Amerikaanse jihad worden be-

schouwd. Hetzelfde geldt voor het voornaamste gebied waarin de kracht van Al-Qaeda sterk en zorgwekkend is toegenomen, het grensgebied tussen Afghanistan en Pakistan. Dit is het gebied waarin de kern van Al-Qaeda, als zoiets zou bestaan, gevestigd is. Maar deze groep heeft zich ondanks de grootste inspanningen van NAVO-troepen in dit gebied kunnen handhaven omdat hij daar al diepgeworteld was geraakt tijdens de jaren van de campagne tegen de Sovjets. De bondgenoten van Al-Qaeda, de Taliban, zijn een plaatselijke beweging die al lang gesteund worden door een deel van de Pathanen, een belangrijke etnische groep in Afghanistan en Pakistan.

Waar het op neerkomt is dat de kern van Al-Qaeda – de groep die geleid wordt door Osama bin Laden en Ayman Zawahiri – in de zes jaar sinds 9/11 niet bij machte is geweest waar dan ook ter wereld één enkele aanslag te plegen. Het was een terroristische organisatie, maar is nu een communicatiebedrijf geworden dat bij gelegenheid een videoband produceert in plaats van aanslagen of explosies.* De jihad gaat door, maar de jihadisten hebben zich moeten verspreiden, stellen zich tevreden met kleinere doelwitten, en opereren op plaatselijk niveau, doorgaans met behulp van groeperingen die niet of nauwelijks met de kern van Al-Qaeda verbonden zijn. En deze geïmproviseerde strategie heeft een verlammend zwak punt: zij maakt slachtoffers onder de plaatselijke bevolking en vervreemdt daarmee gewone moslims, een proces dat al op gang is gekomen in zulke uiteenlopende landen als Indonesië, Irak en Saudi-Arabië. In de afgelopen zes jaar is de steun voor Bin Laden en zijn doelstellingen in de islamitische wereld gestaag teruggelopen. Tussen 2002 en 2007 is de goedkeuring van zelfmoordaanslagen als tactiek – een cijfer dat altijd al laag is geweest – met meer dan 50 procent gedaald in de meeste islamitische landen die hierover gepeild zijn. Het geweld van Al-Qaeda is vaker veroordeeld, en er zijn

---

* Zelfs als er morgen een aanslag zou plaatsvinden is het een opmerkelijk feit dat de kern van Al-Qaeda al zes jaar lang nergens één enkele explosie heeft kunnen organiseren.

meer fatwa's tegen Bin Laden uitgesproken dan ooit tevoren, ook door vooraanstaande geestelijken in Saudi-Arabië. Er moet veel meer gebeuren om de islamitische wereld te moderniseren, maar de voorstanders van modernisering zijn minder bang geworden. Ze hebben uiteindelijk ingezien dat maar weinig mensen, ondanks alle retoriek uit de madrassa's en moskeeën, onder het bewind van Al-Qaeda willen leven. En degenen die in Afghanistan of in Irak onder dit bewind geleefd hebben, zijn er de meest toegewijde tegenstanders van geworden. In tegenstelling tot het Sovjet-socialisme of zelfs het fascisme in de jaren 1930, wordt het fundamentalistische islamitische model door geen enkele samenleving met bewondering of naijver bekeken. Op het ideologische niveau biedt het geen alternatief voor het in het Westen ontwikkelde model van moderniteit dat nu door landen over de hele wereld wordt omhelsd.

In het Westen, vooral in de Verenigde Staten, is er sinds 9/11 een huisvlijtpraktijk van alarmerende berichtgeving tot bloei gekomen. Deskundigen halen elke tendens die hun niet aanstaat uit zijn verband en laten zorgvuldig onderzoek van de gegevens achterwege. Veel conservatieve commentatoren hebben geschreven over de dreigende islamisering van Europa (dat ze dan 'Eurabië' noemen om het ongemak nog verder te vergroten). Maar de nauwkeurigste schattingen, van veiligheidsdiensten in de vs, geven aan dat de moslims op dit moment rond drie procent van de Europese bevolking uitmaken en in 2025 tot tussen de vijf en acht procent zullen zijn toegenomen, waarna dit cijfer waarschijnlijk constant zal blijven. Er zijn waakhonden die de bespiegelingen van elke excentrieke imam noteren, de archieven napluizen op elke verwijzing naar het einde der dagen, en 's avonds laat bij de tv de overpeinzingen van elke mafkees vastleggen die het martelaarschap verheerlijkt. Ze ontsteken in razernij wanneer een Somalische taxichauffeur weigert een krat sterke drank in zijn wagen te tillen, omdat ze dit als het begin van de sharia in het Westen beschouwen. Maar deze incidenten zijn niet representatief voor de richting waarin de islamitische wereld zich in hoofdzaak begeeft. Ook deze wereld is zich aan het moderniseren, hoewel langzamer dan de andere en hoewel er mensen zijn die het verzet hiertegen proberen te leiden. In de islamitische wereld zijn de reactionairen talrijker en extremer dan in andere culturen; deze wereld heeft nu eenmaal zijn eigen duidelijke gebreken. Maar ten opzichte van de meer dan één miljard moslims in de wereld blijven zij een heel kleine minderheid. En het uit het oog verliezen van de gecompliceerde context waarbinnen enkele van deze uitspraken gedaan worden, zoals een interne machtsstrijd in Iran tussen geestelijken en niet-geestelijken, leidt tot huiveringwekkende maar absurde voorspellingen, zoals de zelfverzekerde bewering van Bernard Lewis dat de president van Iran, Mahmoud Ahmadinejad, van plan was een gunstige datum op de islamitische kalender (22 augustus 2006) vast te stellen om de wereld op te blazen. (Jawel, dat heeft hij echt geschreven.)

De ideologische waakhonden hebben zoveel tijd besteed aan de documenten van de jihad dat ze de echte moslimsamenlevingen uit het zicht hebben verloren. Wanneer ze wat meer afstand zouden nemen, zouden ze bij de fundamentalisten frustratie waarnemen, een verlangen naar modernisering (natuurlijk met behoud van enige waardigheid en culturele trots) en een streven naar praktische oplossingen, niet een massale hang naar onsterfelijkheid via de dood. Wanneer moslims op reis gaan vergapen ze zich met miljoenen aan de glitter van Dubai, en niet aan de seminaries van Iran. Er bestaat een minderheid die de heilige oorlog wil, maar deze opereert binnen samenlevingen waarin zulke activiteiten steeds minder populair en relevant worden.

In het Westen zijn de effecten van het terrorisme met elke nieuwe aanslag minder groot geworden. Na 11 september zijn de financiële markten over de hele wereld ingestort en pas na twee maanden weer tot het niveau van 10 september teruggekeerd. Na de bomaanslagen in Madrid in 2004 had de Spaanse markt er een maand voor nodig om zich te herstellen. Na de bomaanslagen in Londen in juli 2005 waren de Engelse aandelen in 24 uur weer op hun oude niveau terug. Het bredere economische plaatje stemt hiermee overeen. Na 9/11 verloren de Verenigde Staten honderden miljarden dollars aan economische activiteit. De volgende grote aanslag, op de nachtclub in Bali in 2002, had een even spectaculair effect op de Indonesische economie, waarbij het toerisme instortte en handel en investeringen maandenlang kwamen stil te liggen. Een jaar later, na een volgende bomaanslag in Indonesië, deze keer bij het Marriotthotel in Jakarta, kelderde de markt slechts voor korte tijd en leed de Indonesische economie weinig schade. Bomaanslagen in Marokko en Turkije in 2003 hadden even geringe effecten. De bomaanslagen in Spanje in 2004 en in Engeland in 2005 hadden geen enkele schadelijke uitwerking op de groei.

De situatie zou natuurlijk verschillen als een grote terroristische organisatie zou gaan beschikken over krachtige wapens voor massale vernietiging. Een kernaanval zou alom paniek en een bredere instorting teweeg kunnen brengen. Maar zulke wapens zijn moeilijker te bemachtigen dan menigeen denkt, en een sterker volgehouden inspanning van Washington zou het bijna onmogelijk kunnen maken ze in grotere aantallen te verkrijgen. Biologische terreur is misschien het meest zorgwekkend vanwege het gemak waarmee biologische stoffen verkregen kunnen worden, maar effectieve verspreiding van deze stoffen is moeilijk en leidt misschien niet tot de indrukwekkende resultaten waar de terroristen naar streven. Dit alles wil niet zeggen dat antiterreuractiviteiten onnodig zijn, maar wel dat zorgvuldig afgestemd intelligent beleid waarschijnlijk heel succesvol zal zijn.

Zonder dit hardop uit te spreken hebben de mensen ingezien dat veerkracht het beste beleid is tegen terrorisme. Terrorisme is ongebruikelijk in de zin dat het een militaire tactiek is die bepaald wordt door de reactie van de toeschouwer. Als we ons niet laten terroriseren werkt deze tactiek niet. En van New York en Londen tot Mumbai en Jakarta raken mensen op grond van hun ervaring van dit principe doordrongen en zetten ze hun leven te midden van de onzekerheid voort. Het meest waarschijnlijke scenario, een reeks van bomaanslagen met rugzakken en vrachtauto's in de Verenigde Staten, zou een schok opleveren, maar met enkele weken zouden de effecten wegebben en de consequenties op lange termijn zouden waarschijnlijk minimaal zijn. In grote, krachtige en complexe samenlevingen – de Amerikaanse economie vertegenwoordigt op dit moment dertien biljoen dollar – zaaien lokale problemen zich niet zo gemakkelijk uit. De moderne beschaving is misschien sterker dan we veronderstellen.

De dreigingen van schurkenstaten zijn eveneens reëel, maar we moeten ze in hun verband zien. Het bruto binnenlands product (bbp) van Iran is 1/68 van dat van de Verenigde Staten, en de militaire uitgaven van dit land bedragen 1/110 van die van het Pentagon.* Als dit 1938 is, zoals veel conservatieven beweren, is Iran niet Duitsland, maar Roemenië. Noord-Korea is nog sterker bankroet en ontredderd. De voornaamste dreiging die van dit land uitgaat, en die de Chinese regering 's nachts uit de slaap houdt, is dat het zal imploderen en het hele gebied met vluchtelingen zal overstromen. Is dat een bewijs van kracht? Deze landen kunnen in hun eigen omgeving problemen creëren en moeten in bedwang worden gehouden, maar we moeten de grotere wereld in gedachten houden waarvan zij slechts een betrekkelijk klein deel uitmaken. Kijk naar Latijns-Amerika. Venezuela is een onruststo-

---

* Een noot over terminologie: voor zo'n eenvoudig idee is het bruto binnenlands product (bbp) een verrassend gecompliceerde maat. Hoewel verhandelbare artikelen zoals iPods of Nikes in elk land ongeveer hetzelfde kosten, zijn goederen die geen grenzen kunnen overschrijden – zoals je haar laten knippen in Beijing – in ontwikkelingslanden goedkoper. Met hetzelfde inkomen kun je in India dus meer doen dan in Engeland. Om hier rekening mee te houden gebruiken veel economen een maat van het bbp met de naam koopkrachtpariteit (kkp), die het inkomen in ontwikkelingslanden aanzienlijk verhoogt. De voorstanders zeggen dat dit een beter beeld geeft van de kwaliteit van het bestaan. Maar wanneer het op de financiële kracht van een natie aankomt is het geschikter het bbp aan de hand van wisselkoersen te berekenen. Met dollars die in kkp gemeten worden kun je geen vliegdekschip kopen, geen vn-vredesoperatie bekostigen, geen ondernemingsresultaten bekendmaken of buitenlandse hulp verstrekken. Daarom zal ik overal in dit boek het bbp aan de hand van wisselkoersen berekenen. In de gevallen waarin kkp meer voor de hand ligt, of wanneer de enige beschikbare cijfers in die vorm zijn uitgedrukt, zal ik daarop opmerkzaam maken.

ker, maar wat heeft het eigenlijk voor problemen opgeleverd? De algemene tendens in dit gebied, die naar voren komt uit het beleid van grote landen als Brazilië, Mexico en Chili, is die geweest van open markten, handel, democratisch bestuur en een op de buitenwereld gerichte oriëntatie. En niet de krankzinnige tirades van Hugo Chávez, maar deze tendens geeft de richting van de geschiedenis aan.

De grote expansie

De betrekkelijke rust van dit moment heeft een diepe structurele basis. Over de hele wereld krijgt de economie de overhand over de politiek. Wat de analisten van Wall Street 'politieke risico's' noemen is bijna geheel afwezig. Oorlogen, staatsgrepen en terreur hebben veel van hun vermogen verloren om de markten meer dan tijdelijk te ontwrichten. Ook dit hoeft niet blijvend te zijn (in het verleden was dit niet het geval), maar het is wel de wereld waarin we al ten minste tien jaar leven.

Het is niet de eerste keer dat politieke onrust en economische groei zijn samengegaan. Twee eerdere periodes lijken sterk op de huidige periode: de hausse van de jaren 1890 en 1900, rond de eeuwwisseling, en de sterke naoorlogse groei van de jaren 1950 en begin 1960. In beide periodes was de politieke situatie turbulent, maar was er toch sprake van economische groei. Deze twee periodes hadden één kenmerk gemeen: grote landen traden toe tot de wereldeconomie, waardoor ze de omvang van de economie deden toenemen en de vorm ervan veranderden. Kleinere problemen werden met groot gemak opgevangen.

Aan het eind van de negentiende en het begin van de twintigste eeuw was er veelvuldig sprake van oorlogsdreiging tussen Europese grootmachten, vaak naar aanleiding van crises op de Balkan, in Noord-Afrika en in andere brandhaarden. Maar ondanks oververhitte momenten en wapenwedlopen ontwikkelde de wereldeconomie

zich in stijgende lijn. Dit was het tijdperk van de eerste grote ver-
plaatsingen van kapitaal, van Europa naar de Nieuwe Wereld. Duitsland en de Verenigde Staten, die zich in snel tempo industrialiseerden, werden twee van de drie grootste economieën ter wereld.

De jaren vijftig en begin zestig worden achteraf soms als vreedzaam
beschouwd, maar waren in werkelijkheid vervuld van spanningen,
vanwege de eerste jaren van de Koude Oorlog, angst voor hete oorlogen met de Sovjet-Unie en China, en een echte oorlog in Korea. Er waren periodieke crises – rond de zee-engte tussen Taiwan en China, de
Congo, het Suezkanaal, de Varkensbaai, Vietnam –, crises die vaak uitgroeiden tot oorlogen. Maar niettemin ontwikkelden de geïndustrialiseerde economieën zich voorspoedig. Dit was de tweede grote periode
van kapitaalverplaatsing, waarbij geld uit de Verenigde Staten binnen-
stroomde in Europa en Azië. Als gevolg hiervan herrees West-Europa
uit de as van de Tweede Wereldoorlog en kende Japan, de eerste niet-
westerse natie die zich met succes industrialiseerde, 23 jaar lang een
groei van meer dan negen procent per jaar.

In beide periodes veroorzaakten deze 'positieve aanbodschokken'
(een economische term voor een aanhoudende productiepiek) langdurige hausses, met dalende prijzen, lage rentevoeten en groeiende
productiviteit van de opkomende markten van dat moment (Duitsland, de Verenigde Staten, Japan). Aan het begin van de twintigste
eeuw daalden de graanprijzen in Europa, ondanks een sterke groei van
de vraag, dankzij de Amerikaanse graanschuren met 20 tot 35 procent.[3]
(Op analoge wijze daalt de prijs van industrieproducten op dit moment vanwege gedaalde productiekosten in Azië, zelfs bij een enorme
groei van de vraag.) In beide periodes groeiden de nieuwe deelnemers
door hun export, maar ook hun import breidde zich uit. Tussen 1860
en 1914 werd de Amerikaanse invoer vervijfvoudigd, terwijl de export
zich met een factor zeven uitbreidde.[4]

We beleven nu de derde, en verreweg de grootste, expansie van de
wereldeconomie. In de laatste twintig jaar zijn ongeveer twee miljard
mensen tot de wereld van markten en handel toegetreden – een wereld

die tot voor kort in handen was van een kleine groep westerse landen.*
Deze expansie werd op gang gebracht door de verplaatsing van westers
kapitaal naar Azië en over de hele wereld. Als gevolg hiervan is de wereldeconomie tussen 1990 en 2007 met 22,8 biljoen dollar gegroeid tot
53,3 biljoen dollar en is de wereldhandel met 133 procent toegenomen.
De zogenaamde opkomende markten zijn voor meer dan de helft van
deze groei verantwoordelijk en maken nu gemeten naar koopkrachtpariteit 50 procent van de wereldeconomie uit (of meer dan 30 procent
aan de hand van het handelsverkeer). De groei van de nieuwkomers
wordt steeds sterker aangedreven door hun eigen markten, niet alleen
door export naar het Westen, wat betekent dat dit geen voorbijgaand
verschijnsel is.

Sommige mensen ontkennen deze tendensen door te wijzen op de
opkomst van Japan in de jaren tachtig, toen we allemaal bang waren
dat de Japanners de wereldeconomie zouden gaan overheersen. Dit
bleek geen reële angst te zijn; in werkelijkheid raakte Japan vijftien
jaar lang in de greep van een recessie. Maar de analogie is misleidend.
In 1985 was Japan al de op één na grootste economie ter wereld. Veel
deskundigen geloofden dat Japan de Verenigde Staten van de eerste
plaats zou verdrijven, maar omdat de economie, de instellingen en de
politiek in Japan nog niet volledig gemoderniseerd waren kon dit land
die laatste sprong niet maken. China is daarentegen nog steeds een
arm land. Het heeft een bbp per hoofd van 2500 dollar. Op zijn weg
naar de positie van een eerstewereldland zal het nog met veel problemen te kampen krijgen. Maar in de afzienbare toekomst zal het zeker
in staat zijn de omvang van zijn economie te verdubbelen, ook al blijft
het alleen maar speelgoed, shirts en draagbare telefoons maken. Ook
India, dat met een nog lager basisinkomen begint, zal nog verscheidene tientallen jaren kunnen blijven groeien voordat het hetzelfde soort

---

*   Ik zeg twee miljard omdat de arme plattelandsbevolking in Zuid-Azië, China en
   Afrika niet in enig reëel opzicht bij de mondiale economie betrokken is. Maar
   elk jaar trekken miljoenen van deze mensen naar de steden.

problemen onder ogen moet zien dat Japan heeft doen ontsporen. Zelfs als India en China de status van een gemiddeld inkomen nooit te boven komen, zullen zij voor het grootste deel van de eenentwintigste eeuw waarschijnlijk in grootte de tweede en derde economie ter wereld zijn.

Het is een historisch toeval dat de rijkste landen van de wereld in de afgelopen eeuwen allemaal een kleine bevolking hebben gehad. De Verenigde Staten waren hiervan verreweg de grootste en zijn daarom ook de dominante speler geworden. Maar deze dominantie was alleen mogelijk in een wereld waarin de echt grote landen in armoede waren gedompeld, en onmachtig of onwillig waren om beleid te voeren dat hun groei bevorderde. Nu zijn deze reuzen in beweging gekomen en zullen ze, vanwege hun omvang, grote voetafdrukken op de kaart achterlaten. Zelfs als de gemiddelde inwoner van deze landen volgens westerse normen nog steeds arm lijkt te zijn, is hun gezamenlijke rijkdom kolossaal. Of, om het in wiskundige termen uit te drukken: elk getal, hoe klein ook, wordt een groot getal wanneer het wordt vermenigvuldigd met 2,5 miljard (bij benadering de som van de bevolkingen van China en India). Deze twee factoren, een laag startpunt en een grote bevolking, staan garant voor de omvang en de duurzaamheid van de mondiale machtsverschuiving.

De drie krachten: politiek, economie en technologie

Hoe is dit allemaal zo gekomen? Om deze vraag te beantwoorden moeten we enkele tientallen jaren teruggaan, naar de jaren zeventig, en in herinnering roepen hoe de meeste landen in die tijd hun economie runden. Ik herinner me de sfeer van die tijd nog heel goed omdat ik ben opgegroeid in India, een land dat zich ervan bewust was dat het zich niet kon meten met de Verenigde Staten. De politieke en intellectuele elites van India huldigden de opvatting dat er aan het ene uiteinde van het spectrum een door de vs geleid kapitalistisch model be-

stond en aan het andere uiteinde een door de Sovjet-Unie geleid socialistisch model. New Delhi probeerde tussen deze modellen een middenkoers te houden. In dit opzicht was India niet uitzonderlijk. Brazilië, Egypte en Indonesië, in feite het grootste deel van de wereld,
volgden deze middenkoers. Maar die koers bleek nergens toe te leiden
en voor veel mensen in deze landen begon dit aan het eind van de jaren
1970 duidelijk te worden. Terwijl deze landen stagneerden, boekten Japan en andere Oost-Aziatische economieën, die een quasi-kapitalisti-
sche richting waren ingeslagen, opvallende successen, en begon men
deze boodschap ter harte te nemen.

Maar de aardschok die zich over de hele aarde deed voelen was de
ineenstorting van de Sovjet-Unie aan het eind van de jaren 1980. Nu
het idee van een centrale planning volledig in diskrediet was geraakt en
één uiteinde van het politiek spectrum in scherven lag, veranderde het
hele debat. Plotseling was er nog maar één basale benadering voor het
organiseren van de economie van een land overgebleven. Daarom
heeft Alan Greenspan de val van de Sovjet-Unie als de invloedrijkste
economische gebeurtenis van onze tijd omschreven. En ondanks alle
twijfels over de verschillende plannen voor liberalisatie en marktvor-
ming is deze algemene tendens niet veranderd. Zoals Margaret
Thatcher het met een beroemde formulering verwoordde in de jaren
waarin zij de Engelse economie uit het slop haalde: 'Er is geen alternatief.'

De ideologische verschuiving op het gebied van de economie was
zich al aan het ontwikkelen in de jaren zeventig en tachtig, zelfs vóór
de val van de Berlijnse muur. De conventionele economische wijsheid,
belichaamd in organisaties als het Internationaal Monetair Fonds en
de Wereldbank, toonde zich veel kritischer tegenover het quasi-socia-
listische pad van landen als India. Academische deskundigen als Jeffrey Sachs reisden de wereld rond om regeringen met klem de raad te
geven hun economie te liberaliseren. Mensen die hun economische
scholing in het Westen hadden ontvangen, zoals de 'Chicago boys' in
Chili, keerden terug naar hun vaderland en voerden daar een markt-

vriendelijk beleid in. Sommige ontwikkelingslanden maakten zich bezorgd over het risico dat ze roofzuchtige kapitalisten zouden worden, en Sachs herinnert zich hoe hij hun uitlegde dat ze lang en grondig in debat moesten gaan over de vraag of ze uiteindelijk meer op Zweden, Frankrijk of de Verenigde Staten wilden gaan lijken. Maar hij voegde er dan aan toe dat ze zich voorlopig over deze beslissing nog geen zorgen hoefden te maken: de meeste van hen stonden nog veel dichter bij de Sovjet-Unie.

De vrije beweging van kapitaal is de financiële motor achter het nieuwe tijdperk. Ook dit is een betrekkelijk recent verschijnsel. Het tijdperk na de Tweede Wereldoorlog werd gekenmerkt door vaste wisselkoersen. De meeste westerse landen, met inbegrip van Frankrijk en Italië, kenden kapitaalcontroles die de in- en uitvoer van valuta aan banden legden. De dollar was gekoppeld aan het goud. Maar naarmate de wereldhandel groeide leidden vaste wisselkoersen tot fricties en ondoelmatigheden en beletten ze de nuttigste aanwending van kapitaal. De meeste westerse landen schaften in de jaren 1970 en 1980 hun controles af, met als resultaat een enorm en voortdurend groeiend aanbod van kapitaal dat zich vrij van de ene naar de andere plek kon bewegen. Wanneer mensen tegenwoordig over globalisering nadenken, denken ze nog steeds vooral in termen van de kolossale hoeveelheid geld – valutahandelaren wisselen ongeveer twee biljoen dollar per *dag* – die over de hele wereld wordt rondgepompt, waarbij sommige landen beloond worden en andere gestraft. Dit is het hemelse mechanisme waarvan de globalisering zich bedient om orde te scheppen.

Tegelijk met het zich vrij bewegende geld kwam er nog een andere beleidsomwenteling tot stand: de verbreiding van onafhankelijke centrale banken en het bedwingen van inflatie. Hyperinflatie is de ergste economische malaise die een land kan overkomen. Zij vernietigt de waarde van geld, spaartegoeden en waardepapieren, en daarmee van werk. Hyperinflatie is nog erger dan een diepe recessie: zij berooft je van wat je nu bezit (gespaard hebt), terwijl een recessie je berooft van

wat je had kunnen hebben (een hogere levensstandaard als de economie gegroeid was). Daarom heeft hyperinflatie zo vaak regeringen ten
val gebracht en revoluties veroorzaakt. Het was niet de Grote Crisis die
de nazi's in Duitsland aan de macht bracht, maar de hyperinflatie, die
de middenklasse vernietigde door haar spaartegoeden waardeloos te
maken.

Je kunt maar zelden terugkijken op een oorlog die zo beslissend gewonnen is. Aan het eind van de jaren tachtig gingen tientallen grote, belangrijke landen gebukt onder hyperinflatie. In Argentinië bedroeg zij
3500 procent, in Brazilië 1200 procent en in Peru 2500 procent. In de jaren negentig bewoog het ene na het andere van deze ontwikkelingslanden zich zonder ophef in de richting van monetaire en fiscale discipline.
Sommige accepteerden de noodzaak hun valuta te laten zweven; andere
verbonden hun valuta met de euro of de dollar. Het resultaat is dat er
op dit moment op de hele wereld nog maar twaalf landen zijn met een
inflatie van boven de 15 procent, en de meeste van deze landen zijn mislukte staten zoals Haïti, Birma en Zimbabwe. Deze algemene sfeer van
lage inflatie is van cruciaal belang geweest voor de politieke stabiliteit en
het economische welvaren van de opkomende naties.

Deze politieke en economische factoren die landen in de richting
van een nieuwe consensus stuurden gingen vergezeld van een reeks
van technologische vernieuwingen in dezelfde richting. Het is nu
moeilijk om je het leven in de donkere dagen van de jaren 1970 te herinneren, toen je nog niet van minuut tot minuut van de actualiteit op
de hoogte werd gehouden. Maar tegen de jaren negentig werden gebeurtenissen waar ook ter wereld, in Oost-Berlijn of Koeweit, of op het
Plein van de Hemelse Vrede, al op hetzelfde moment doorgeseind. We
denken doorgaans dat nieuws voornamelijk van politieke aard is.
Maar prijzen zijn ook een vorm van nieuws, en de mogelijkheid om
prijzen onmiddellijk en controleerbaar over de hele wereld door te geven heeft ook weer tot een omwenteling op het gebied van doelmatigheid geleid. Tegenwoordig is het routine geworden dat prijzen voor
producten binnen enkele minuten van het internet worden afgelezen.

Twintig jaar geleden deden commissionairs nog goede zaken omdat het heel moeilijk was prijzen direct met elkaar te vergelijken.

De uitbreiding van de communicatie hield in dat de wereld meer tot een geheel werd gemaakt en 'plat' werd, om een beroemde uitdrukking van Thomas Friedman aan te halen. Goedkope telefoongesprekken en breedband maakten het mogelijk voor mensen om vanuit het ene land werk te doen in een ander land, iets wat een nieuwe fase markeerde in het voortgaande verhaal van het kapitalisme. Met de komst van grote schepen in de vijftiende eeuw werden goederen mobiel. Met het moderne bankwezen in de zeventiende eeuw werd het kapitaal mobiel. In de jaren 1990 werd de arbeid mobiel. Mensen konden zich niet altijd verplaatsen naar de plek waar het werk beschikbaar was, maar het werk kon zich wel verplaatsen naar de mensen. En zo ging er werk naar programmeurs in India, telefonisten op de Filipijnen en radiologen in Thailand. De kosten van het transport van goederen en diensten dalen al eeuwenlang. Met de komst van breedband zijn deze kosten voor vele diensten tot nul gereduceerd. Niet alle werkzaamheden kunnen worden uitbesteed – zelfs lang niet alle – maar het effect van uitbesteding is allerwegen voelbaar.

In zekere zin heeft de handel altijd zo gewerkt; aan het begin van de twintigste eeuw zijn er bijvoorbeeld textielfabrieken van Groot-Brittannië naar Japan overgeheveld. Maar onmiddellijke en voortdurende communicatie betekent dat dit proces zich aanmerkelijk heeft versneld. Een kledingfabriek in Thailand kan nu bijna net zo bestuurd worden alsof hij in de Verenigde Staten gelegen was. Ondernemingen gebruiken nu tientallen landen als onderdelen van een keten die goederen koopt, produceert, assembleert, op de markt brengt en verkoopt.

Sinds de jaren 1980 hebben deze drie krachten, politiek, economie en technologie, in dezelfde richting hun druk uitgeoefend om een meer open, verbonden en veeleisend internationaal leefklimaat voort te brengen. Maar ze hebben ook overal ter wereld landen nieuwe mogelijkheden gegeven om op de ladder van groei en welvaart hogerop te komen.

Denk aan de indrukwekkende verandering in twee representatieve (niet-Aziatische) landen. Twintig jaar geleden zouden Brazilië en Turkije nog als typische ontwikkelingslanden zijn beschouwd, met een trage groei, ongeremde inflatie, een voortdurend groeiende schuld, een kwijnende private sector en een kwetsbaar politiek systeem. Tegenwoordig worden deze landen goed bestuurd en kunnen ze zich beroemen op een historisch lage inflatie, sterke groeicijfers, een dalend schuldniveau, een bloeiende private sector en steeds stabielere democratische instellingen. Het inflatiecijfer van Brazilië is nu voor de eerste keer in de geschiedenis ruwweg hetzelfde als dat van de Verenigde Staten. Brazilië en Turkije hebben nog steeds problemen – welk land heeft die niet? – maar het zijn landen die zich onmiskenbaar in stijgende lijn ontwikkelen.

De markten hebben hun opvatting over deze landen al gewijzigd. Hun schuld wordt niet langer als riskanter beschouwd dan de schuld van een eerstewereldland. In feite potten veel opkomende markten grote overschotten op, in zo sterke mate dat ze nu 75 procent van de reserves in buitenlandse valuta in bezit hebben. China alleen al heeft meer dan anderhalf biljoen dollar in zijn boeken staan. Goldman Sachs heeft voorspeld dat tegen 2040 vijf landen met opkomende markten – China, India, Brazilië, Rusland en Mexico – met elkaar een grotere economische productie zullen hebben dan de G7-landen, de zeven westerse landen die de wereld eeuwenlang hebben gedomineerd.

Luxeproblemen

De laatste twintig jaar hebben we veel tijd, energie en zorgelijke aandacht besteed aan crises en verstoringen in de wereldeconomie en aan terrorisme, nucleaire chantage en geopolitieke oorlogen. Dit is begrijpelijk: door je op het ergste voor te bereiden kun je het helpen voorkomen. En we hebben ook inderdaad slecht nieuws gehad, over oorlogen op de Balkan en in Afrika, over wereldwijd terrorisme en over economische crises in Oost-Azië, Rusland en de Verenigde Staten. Maar door ons vooral te richten op het slechte nieuws zijn we onvoorbereid gebleven op veel van de grootste problemen waarmee we geconfronteerd worden, problemen die niet voortkomen uit mislukking maar uit succes. Het feit dat we leven in een wereld waarin allerwegen op hetzelfde moment sprake is van groei is in hoofdzaak goed nieuws, maar roept ook een reeks van complexe en mogelijk dodelijke dilemma's op.

Wereldwijde groei is het grote verhaal van onze tijd. Het verklaart de wereldwijde liquiditeit – de alsmaar groeiende stapels geld die zich over de hele wereld verplaatsen – die krediet goedkoop heeft gehouden en activa (onroerend goed, aandelen en obligaties) duur. Tegelijkertijd heeft de hoogconjunctuur in lagelonenlanden ervoor gezorgd dat de prijzen niet te sterk gestegen zijn. Een manier om je India en China voor te stellen is als twee grote deflatiemachines ten dienste van de hele wereld, die goederen (China) en diensten (India) uitbraken voor een fractie van wat hun productie in het Westen zou kosten.[5] Dit is een van de belangrijkste redenen dat centrale banken zich niet al te veel zorgen hebben hoeven maken over inflatie en in staat zijn geweest over bijna twintig jaar, een ongewoon lange periode, lage rentevoeten te handhaven. Natuurlijk leiden lage rentevoeten en goedkoop krediet er ook toe dat mensen zich onverstandig of hebzuchtig gaan gedragen en daarmee zeepbellen opblazen in technologieaandelen, onroerend goed, riskante hypotheken of aandelen in opkomende markten, zeepbellen die uiteindelijk uit elkaar spatten. Nu de wereld meer tot één groot geheel wordt gemaakt en financiële instrumenten een meer exotisch karakter gaan dragen, maken vele waarnemers zich zorgen dat de positieve cyclus van groei en vertrouwen kan omslaan in een negatieve cyclus van paniek en depressie. Maar ook al is het oplossen van crises buitengewoon pijnlijk, toch lijken de verschillende nieuwe bronnen van groei en de enorme hoeveelheden nieuw kapitaal het mondiale economische systeem als geheel tot nog toe een aanzienlijke veerkracht te hebben gegeven.

Denk bijvoorbeeld aan de stijgende olieprijzen. De oliecrisis van de afgelopen jaren verschilde van eerdere crises. In het verleden stegen de prijzen omdat olieproducenten, de OPEC, het aanbod kunstmatig beperkten en daarmee de prijs van benzine opdreven. In de afgelopen jaren zijn de prijzen daarentegen gestegen vanwege de vraag uit China, India en andere opkomende markten, en vanwege de voortdurende enorme vraag in de ontwikkelde wereld. Wanneer prijzen stijgen omdat economieën groeien betekent dit dat economieën de kracht en de flexibiliteit hebben om hogere kosten op te vangen door hun productiviteit te verbeteren (en, in mindere mate, door deze kosten aan consumenten door te berekenen). Dientengevolge zijn de prijsstijgingen van de afgelopen jaren gemakkelijk opgevangen. Als we onze waarzegger in 2001 gevraagd hadden naar het effect van een verviervoudiging van de olieprijzen zou hij vast en zeker een mondiale recessie hebben voorspeld.

Niet alleen olie is duurder geworden. De prijzen voor gebruiksartikelen liggen op het hoogste niveau in tweehonderd jaar. Grondstoffen van alle soorten worden steeds duurder. Landbouwproducten zijn nu zo duur dat ontwikkelingslanden geconfronteerd worden met het steeds ernstiger politieke probleem hoe ze op de inflatie van voedselprijzen moeten reageren. Bouwkosten zijn van New York tot Dubai en Shanghai geëxplodeerd. Zelfs aan het nederige gas helium, dat niet alleen in ballonnetjes wordt gebruikt maar ook in MRI-machines en microchipfabrieken, is over de hele wereld een tekort, terwijl dit in het heelal het op één na meest voorkomende element is. Deze problemen zullen op een bepaald moment zeker een einde maken aan het tijdperk van lage inflatie dat de wereldwijde welvaart mogelijk heeft gemaakt.

Intussen heeft de stevige groei ook een aantal afwijkingen veroorzaakt. Binnen een steeds sterker geglobaliseerde en geordende wereld krijgen bepaalde landen – die beschikken over natuurlijke hulpbronnen, vooral aardolie en aardgas – hun welvaart gratis in de schoot geworpen. Ze liften mee op de golf van mondiale groei en worden rijk zonder zich te hoeven houden aan de meeste regels die de wereldeconomie beheersen. Dit verschijnsel is het vreemde maar onvermijdelijke bijproduct van het succes van alle anderen. Deze landen vormen de marktloze parasieten op een wereld van markten.

Laten we eens kijken naar de voornaamste politieke uitdagingen aan de Verenigde Staten en naar westerse ideeën over een internationale orde. In het Midden-Oosten komt zo'n uitdaging uit Iran, in Latijns-Amerika uit Venezuela en in Eurazië uit Rusland. Al deze landen hebben nieuwe kracht geput uit olie. Dat Sudan in staat is de wereld te tarten in verband met Darfur is moeilijk los van de oliereserves van dit land te begrijpen. Aardolie brengt verbijsterende hoeveelheden contanten binnen. In Iran bedroegen de inkomsten uit olie in 2006 vijftig miljard dollar, voldoende om beschermgeld aan belangengroepen te betalen, het leger om te kopen en aan de macht te blijven, terwijl er dan nog genoeg overbleef om buiten de grenzen vuurtjes op te stoken. Deze situatie zal waarschijnlijk niet veranderen. Zolang de andere landen groeien, zal het landen die rijk zijn aan hulpbronnen voor de wind blijven gaan. Dit is het yin en yang van de huidige globalisering.

Niet alle landen met rijke hulpbronnen zijn schurken, en het klimaat van goed economisch bestuur heeft ertoe geleid dat enkele van deze landen hun rijkdom nu verstandiger gebruiken dan vroeger. De landen aan de Perzische Golf, waarin veel van de olie-inkomsten binnenstroomt, investeren hun winsten eerder in infrastructuur en industrie dan in Zwitserse bankrekeningen en casino's in Monte Carlo (hoewel ook dit laatste nog op grote schaal plaatsvindt). Dubai is een doelmatig bestuurde, zakelijk georiënteerde overslaghaven geworden, het Singapore van het Midden-Oosten. Andere Golfstaten proberen nu met het succes van Dubai te wedijveren. Saudi-Arabië, dat tientallen jaren zijn enorme fortuin verkeerd heeft beheerd, is voornemens zeventig miljard dollar in nieuwe petrochemische projecten te investeren, met als doel in 2015 de wereldleider te worden in petrochemische producten. De Golfstaten hebben in de laatste vijf jaar een biljoen dollar aan kapitaal geïnvesteerd, en McKinsey schat dat ze in de komende tien jaar nog twee biljoen dollar zouden kunnen investeren.

Dit is een door de staat geleide vorm van kapitalisme die waarschijnlijk tot een beperkte ontwikkeling zal leiden en waarschijnlijk niet tot groei die zichzelf in stand kan houden (hoewel er ook sterk door de staat geleide elementen aanwezig zijn in het Europese en Oost-Aziatische kapitalisme). Maar het nieuwe beleid van de Golfstaten staat veel dichter bij de mondiale norm dan de economische systemen die een generatie geleden in deze landen, van Rusland tot Saudi-Arabië, aan de orde waren.

Het nijpendste probleem van de overvloed is het effect van mondiale groei op natuurlijke hulpbronnen en het milieu. Het is geen overdrijving om te stellen dat de wereld verstoken raakt van zuivere lucht, drinkwater, landbouwproducten en een groot aantal onmisbare gebruiksartikelen. Sommige van deze problemen kunnen worden opgelost door doelmatiger te werken en nieuwe bronnen aan te boren, maar er is veel te weinig vooruitgang geboekt. De productiviteit van de landbouw vertoont bijvoorbeeld een stijgende lijn. Maar het voeden van een wereldbevolking van acht miljard, zoals we die in 2025 zullen hebben, zal opbrengsten van vier ton per hectare vereisen tegenover de drie ton van dit moment. En ook ons vermogen om water te beheersen en op te slaan groeit veel minder snel dan ons verbruik. In de twintigste eeuw is de wereldbevolking verdrievoudigd, maar het verbruik van water verzesvoudigd. Amerikanen gebruiken meer dan vierhonderd liter water per dag om te drinken, te koken en zich te wassen. Mensen in arme landen mogen op dit moment van geluk spreken als ze over veertig liter water kunnen beschikken, maar naarmate ze rijker worden zal hun toenemende vraag grotere spanning met zich meebrengen.[6] Gewelddadige botsingen over water zijn al uitgebroken in Afrika en het Midden-Oosten. In de loop van de geschiedenis heeft watergebrek volksverhuizingen veroorzaakt; als er in de toekomst waterbronnen opdrogen zullen tientallen miljoenen mensen genoodzaakt zijn in beweging te komen.

In de laatste tien jaar is van veel voorspellingen over de effecten van klimaatverandering gebleken dat ze deze effecten hebben onderschat, omdat de mondiale groei alle schattingen heeft overtroffen. De recentste rapportage van het Intergovernmental Panel on Climate Change (IPCC) is halverwege 2007 verschenen. Aan het eind van ditzelfde jaar hadden wetenschappers aangetoond dat de ijskappen aan de polen tweemaal zo snel smelten als in het rapport stond aangegeven.[7] Er is een grotere vraag naar elektriciteit, en er zijn meer auto's en vliegtuigen dan iemand zich vijftien jaar geleden kon voorstellen. En deze groei zet zich voort. Het McKinsey Global Institute voorspelt dat het aantal voertuigen in China van 2003 tot 2020 zal toenemen van 26 miljoen tot 120 miljoen. En dan hebben we nog geen rekening gehouden met India, Rusland en het Midden-Oosten – de anderen.

De vraag naar elektriciteit zal naar verwachting gedurende tientallen jaren met vier procent per jaar stijgen. En die elektriciteit zal meestal gewonnen worden uit de vuilste brandstof die beschikbaar is: steenkool. Steenkool is goedkoop en overvloedig en daarom gebruikt de wereld die om het grootste deel van zijn elektriciteit te produceren. Om het effect op de mondiale verwarming te begrijpen moeten we het volgende feit onder ogen zien: tussen 2006 en 2012 zullen China en India achthonderd nieuwe met steenkool gestookte energiecentrales bouwen – met een gezamenlijke CO_2-uitstoot die vijfmaal groter is dan de totale besparingen van de Kyoto-akkoorden.

De opkomst van nationalisme

In een geglobaliseerde wereld zijn bijna alle problemen grensoverschrijdend. Of het nu gaat om terrorisme, proliferatie van kernwapens, ziekte, aantasting van het milieu, economische crisis of schaarste aan water, geen van deze kwesties kan worden aangepakt zonder een intensieve coördinatie en samenwerking tussen een groot aantal landen. Maar hoewel het mogelijk is dat economie, informatie en zelfs cultuur geglobaliseerd zijn, blijft de formele politieke macht hecht verankerd in de nationale staat, ondanks het feit dat de nationale staat minder goed in staat is geraakt de meeste van deze problemen zelfstandig op te lossen. Naarmate het aantal gouvernementele en niet-gouvernementele spelers toeneemt, worden de vooruitzichten op overeenstemming en gezamenlijk optreden minder gunstig. Dit is de belangrijkste opgave in verband met de opkomst van de anderen: ervoor te zorgen dat de mondiale groei niet leidt tot mondiale chaos en desintegratie.

De toename van trots en zelfvertrouwen bij andere naties, en vooral bij de grootste en succesvolste, is duidelijk merkbaar. Ik kreeg er zelf een duidelijk voorbeeld van gepresenteerd toen ik enkele jaren geleden in een internetcafé in Shanghai zat te praten met een jonge Chinese leidinggevende. Hij beschreef de buitengewone groei die China doormaakt en een toekomst waarin China een modern en welvarend land zou zijn. In zijn kleding en optreden was hij volledig verwesterd, hij sprak uitstekend Engels en praatte met gemak over de laatste ontwikkelingen in de zakenwereld of de Amerikaanse popcultuur. Hij leek een volmaakt product van globalisering, iemand die culturen overspant en de wereld tot een kleinere, meer kosmopolitische plek maakt. Maar toen we begonnen te spreken over Taiwan, Japan en ten slotte de Verenigde Staten, waren zijn uitlatingen vervuld van bitterheid. Er was woede in zijn stem toen hij zei dat China Taiwan direct moest binnenvallen wanneer dit land het waagde zich onafhankelijk te verklaren. Hij zei dat Japan een agressieve natie was die nooit vertrouwd kon worden. Hij was er zeker van dat de Verenigde Staten de Chinese ambassade in 1999 tijdens de oorlog in Kosovo welbewust gebombardeerd hadden om het Chinese volk met hun militaire macht te terroriseren. Enzovoort. Ik voelde me alsof ik in 1910 in Berlijn in gesprek was met een geschoolde jonge Duitser die in die dagen eveneens tegelijkertijd door en door modern, en door en door nationalistisch zou zijn geweest.

Met de stijging van de welvaart groeit het nationalisme. Dit is begrijpelijk. Stel je voor dat je leeft in een land dat eeuwenlang arm en onstabiel is geweest. En dan nemen de zaken ten slotte een keer en krijgt je land de wind mee. Je zou je trots voelen en je graag door anderen laten bewonderen. Dit verlangen naar erkenning en respect is over de hele wereld in opkomst. Het kan paradoxaal lijken dat globalisering en economische modernisering een voedingsbodem zijn voor politiek nationalisme, maar dat is alleen het geval wanneer we het nationalisme als een achterlijke ideologie beschouwen die door de vooruitgang onvermijdelijk ingehaald zal worden. Nationalisme heeft Amerikanen altijd voor een raadsel gesteld. Wanneer de Verenigde Staten zich met het buitenland bemoeien, geloven ze altijd dat ze andere landen helpen om zich te verbeteren. Van de Filipijnen en Haïti tot Vietnam en Irak heeft de reactie van de ingezetenen van die landen op de Amerikaanse inspanningen de Amerikanen altijd verrast. Amerikanen zijn met recht trots op hun eigen land – we noemen dit patriottisme – maar toch zijn we oprecht verbaasd wanneer andere mensen trots zijn op hun eigen land en hun land in bescherming nemen.

In de nadagen van de Britse heerschappij in India richtte de laatste onderkoning, Lord Louis Mountbatten, zich tot de grote Indiase leider Mahatma Gandhi en zei geërgerd: 'Als wij zomaar weggaan wordt het hier een chaos.' Gandhi antwoordde: 'Ja, maar dan wordt het wel ónze chaos.' Dit gevoel van door eigen mensen geregeerd worden, zonder inmenging van buiten, is een sterk gevoel in opkomende landen, vooral in landen die vroeger koloniën of verkapte koloniën van het Westen zijn geweest. Zbigniew Brzezinski heeft kortgeleden de aandacht gevestigd op wat hij aanduidt als een 'mondiaal politiek ontwaken'. Hij wees daarbij op opkomende massasentimenten, die door verschillende krachten worden opgewekt – economisch succes, nationale trots, hogere niveaus van scholing, toegenomen informatie en openheid, en herinneringen aan het verleden. Brzezinski signaleerde de verstorende aspecten van deze nieuwe kracht. Hij schreef: 'In een groot deel van de opkomende wereld is de bevolking politiek gesproken in beweging gekomen en zij is op vele plaatsen ten prooi ge-

vallen aan een ziedende onrust. De mensen zijn zich in een ongekende mate scherp bewust van sociale onrechtvaardigheid... [en dit]
creëert een gemeenschapsgevoel met gemeenschappelijke opvattingen en een collectieve naijver die door demagogische politieke of religieuze hartstochten kan worden aangewakkerd en in banen geleid.
Deze krachten overschrijden landsgrenzen en creëren een probleem
voor bestaande staten en voor de mondiale hiërarchie, die nog steeds
door Amerika wordt aangevoerd.'[8]

In veel landen buiten de westerse wereld bestaat een opgekropte frustratie over het feit dat men een volledig westerse of Amerikaanse versie
van de wereldgeschiedenis heeft moeten accepteren, een versie waarin
deze landen ofwel een verkeerde rol hebben gekregen, ofwel uitsluitend
als figuranten hebben gediend. De Russen ergeren zich al lange tijd ka-
pot aan het standaardverhaal over de Tweede Wereldoorlog, waarbij
Engeland en de Verenigde Staten na een heroïsche strijd de nederlaag
hebben toegebracht aan het fascistische Duitsland en Japan. In het licht
van de toonaangevende geschiedschrijving in de vs, van Steven Ambrose tot Ken Burns, kan het de Amerikanen vergeven worden dat zij
van mening zijn dat Rusland in de beslissende slagen tegen Hitler en
Tojo maar een ondergeschikte rol heeft gespeeld. In werkelijkheid was
het oostfront het belangrijkste strijdtoneel van de Tweede Wereldoorlog. Aan het oostfront heeft een grotere grondoorlog plaatsgevonden
dan in alle andere oorlogsgebieden bij elkaar en zijn dertig miljoen doden gevallen. Aan dit front vocht driekwart van alle Duitse strijdkrachten en viel 70 procent van de Duitse oorlogsslachtoffers. Het Europese
front was in vele opzichten een bijzaak, maar wordt in het Westen als de
hoofdzaak behandeld. De schrijver Benjamin Schwarz heeft erop gewezen dat Ambrose 'overvloedig aandacht besteedt aan de Amerikaans-
Engelse invasie van Sicilië, waardoor zestigduizend Duitsers van dit eiland werden verdreven, maar niets meldt over Koersk, de grootste
veldslag in de geschiedenis, waarbij ten minste anderhalf miljoen Sovjets en Duitsers betrokken waren, en die op precies hetzelfde moment
plaatsvond. Ook al kan dit ons een ongemakkelijk gevoel geven, we

moeten toegeven dat de strijd tegen nazi-Duitsland in de eerste plaats, zoals de grote militaire historicus John Erickson het noemde, "de oorlog van Stalin" was.[9]

Of denk aan het zicht op deze zelfde oorlog vanaf een andere plek op de kaart. Een Indiase vriend legde me uit: 'Voor Engeland en Amerika is de Tweede Wereldoorlog een heroïsche strijd waarin de vrijheid triomfeert over het kwaad. Voor ons was het een oorlog waarin India en de strijdkrachten van India door Engeland werden meegesleept zonder dat wij daarover geraadpleegd waren. Londen droeg ons op te sterven voor een idee van vrijheid die op datzelfde moment aan de bevolking van India botweg werd ontzegd.'

Zulke uiteenlopende nationale gezichtspunten hebben altijd bestaan, maar op dit moment worden ze dankzij toegenomen scholing, informatie en openheid alom verbreid op de nieuwe informatienetwerken, kabelkanalen en internetsites van de opkomende wereld. Veel van de 'anderen' zijn bezig met het analyseren van de verhalen, argumenten en uitgangspunten van het Westen en stellen daar een andere visie op de wereld tegenover. 'Wanneer jullie ons vertellen dat wij steun geven aan een dictatuur in Sudan om daar toegang tot de olie te krijgen,' zei een jonge Chinese functionaris in 2006 tegen mij, 'zeg ik: "In hoeverre verschilt dit van jullie steun aan een middeleeuwse monarchie in Saudi-Arabië?" We zien de hypocrisie, alleen zeggen we er – voorlopig – niets over.'

Na het einde van de Koude Oorlog hoopte en verwachtte men alom dat China en Rusland zich onverbiddelijk zouden invoegen in het westerse politieke en economische systeem van na de Tweede Wereldoorlog. Wanneer George H.W. Bush het had over 'een nieuwe wereldorde' bedoelde hij eenvoudigweg dat de oude westerse orde over de hele wereld verbreid zou worden. Misschien was deze visie afkomstig uit de naoorlogse ervaringen met Japan en Duitsland, die allebei economische grootmachten werden en toch gezeglijke, coöperatieve en in hoofdzaak zwijgende leden van de bestaande orde waren. Maar misschien waren dit bijzondere omstandigheden. Deze twee landen hadden een unieke geschiedenis in zoverre ze agressieve oorlogen hadden gevoerd en als gevolg daarvan paria's waren geworden. Daarnaast werden ze geconfronteerd met een nieuwe bedreiging van de kant van het Sovjet-communisme en verlieten ze zich voor hun bescherming op Amerikaanse militaire macht. De volgende generatie van opkomende machten is misschien niet zo gemakkelijk bereid om zich 'in te voegen'.

We denken nog steeds aan een wereld waarin een opkomende macht moet kiezen tussen twee radicale mogelijkheden: ofwel toetreden tot de westerse orde, ofwel deze afwijzen en daarmee een schurkenstaat worden die buitenspel kan worden gezet. In feite lijken opkomende machten een derde weg te volgen: ze treden toe tot de westerse orde maar doen dat op hun eigen voorwaarden, en hervormen daarmee het systeem zelf. De politieke wetenschappers Naazneen Barma, Ely Ratner en Steven Weber wijzen erop dat landen, in een wereld waarin iedereen zich sterker voelt staan, ervoor kunnen kiezen dit westerse 'centrum' volledig te omzeilen en onderlinge banden aan te knopen.[10] In een post-Amerikaanse wereld bestaat misschien geen centrum meer om in opgenomen te worden. In 1991 deed de toenmalige minister van Buitenlandse Zaken van de vs, James Baker, de suggestie dat de wereld zich bewoog in de richting van een systeem met een naaf en spaken, waarbij elk land de Verenigde Staten moest passeren om zijn bestemming te bereiken. De wereld van de eenentwintigste eeuw kan beter worden omschreven als een wereld van directe verbindingen, waaraan van dag tot dag nieuwe vliegroutes worden toegevoegd. (Dit is zelfs in fysieke termen het geval: in nog maar tien jaar is het aantal Russische bezoekers in China meer dan verviervoudigd, van 489 000 in 1995 tot 2,2 miljoen in 2005.)

Dat nieuwe mogendheden hun belangen krachtiger naar voren brengen is de werkelijkheid van de post-Amerikaanse wereld. Dit creëert ook het politieke raadsel hoe je internationale doelen kunt realiseren in een wereld met een groot aantal spelers, op staatsniveau of daarbuiten. Volgens het oude model om iets voor elkaar te krijgen runden de Verenigde Staten en een paar westerse bondgenoten de tent terwijl de 'derde wereld' ofwel meespeelde ofwel buitenstaander bleef en daardoor niet meetelde. Niet-gouvernementele deelnemers waren te weinig in aantal en te zwak om rekening mee te hoeven houden. Maar als je nu bijvoorbeeld kijkt naar handelsbesprekingen zie je dat de ontwikkelingslanden steeds krachtiger optreden. Waar zij vroeger misschien elk voorstel van het Westen zouden hebben aangenomen of het hele proces genegeerd zouden hebben, houden landen als Brazilië en India nu hun poot stijf tot ze het resultaat binnenhalen waar ze op uit zijn. Ze hebben door westerse topfunctionarissen uitgelegd gekregen waar hun toekomst ligt. Ze hebben het BRIC-rapport van Goldman Sachs gelezen. Ze weten dat het machtsevenwicht is verschoven.

De Kyoto-akkoorden (die nu heilig zijn verklaard omdat president Bush ze hooghartig heeft afgewezen) vormen in feite een verdrag dat wordt gekenmerkt door trouw aan het oude wereldbeeld. Kyoto ging ervan uit dat de derde wereld, als het Westen bij elkaar kwam en een plan opstelde, het nieuwe kader zou accepteren en dat het probleem daarmee opgelost zou zijn. Misschien was dat de manier waarop de zaken op het internationale vlak tientallen jaren lang geregeld werden, maar tegenwoordig heeft dit weinig zin meer. China, India, Brazilië en andere opkomende machten zullen niet meegaan in een door het Westen geleid proces waaraan zij niet hebben deelgenomen. En bovendien kunnen regeringen op zichzelf maar weinig doen om een probleem als klimaatverandering aan te pakken. Een werkelijke oplossing vereist de vorming van een veel bredere coalitie, met als deelnemers de particuliere sector, niet-gouvernementele groepen, steden en regio's, en de media. In een geglobaliseerde, gedemocratiseerde en gedecentraliseerde wereld moeten we individuen ertoe brengen hun gedrag te veranderen. Belastingen, tarieven en oorlog zijn de oude manieren om dit te doen, maar staten hebben nu minder ruimte om op deze fronten te manoeuvreren. Ze moeten subtielere en verfijndere manieren gebruiken om verandering tot stand te brengen.

De traditionele mechanismen van internationale samenwerking zijn overblijfselen uit een ander tijdperk. Het systeem van de Verenigde Naties vertegenwoordigt een achterhaalde machtsconstellatie. De permanente leden van de Veiligheidsraad van de VN zijn de overwinnaars uit een oorlog die zestig jaar geleden is afgelopen. Japan en Duitsland hebben geen zitting in deze raad hoewel ze op grond van hun handelsverkeer de op één en twee na grootste economieën van de wereld zijn, en hetzelfde geldt voor India, de grootste democratie ter wereld, en voor alle Latijns-Amerikaanse en Afrikaanse landen. Ook in andere opzichten staat de Veiligheidsraad model voor een verouderde structuur van mondiaal bestuur. De G8 biedt geen ruimte aan China, nu al de op drie na grootste economie ter wereld, of aan India en Zuid-Korea, waarvan de economieën de twaalfde en de dertiende plaats bezetten. Op grond van traditie wordt het IMF altijd geleid door een Europeaan en de Wereldbank door een Amerikaan. Deze 'traditie' kan, net als de gebruiken van een blanke herensociëteit, voor de leden vertederend en amusant zijn, maar komt op buitenstaanders over als onverdraagzaam en beledigend.

Nog een verdere complicatie: als ik het heb over de opkomst van nationalisme beschrijf ik een breder verschijnsel – het tot gelding brengen van identiteit. De nationale staat is een betrekkelijk nieuwe uitvinding, vaak niet ouder dan honderd jaar. De godsdienstige, etnische en taalkundige groepen binnen deze nationale staten zijn veel ouder. En deze banden zijn sterk gebleven, en in feite nog sterker geworden, naarmate de economische vervlechting is toegenomen. In Europa blijven de Vlaams- en Franstalige Belgen nog steeds duidelijk gescheiden groepen. In Groot-Brittannië hebben de Schotten een partij aan het bewind geholpen die een eind wil maken aan de driehonderdjarige overeenkomsten die het Verenigd Koninkrijk van Engeland, Schotland en Wales opgesteld hebben. In India verliezen nationale partijen terrein op regionale. In Kenia wordt het onderscheid tussen volksstammen belangrijker. In een groot deel van de wereld blijven deze kernidentiteiten, die dieper liggen dan de nationale staat, bepalend voor het bestaan. Dit is waar mensen voor stemmen, en waar ze voor sterven. In een open wereldeconomie weten deze groepen dat zij de centrale regering steeds minder nodig hebben. En in een democratisch tijdperk krijgen ze steeds meer macht wanneer ze als groep bij elkaar blijven. Deze tweeledige opkomst van identiteit houdt in dat het nationalisme in China en India sterker groeit dan in de Verenigde Staten of bij de Verenigde Naties, of in de wereld als geheel. Maar binnen deze landen wordt ook de identiteit van afzonderlijke groepen sterker. Hetzelfde proces dat zich afspeelt op het mondiale niveau – de opkomst van identiteit in samenhang met economische groei – speelt zich ook af op het lokale niveau. En het resultaat is dat doelgericht nationaal handelen veel moeilijker wordt.

Naarmate macht zich verder verbreidt en verstrooit wordt legitimiteit steeds belangrijker, omdat dit de enige manier is om alle zo sterk verschillende deelnemers op het wereldtoneel aan te spreken. Tegenwoordig kan geen enkele oplossing, hoe verstandig ook, standhouden wanneer deze niet als legitiem wordt beschouwd. Het opleggen van deze oplossing zal niet werken als deze gezien wordt als het product van de macht en de voorkeuren van één enkel land, hoe machtig dit land ook is. De slachtpartijen in Darfur bijvoorbeeld zijn afschuwelijk, en toch zou een militaire interventie daar – de effectiefste manier om aan de slachting een einde te maken – alleen slagen wanneer deze zowel gesanctioneerd werd door de grote machten als door de Afrikaanse buren van Sudan. Wanneer de Verenigde Staten op eigen houtje of met een kleine coalitie zouden optreden, wat hun derde invasie in een islamitisch land zou zijn binnen vijf jaar, zou deze onderneming bijna zeker stranden omdat zij de Sudanese regering het motief zou bieden voor een vurige strijdkreet tegen het 'imperialisme van de vs'. Het buitenlandse beleid van de regering-Bush levert een uitstekend voorbeeld van de praktische noodzaak van legitimiteit. Maar het dilemma blijft, los van de mislukkingen van Bush, bestaan: als vele landen moeten samenwerken om iets voor elkaar te krijgen, hoe moet je dit dan tot stand brengen in een wereld met een grote aantal deelnemers, waarvan vele machtiger zijn geworden?

De laatste supermacht

Vele waarnemers en commentatoren hebben de vitaliteit van deze opkomende wereld onder ogen gezien en geconcludeerd dat de Verenigde
Staten hun tijd gehad hebben. Andy Grove, de oprichter van Intel,
neemt geen blad voor de mond. 'Amerika loopt het risico dat het net als
Europa op een zijspoor terechtkomt,' zegt hij, 'en het ergste is dat niemand het weet. Ze ontkennen het allemaal en blijven zichzelf op de
schouder kloppen terwijl de Titanic in volle vaart op de ijsberg af
koerst.' Thomas Friedman beschrijft hoe hij grote massa's jonge Indiase employés voor de nachtdienst bij Infosys in Bangalore ziet binnenlo-
pen. 'Mijn God, ze zijn met zovelen, en ze blijven maar komen, golf na
golf. Hoe kan het in hemelsnaam goed zijn voor mijn dochters en voor
miljoenen andere Amerikanen dat deze mensen uit India hetzelfde
werk als zij kunnen doen voor een fractie van het loon?'[11] 'De globalisering slaat terug,' schrijft Gabor Steingart, een redacteur bij het vooraanstaande Duitse weekblad *Der Spiegel* in een veelverkocht boek. Naarmate de concurrenten van de vs tot bloei zijn gekomen, stelt hij,
hebben de Verenigde Staten sleutelindustrieën verloren, is de bevolking
daar opgehouden met sparen en is de regering steeds sterker debet komen te staan bij Aziatische centrale banken.[12]

Maar het vreemde is dat deze tendensen al een hele tijd aanwezig
zijn – en dat ze de positie van Amerika hebben ondersteund. In de afgelopen twintig jaar, met een opzienbarende versnelling van globalisering en outsourcing, heeft de Amerikaanse groei gemiddeld net iets
meer dan 3 procent bedragen, één vol procent hoger dan die in Duitsland en Frankrijk. (De groei van Japan was in diezelfde periode 2,3
procent.) De groei van de productiviteit, het wondermiddel van de
moderne economie, ligt al tien jaar lang boven de 2,5 procent, opnieuw
een vol procent hoger dan het Europese gemiddelde. Zelfs de Amerikaanse exporten zijn op peil gebleven, ondanks een tienjarige piek in
de waarde van de dollar. In 1980 vormde de export uit de vs 10 procent
van het wereldtotaal; in 2007 was dat cijfer nog steeds bijna 9 procent.

Volgens het Wereld Economisch Forum blijven de Verenigde Staten de meest concurrerende economie van de wereld en bezetten ze de eerste plaats voor innovatie, de negende voor de stand van hun technologische toerusting, de tweede voor de investering van ondernemingen in onderzoek en technologie, en de tweede voor de kwaliteit van hun onderzoeksinstellingen. China staat voor al deze categorieën meer dan dertig plaatsen achter bij de Verenigde Staten, en India dringt alleen maar op één punt door tot de top tien, namelijk voor de omvang van zijn markt. In praktisch elke sector waarin hoogontwikkelde industriële landen deelnemen zijn ondernemingen uit de vs wereldleiders in productiviteit en winsten. Het aandeel van de Verenigde Staten in de mondiale economie is opmerkelijk stabiel gebleven ondanks oorlogen, depressies en een hele meute van andere opkomende machten. Met 5 procent van de wereldbevolking hebben de Verenigde Staten al 125 jaar lang tussen de 20 en 30 procent van de mondiale productie voortgebracht. In de komende tientallen jaren zal de positie van Amerika zeker in enige mate worden aangetast. Dit is geen politieke, maar een rekenkundige uitspraak. Naarmate andere landen sneller groeien zal het relatieve economische gewicht van Amerika teruglopen. Maar de teruggang hoeft niet grootschalig, snel of ingrijpend te zijn zolang de Verenigde Staten zich aan nieuwe uitdagingen kunnen aanpassen, net zoals ze zich hebben aangepast aan de uitdagingen waarmee ze de laatste honderd jaar geconfronteerd zijn. In de komende decennia zal de opkomst van de nieuwe naties waarschijnlijk het meest ten koste gaan van West-Europa en Japan, die ten prooi vallen aan een langzame, door demografische factoren bepaalde teruggang.

Amerika zal worden geconfronteerd met de meest intense economische concurrentie die het ooit heeft moeten doorstaan. Maar het Amerikaanse economische en sociale stelsel weet hoe het op zulke druksituaties moet reageren om zich daaraan aan te passen. Het moeilijkste probleem dat de Verenigde Staten onder ogen moeten zien is niet economisch maar politiek. Ze zullen tegenover een wereldorde gesteld worden die sterk verschilt van de orde waarin ze gewend waren te opereren. Voorlopig blijven de Verenigde Staten de machtigste speler. Maar elk jaar verschuift de gewichtsverdeling.

In de periode na 1989 heeft de macht van de Verenigde Staten de internationale orde bepaald. Alle wegen hebben naar Washington geleid, en de Amerikaanse ideeën over politiek, economie en buitenlands beleid zijn de uitgangspunten geweest voor mondiaal optreden. Het bereik van de Amerikaanse invloed is in deze periode van bijna twintig jaar uitzonderlijk geweest. Washington is de machtigste externe speler geweest in elk werelddeel, heeft het westelijk halfrond gedomineerd, is de cruciale factor gebleven die voor evenwicht heeft gezorgd in Europa en Oost-Azië, heeft zijn rol in het Midden-Oosten en in Centraal- en Zuid-Azië uitgebreid, en is het enige land gebleven dat de logistiek en het transport kan verschaffen voor een grote mondiale militaire operatie. Voor elk land, van Rusland en China tot Zuid Afrika en India, is de belangrijkste betrekking in de wereld de betrekking met de Verenigde Staten.

Deze invloed heeft zijn hoogtepunt bereikt inzake Irak. Ondanks de terughoudendheid, het verzet of de actieve vijandigheid van een groot deel van de wereld, waren de Verenigde Staten ertoe in staat een niet uitgelokte aanval op een soeverein land te doen en tijdens en na de invasie de steun van tientallen landen en internationale organisaties te verwerven. Deze wereldorde is niet alleen ontmanteld door de complicaties van Irak. Ook als Irak een doorslaand succes was geweest, zou de uitvoering van deze operatie de onbetwiste macht van de Verenigde Staten volstrekt duidelijk hebben gemaakt, en dit is het gegeven dat over de hele wereld een reactie heeft uitgelokt. De unipolaire orde van de laatste twintig jaar is niet op zijn retour vanwege Irak maar vanwege de grotere spreiding van macht over de wereld.

In sommige opzichten lijkt het unipolaire tijdperk al tot een einde te zijn gekomen. De Europese Unie vormt bijvoorbeeld al op dit moment de grootste handelsgemeenschap op aarde, en met de groei van China en andere opkomende giganten kan het bipolaire handelsrijk eerst tripolair en dan multipolair worden. Over de hele linie echter kan de voorstelling van een multipolaire wereld, met vier of vijf spelers van ongeveer gelijk gewicht, de werkelijkheid van vandaag of van de naaste toekomst niet adequaat beschrijven. Europa kan in militair en zelfs in politiek opzicht niet als één geheel optreden. Japan en Duitsland zijn belast met hun verleden. China en India zijn nog in ontwikkeling. Het internationale systeem wordt nauwkeuriger beschreven door de van Samuel Huntington afkomstige term 'uni-multipolariteit', of wat Chinese geopolitici aanduiden met 'vele machten en één supermacht'. De slordige formulering weerspiegelt de slordige werkelijkheid. De Verenigde Staten blijven veruit het machtigste land, maar binnen een wereld met verschillende andere grote mogendheden en met een grotere assertiviteit en activiteit van alle deelnemers. Met dit hybride internationale systeem, dat democratischer, dynamischer, opener en meer samenhangend is, zullen we waarschijnlijk enkele tientallen jaren moeten leven. Het is gemakkelijker om aan te geven wat het niet is dan wat het wel is, en gemakkelijker om het tijdperk te beschrijven dat we achter ons laten dan het tijdperk dat voor ons ligt – vandaar: de post-Amerikaanse wereld.

De Verenigde Staten bezetten in het opkomende systeem de hoogste positie, maar zijn ook het land dat door de nieuwe orde voor de grootste problemen komt te staan. De meeste andere grote mogendheden zullen hun rol in de wereld sterker zien worden. Dit proces is al gaande. China en India worden in hun eigen omgeving en daarbuiten grotere spelers. Rusland heeft zijn Sovjetverleden achter zich gelaten en is bezig krachtiger en zelfs agressief te worden. Japan is wel geen opkomende mogendheid, maar nu sterker bereid zijn gezichtspunten en stellingnames aan zijn buren over te brengen. Europa treedt in zaken van handel en economie met een enorme kracht en doelgerichtheid op. Brazilië en Mexico laten zich meer horen over Latijns-Amerikaanse kwesties. Zuid-Afrika heeft zich opgeworpen als leider van het Afrikaanse continent. Al deze landen nemen in de internationale arena meer ruimte in beslag dan tevoren.

Voor de Verenigde Staten wijst de pijl in de omgekeerde richting.

Economie is geen nulsomspel – de opkomst van andere spelers maakt de koek groter, wat voor iedereen voordelig is – maar geopolitiek is een strijd om invloed en beheersing. Naarmate andere landen actiever worden, zal de momenteel nog enorme handelingsruimte van Amerika onvermijdelijk inkrimpen. Kunnen de Verenigde Staten zich aanpassen aan de opkomst van andere mogendheden, met een uiteenlopende politieke kleur, in verschillende werelddelen? Dit betekent niet dat ze zich moeten neerleggen bij chaos of agressie; verre van dat. Maar de enige manier waarop de Verenigde Staten acties van schurken kunnen afschrikken, zal zijn dat ze daartegen een brede duurzame coalitie tot stand brengen. En dat zal alleen mogelijk zijn wanneer Washington kan aantonen dat het bereid is andere landen een aandeel te geven in de nieuwe orde. In de huidige internationale orde houdt vooruitgang compromissen in. Geen enkel land zal volledig zijn zin kunnen krijgen. Deze woorden zijn gemakkelijk op te schrijven of uit te spreken, maar moeilijk in praktijk te brengen. Ze vragen om acceptatie van de groei in macht en invloed van andere landen, en om de erkenning van hun belangen en zorgen. Dit evenwicht – tussen aanpassing en afschrikking – is de voornaamste opgave aan de Amerikaanse buitenlandse politiek in de komende tientallen jaren.

Ik ben dit hoofdstuk begonnen met de stelling dat de nieuwe orde geen Amerikaanse teruggang inluidt omdat ik geloof dat Amerika over enorme krachten beschikt en dat de nieuwe wereld geen nieuwe supermacht zal opleveren, maar een verscheidenheid van krachten die Washington kan hanteren en zelfs kan leiden. Maar in zuiver economische termen zal Amerika, door de opkomst van de rest van de wereld, iets van zijn aandeel in het mondiale bbp verliezen. Naarmate anderen sneller groeien zal er voor Amerika een kleiner stukje van de koek overblijven (hoewel de verschuiving waarschijnlijk nog vele jaren gering zal zijn). Daarnaast zullen de nieuwe niet-gouvernementele krachten die steeds actiever worden de speelruimte van Washington aanmerkelijk inperken.

Dit is niet alleen een probleem voor Washington, maar voor iedereen. Bijna drie eeuwen lang heeft de wereld gesteund op de aanwezigheid van een grote liberale leider, eerst Engeland en daarna de Verenigde Staten. Deze twee supermachten hebben een open wereldeconomie helpen scheppen en instandhouden, hebben te land en ter zee handelsroutes beschermd, zijn in laatste instantie als geldschieters opgetreden, hebben de reservevaluta geleverd, in het buitenland geïnvesteerd, en hun eigen markten opengehouden. Ze hebben ook het militaire evenwicht doen doorslaan tegen de grote agressors van hun tijd, van het Frankrijk van Napoleon tot Duitsland en de Sovjet-Unie. Ondanks al hun machtsmisbruik zijn de Verenigde Staten de schepper en de handhaver geweest van de huidige orde van open handel en democratischer bestuur, een orde waarbij de overgrote meerderheid van de mensheid gebaat is geweest. Nu de situatie en daarmee de rol van Amerika verandert, zou deze orde aangetast kunnen worden. En het oplossen van gemeenschappelijke problemen in een tijdperk van diffusie en decentralisatie zou wel eens veel moeilijker kunnen zijn zonder een supermacht die deze orde heeft gesticht.

Sommige Amerikanen zijn zich scherp van de veranderende wereld bewust geworden. Het Amerikaanse zakenleven wordt zich steeds sterker bewust van de verschuivingen die over de hele wereld plaatsvinden en reageert daar snel en onsentimenteel op. Grote multinationals met hun basis in de vs rapporteren bijna eenstemmig dat hun groei nu afhankelijk is van de penetratie van nieuwe buitenlandse markten. Met een jaarlijkse inkomstengroei van 2 tot 3 procent in de Verenigde Staten en 10 tot 15 procent per jaar in het buitenland, weten ze dat ze zich aan een post-Amerikaanse wereld moeten aanpassen, of anders het loodje zullen leggen. Een soortgelijk besef is zichtbaar aan de Amerikaanse universiteiten, waar steeds meer studenten een deel van hun studietijd in het buitenland doorbrengen of rondreizen en met buitenlandse studenten in contact treden. Jongere Amerikanen hebben er geen moeite mee dat de laatste modes – in de wereld van financiën, architectuur, kunst en technologie – afkomstig kunnen zijn uit Londen, Shanghai, Seoul, Tallinn of Mumbai.

Maar deze buitenwaarts gerichte oriëntatie is nog niet breder in de Amerikaanse samenleving doorgedrongen. De Amerikaanse economie blijft in hoofdzaak op het binnenland gericht; de buitenlandse handel bedraagt slechts 13 procent van het bbp (vergeleken bij 38 procent in Duitsland). De positie als van een eiland is een van de zegeningen die de natuur aan Amerika heeft geschonken, gezien het feit dat het begrensd wordt door twee grote oceanen en twee welgezinde buren. Amerika is niet besmet met de machinaties en de vermoeidheid van de Oude Wereld en heeft zich altijd een nieuwe en andere orde kunnen voorstellen, in Duitsland, Japan en zelfs in Irak. Maar tegelijkertijd heeft dit isolement met zich meegebracht dat Amerikanen volstrekt geen besef hebben van de wereld buiten hun grenzen. Amerikanen spreken weinig talen, weten weinig over vreemde culturen en zijn er niet van te overtuigen dat ze hierin verandering moeten brengen. Amerikanen houden maar zelden rekening met mondiale maatstaven omdat ze er zeker van zijn dat hun eigen manier de beste en de modernste is. Het gevolg hiervan is dat ze steeds argwanender worden tegenover dit opkomende mondiale tijdperk. Er is een groeiende kloof in Amerika tussen aan de ene kant de bereisde zakenelite en de kosmopolitische klasse, en aan de andere kant de meerderheid van de Amerikaanse bevolking. Zonder serieuze inspanningen om deze kloof te overbruggen zou de tweedeling de concurrentiekracht van Amerika en zijn politieke toekomst kunnen vernietigen.

Argwaan onder de bevolking wordt gevoed en versterkt door een onverantwoordelijke nationale politieke cultuur. In Washington is er een schrijnend gebrek aan nieuw denken over een nieuwe wereld. Het is gemakkelijk genoeg de regering-Bush te kritiseren vanwege de arrogantie en eenzijdigheid waarmee ze de positie van Amerika in het buitenland schade heeft berokkend. Maar het probleem beperkt zich niet tot Bush, Cheney, Rumsfeld of de Republikeinen, ook al zijn zij de partij van het zelfgenoegzame machismo geworden, die er prat op gaat dat ze in het buitenland geminacht wordt. Luister naar Democraten in Washington en je hoort een ander soort eenzijdigheid, over handel, arbeidsvoorwaarden en uiteenlopende geliefkoosde kwesties in de sfeer van de mensenrechten. Over het terrorisme spreken beide partijen nog steeds een taal die volledig voor een binnenlands publiek is bestemd, zonder aandacht voor de giftige effecten die deze taal overal elders heeft. Amerikaanse politici zijn voortdurend en zonder onderscheid bezig hele landen voor een grote verscheidenheid van tekortkomingen te brandmerken, aan te klagen, te veroordelen en sancties op te leggen. In de laatste vijftien jaar hebben de Verenigde Staten aan de helft van de wereldbevolking sancties opgelegd. We geven elk land ieder jaar een rapportcijfer voor gedrag. Washington, D.C., is een keizerlijke stad die zich zelfgenoegzaam en zonder contact met de buitenwereld in een luchtbel heeft opgesloten.

Het Pew Global Attitudes Survey uit 2007 heeft wereldwijd een opmerkelijke toename laten zien van positieve opvattingen over vrijhandel, markten en democratie. Grote meerderheden in landen die uiteenliepen van China en Duitsland tot Bangladesh en Nigeria zeiden dat groeiende handelsbetrekkingen tussen landen iets goeds waren. Van de 47 gepeilde landen was het land dat in verband met steun aan vrijhandel op de allerlaatste plaats kwam de Verenigde Staten. In de vijf jaar waarin deze peiling is uitgevoerd heeft geen enkel land zo'n grote daling doorgemaakt als de Verenigde Staten.

Of kijk naar de houding tegenover buitenlandse ondernemingen. Toen hun gevraagd werd of deze een positieve uitwerking hadden antwoordde een verrassend groot aantal mensen in landen als Brazilië, Nigeria, India en Bangladesh bevestigend. Deze landen hebben doorgaans blijk gegeven van argwaan tegen westerse multinationals. (In Zuid-Azië heeft deze argwaan enige grond; dit gebied is immers gekoloniseerd door een multinationale onderneming, de British East India Company.) En toch neemt 73 procent van de mensen in India, 75 procent in Bangladesh, 70 procent in Brazilië en 82 procent in Nigeria nu een positieve houding aan tegenover deze ondernemingen. In Amerika is het cijfer daarentegen 45 procent, waardoor we bij de laatste vijf terechtkomen. We willen dat de wereld Amerikaanse ondernemingen met open armen verwelkomt, maar wanneer ze bij ons komen is het een ander verhaal. De opvattingen over immigratie laten een nog sterkere ommekeer zien. Ten aanzien van een thema waarbij de Verenigde Staten voor de hele wereld model hebben gestaan, is dit land teruggezakt naar een kleingeestige en boze defensieve opstelling. Terwijl we vroeger bij elke nieuwe technologie voorop wilden lopen kijken we nu angstig naar innovatie en maken we ons zorgen over de veranderingen die deze teweeg zal brengen. En dit gebeurt allemaal op een moment dat de wereld onze kant op komt. Juist nu de wereld opengaat, is Amerika zijn deuren aan het sluiten.

De ironie van het geval is dat de opkomst van de anderen het resultaat is van Amerikaanse ideeën en Amerikaans optreden. Zestig jaar lang hebben Amerikaanse politici en diplomaten de wereld rondgereisd om landen aan te sporen hun markten te openen, hun politiek te bevrijden en handel en technologie binnen te halen. We hebben de bevolking van afgelegen landen aangezet om in de mondiale economie te gaan mee-concurreren, hun economie te laten groeien, hun valuta vrij te maken en nieuwe industrieën te ontwikkelen. We hebben ze op het hart gedrukt dat ze niet bang moesten zijn voor verandering en dat ze de geheimen van ons succes moesten doorgronden. En het heeft gewerkt: de inboorlingen zijn knappe kapitalisten geworden. Maar nu worden we wantrouwig tegenover de dingen die we zo lang vereerd hebben – vrije markten, handel, immigratie en technologische verandering.

Over een aantal generaties, wanneer historici deze tijd beschrijven, zullen ze misschien opmerken dat de Verenigde Staten er aan het begin van de eenentwintigste eeuw in slaagden hun grote en historische opdracht, de globalisering van de wereld, te vervullen. Maar al doende, zouden ze misschien schrijven, vergaten de Verenigde Staten zichzelf te globaliseren.

3

Een niet-westerse wereld?

Zoals iedereen weet, voer Christoffel Columbus in 1492 het zeegat uit voor een van de meest ambitieuze expedities in de menselijke geschiedenis. Wat minder goed bekend is dat een Chinese admiraal genaamd Zheng He 87 jaar eerder aan de eerste van zeven even ambitieuze expedities begon. De schepen van Zheng waren veel groter en beter gebouwd dan die van Columbus, of Vasco da Gama, of welke dan ook van de andere grote Europese zeevaarders uit de vijftiende en zestiende eeuw. Op zijn eerste reis, in 1405, nam hij 317 schepen en 28 000 schepelingen met zich mee, tegenover de slechts vier boten en 150 zeelieden van Columbus. De grootste schepen in de Chinese vloot, de 'schatschepen', waren meer dan 130 meter lang – meer dan vier keer de lengte van het vlaggenschip van Columbus, de Santa Maria – en hadden negen masten. Voor de bouw van elk schip was zoveel hout nodig dat er 120 hectare bos gekapt moest worden. Er waren verschillende schepen ontworpen voor het transport van paarden, voorraden, voedsel, water en natuurlijk troepen. Het kleinste schip in de vloot van Zheng, een zeer wendbaar oorlogsschip met vijf masten, was nog steeds twee keer zo groot als het legendarische Spaanse galjoen.

De Chinese schepen waren gebouwd met bijzondere houtsoorten, ingewikkelde verbindingen, verfijnde technieken om ze waterdicht te maken en een beweegbare kiel. De schatschepen hadden grote, weelderige hutten, zijden zeilen en ruimtes met ramen. Ze werden allemaal

gebouwd op droogdokken in Nanjing, de grootste en hoogst ontwikkelde scheepsbouwhaven ter wereld. In de drie jaren na 1405 werden er
in Nanjing 1681 schepen gebouwd of uitgerust. Europa was op dat moment bij lange na niet tot iets vergelijkbaars in staat.[1]

Omvang was van belang. Deze enorme vloten waren bedoeld om de
bewoners van de omliggende streken te 'schokken en ontzag in te boe-
zemen' en hun de macht en de reikwijdte van de Ming-dynastie in te
prenten. Op zijn zeven reizen tussen 1405 en 1433 doorkruiste Zheng de
wateren van de Indische oceaan en de zeeën rond Zuidoost-Azië. Hij
gaf geschenken aan de bewoners en accepteerde eerbewijzen. Wanneer
hij op tegenstand stuitte aarzelde hij niet om militaire macht te gebruiken. Van één reis bracht hij een gevangengenomen Sumatraanse zee-
rover mee terug; van een andere een opstandige hoofdman uit Ceylon.
Hij keerde van alle reizen terug met bloemen, vruchten, edelstenen en
exotische dieren zoals giraffen en zebra's voor de keizerlijke dieren-
tuin.

Maar het verhaal van Zheng loopt vreemd af. In de jaren dertig van
de vijftiende eeuw was er een nieuwe keizer aan de macht gekomen. Hij
maakte abrupt een einde aan de keizerlijke expedities en keerde de handel en de ontdekkingsreizen de rug toe. Sommige ambtenaren probeerden de traditie in stand te houden, maar dit mocht niet baten. In 1500
besliste het hof dat iedereen die een schip met meer dan twee masten
bouwde (de omvang die vereist was om een zeereis van enige afstand te
ondernemen) zou worden terechtgesteld. In 1525 kreeg de kustbewa-
king de opdracht elk zeewaardig schip dat zij tegenkwam te vernietigen
en de eigenaren gevangen te zetten. In 1551 werd het een misdaad om
voor enig doel met een schip met meer masten de zee op te varen. Toen
de Qing-dynastie in 1644 aan de macht kwam zette zij dit beleid in
hoofdzaak voort, maar met minder vertrouwen in verordeningen: in
plaats daarvan verbrandde ze eenvoudigweg een strook van duizend kilometer langs de Chinese zuidkust om deze onbewoonbaar te maken.
Deze maatregelen hadden het gewenste effect: de Chinese scheepsbouw
stortte in. In de decennia na de laatste reis van Zheng bereisden tiental-

len westerse ontdekkingsreizigers de wateren rond India en China. Maar het duurde driehonderd jaar voordat een Chinees schip Europa bereikte – bij een bezoek aan Londen voor de Wereldtentoonstelling van 1851.

Wat is de verklaring voor deze opmerkelijke ommekeer? De Chinese elite was verdeeld over het buitenlands beleid van het land en de nieuwe heersers in Beijing beschouwden de expedities als een fiasco. Ze waren buitengewoon kostbaar, zorgden voor hogere belastingen aan een bevolking die al onder druk stond en leverden heel weinig op. Als gevolg van enkele van deze contacten was er handel opgebloeid, maar deze was in hoofdzaak alleen aan handelaars en piraten ten goede gekomen. Daarnaast werden de grenzen van het keizerrijk halverwege de vijftiende eeuw bedreigd door Mongolen en andere invallers, en dat deed een zware aanslag op de reserves. De zeevaart leek een kostbare hobby te zijn.

Het was een ingrijpend besluit. Juist op het moment dat China ervoor koos zich van de buitenwereld af te wenden, richtte Europa de blik naar buiten en waren het de Europese expedities die dit werelddeel de kracht gaven om zijn macht en invloed over de wereld uit te breiden. Zou de moderne geschiedenis een andere loop hebben genomen als China zijn vloot in de vaart had gehouden? Waarschijnlijk niet. Het besluit van China om zich naar binnen te keren was niet één enkele verkeerde strategische zet. Het was de uitdrukking van een gestagneerde beschaving. Achter de beslissing om de expedities te beëindigen lag het hele complex van de redenen waarom China* en het grootste deel van de niet-westerse wereld zoveel eeuwen lang bij het

---

* In dit hoofdstuk gebruik ik veel voorbeelden over China en India als exemplarisch voor de niet-westerse wereld omdat deze twee landen in het pre-industriële tijdperk de hoogst ontwikkelde Aziatische beschavingen waren. Alle factoren die deze landen in de vijftiende en zestiende eeuw een achterstand op het Westen hebben opgeleverd, zijn van toepassing op het grootste deel van de niet-westerse wereld.

Westen achterbleven. En ze bleven achter! Honderden jaren lang na de vijftiende eeuw, terwijl Europa en de Verenigde Staten industrialiseerden, urbaniseerden en moderniseerden, bleef de rest van de wereld arm en agrarisch.

Als we willen begrijpen wat de 'opkomst van de anderen' betekent moeten we beseffen hoelang deze anderen een sluimerend bestaan hebben geleid. Dan wordt duidelijk dat de intellectuele en materiële overheersing van het Westen noch een recent, noch een voorbijgaand verschijnsel is. We hebben meer dan vijfhonderd jaar in de westerse wereld geleefd. Ondanks de opkomst van andere naties en werelddelen zal het Westen een grote schaduw werpen en nog tientallen jaren, en misschien langer, zijn erfgoed nalaten.

Het is gebruikelijk te zeggen dat China en India tot het begin van de negentiende eeuw even rijk waren als het Westen. Volgens dit standpunt is de overheersing van het Westen maar een kort intermezzo van tweehonderd jaar geweest en wordt het normalere evenwicht nu hersteld. Deze zienswijze houdt ook in dat de voordelen van het Westen in hoofdzaak toevallig kunnen zijn geweest, het gevolg van 'kolen en koloniën',[2] de ontdekking van goedkope energiebronnen en de overheersing van de rijke landen van Azië, Afrika en de Amerika's. Deze opvatting, die uitgaat van een multiculturele benadering die elke bijzondere status aan het Westen ontzegt, heeft zijn politieke voordelen. Maar ook al is zij mogelijk politiek correct, historisch gesproken is zij onjuist.

Eén reden voor deze misvatting is dat analisten zich vaak uitsluitend richten op de totale omvang van de Chinese en Indiase economieën. Historisch gesproken is dit een misleidend gegeven. Tot de moderne tijd kon de totale economische opbrengst van een land niet in enig betekenisvol opzicht vrijgemaakt, in omloop gebracht of nuttig gebruikt worden. Het feit bijvoorbeeld dat in 1600 miljoenen boeren in afgelegen en geïsoleerde uithoeken van China in bittere armoede het land bewerkten, droeg niet werkelijk bij tot bruikbare rijkdom of macht van het land, ook al leverde hun gezamenlijke productie een hoog bedrag op. Bevolking was het belangrijkste ingrediënt van het bbp, en de productie was in hoofdzaak agrarisch. Aangezien China en India in 1600 een viermaal grotere bevolking hadden dan West-Europa, was hun bbp natuurlijk groter. Zelfs in 1913, toen Engeland de leidende mogendheid in de wereld was, met een geavanceerde technologie, industriële productie en handel die vele malen groter waren dan die van heel Azië, kon China aanspraak maken op een groter totaal bbp.

In het pre-industriële tijdperk, voordat er sprake was van grootschalig bestuur, communicatie, transport en belasting op brede voet, zegt het totale bbp ons weinig over nationale macht, het ontwikkelingsniveau van een land. En evenmin zegt het iets over de dynamiek van de samenleving of haar vermogen nieuwe ontdekkingen en uitvindingen te doen. En juist de heerschappij over deze gebieden gaf een land nieuwe mogelijkheden om welvaart te creëren en gaf kracht aan het landsbestuur.

We krijgen een veel duidelijker beeld van de werkelijke status van landen als we kijken naar economische groei en bbp per hoofd. In West-Europa was het bbp per hoofd in 1500 hoger dan dat in China en India; in 1600 was het 50 procent hoger dan dat in China. Vanaf dat moment werd de kloof steeds groter. Tussen 1350 en 1950, zeshonderd jaar, bleef het bbp per hoofd in China en India ruwweg constant (rond de 600 dollar voor China en 550 dollar voor India). In diezelfde periode liep het bbp per hoofd in West-Europa omhoog van 662 tot 4594 dollar, een toename met 594 procent.*

Europese reizigers wezen er in de zeventiende eeuw steeds opnieuw op dat de levensomstandigheden in China en India aanmerkelijk on-

---

* In dit en andere hoofdstukken zijn de schattingen van het bbp vóór 1950 ontleend aan Angus Maddison, wiens boek *The World Economy: A Millennial Perspective* een belangrijke bron is voor cijfers over inkomen, bevolking en andere zaken in het verre verleden. Alle cijfers van Maddison zijn uitgedrukt in kkp-dollars. Voor langetermijnvergelijkingen is dit passend.

der het niveau van Noordwest-Europa lagen. De econoom Gregory Clark berekent dat in de achttiende eeuw het gemiddelde dagloon in Amsterdam een arbeider in staat stelde 19 pond graan te kopen, in Londen 14, en in Parijs 9. In China zou een dagloon ongeveer 6 pond graan (of het equivalent) opleveren. Clark heeft ook archeologische gegevens onderzocht om verschillen vast te stellen in de omvang en het aantal van de hongersnoden, die beide in dezelfde richting wijzen. Het Westen was dus lang voor de achttiende eeuw al welvarender dan het Oosten.

Maar dit is niet altijd zo geweest. In de eerste eeuwen na het jaar 1000 lag het Oosten volgens bijna elke maatstaf voor op het Westen. Terwijl Europa nog diep in de middeleeuwen verzonken lag, bloeiden het Midden-Oosten en Azië met vitale tradities van wetenschap, uitvindingen en handel. Het Midden-Oosten vormde de voorhoede van de beschaving, was de hoedster van Griekse en Romeinse kennis en bouwde daarop voort, en verrichtte baanbrekend werk op zulke uiteenlopende gebieden als wiskunde, natuurkunde, geneeskunde, antropologie en psychologie. Zoals bekend werden de Arabische cijfers hier uitgevonden, evenals het getal nul. Het woord 'algebra' is ontleend aan de titel van een boek, *Al-Jabr wa-al-Muqabilah*, geschreven door een Arabische geleerde. Het woord 'algoritme' is afkomstig van de naam van deze geleerde, al-Khwarizmi. Op militair gebied wekten de Ottomanen de naijver van hun rivalen op en bleven zij hun keizerrijk uitbreiden, met oorlogen tegen westelijke staten in Centraal-Azië en Europa tot aan de zeventiende eeuw. In zijn creatiefste periodes kon India prat gaan op wetenschappelijke prestaties, geniale kunstuitingen en architectonische pracht. Zelfs in het begin van de zestiende eeuw, onder Krishnadevaraya, werd de stad Vijayanagar in het zuiden van India door vele buitenlandse bezoekers beschreven als een van de grote steden van de wereld, vergelijkbaar met Rome. Enkele eeuwen eerder was China waarschijnlijk rijker en technologisch gesproken hoger ontwikkeld dan elk ander land, en maakte het gebruik van buskruit, drukletters en stijgbeugels, verworvenheden die in het Westen pas eeuwen later ingang vonden. In deze periode had zelfs Afrika een hoger gemiddeld inkomen dan Europa.

In de vijftiende eeuw begon het tij te keren, en in de zestiende eeuw kwam Europa in beweging. Met de revolutie in het denken die wordt aangeduid als de Renaissance brachten mannen als Copernicus, Vesalius en Galileo de moderne wetenschap tot stand. De honderd jaar tussen 1450 en 1550 markeren zelfs de belangrijkste breuklijn in de menselijke geschiedenis, tussen geloof, ritueel en dogma aan de ene kant en waarneming, experiment en kritisch denken aan de andere. En deze kentering vond plaats in Europa, waardoor deze beschaving zich eeuwenlang verder bleef ontwikkelen. In 1593, toen een Engels schip met 87 kanonnen na een zeereis van 2300 kilometer in Istanbul aankwam, noemde een Ottomaanse historicus dit 'een wereldwonder zoals niet eerder gezien of geboekstaafd is'.[3] In de zeventiende eeuw was bijna elk type technologie, product en complexe organisatie (zoals een onderneming of een leger) in West-Europa hoger ontwikkeld dan waar ook ter wereld.

Als je gelooft dat Aziatische samenlevingen in 1700 of 1800 in enig materieel opzicht op gelijke voet stonden met het Westen, moet je ook geloven dat de wetenschappelijke en technische ontwikkelingen die de westerse wereld in de driehonderd jaar daarvóór zo ingrijpend hadden veranderd, geen effect hadden op de materiële omstandigheden daar, wat absurd is.* De wetenschappelijke ontwikkelingen hadden niet alleen te maken met het ontwerpen van nieuwe machines. Ze hernieuwden ook het mentale perspectief van westerse samenlevingen. Neem bijvoorbeeld de mechanische klok, die in de dertiende eeuw in Europa werd uitgevonden. De historicus Daniel Boorstin noemt deze klok 'de moeder van alle machines'. 'De klok,' merkt hij op, 'slechtte de muren

---

* Archeologische vondsten hebben nog een interessant gegeven opgeleverd. Skeletresten uit de achttiende eeuw laten zien dat Aziaten toen veel korter waren dan Europeanen, wat wijst op slechtere voeding (en bij implicatie een lager inkomen).

tussen verschillende soorten kennis, inventiviteit en vaardigheid, en de klokkenmakers waren de eersten die de theorieën uit de mechanica en de natuurkunde op de vervaardiging van machines toepasten.'[4] De bredere effecten van de klok waren nog revolutionairder. De klok verloste de mensen uit hun afhankelijkheid van de zon en de maan. Hij maakte het mogelijk de dag te ordenen, de nacht af te bakenen, werk te organiseren en – misschien het belangrijkste – arbeidskosten te meten door het aantal uren vast te leggen dat voor een bepaald project vereist was. Vóór de komst van de klok had de tijd geen meetbare waarde.

In de zestiende eeuw, toen de Portugezen de klok naar China brachten, waren de Europese mechanische klokken veel verfijnder dan de onhandige waterklokken die in Beijing gemaakt werden. De Chinezen zagen niet het nut van deze machines in, beschouwden ze als speelgoed en gaven zich geen enkele moeite om ze te leren gebruiken. (Toen ze er enkele van verworven hadden, was het nodig dat er Europeanen achterbleven om hun uitvindingen te laten werken.) En toen de Portugezen honderd jaar later kanonnen naar Beijing brachten, moesten ze voor deze machines eveneens mensen leveren om ze te bedienen. China kon wel moderne technologie consumeren, maar deze niet produceren. En in de achttiende eeuw wilde Beijing zulke buitenlandse spullen zelfs niet meer onder ogen krijgen. In een beroemde brief aan George III reageerde keizer Qianlong, die van 1736 tot 1795 regeerde, afwijzend op een Engels verzoek om handelsbetrekkingen, met als uitleg: 'We hebben nooit veel waarde gehecht aan vreemde en ingenieuze voorwerpen en hebben evenmin behoefte aan andere producten uit uw land.' De Chinezen hadden hun geest voor de wereld afgesloten.[5]

Zonder nieuwe technologieën en technieken viel Azië ten prooi aan het klassieke malthusiaanse probleem. Het beroemde traktaat van Thomas Malthus uit 1798, *An Essay on the Principle of Population*, herinnert men zich tegenwoordig vanwege zijn ongegronde pessimisme, maar in feite waren veel van de inzichten van Malthus bijzonder intelligent. Hij stelde vast dat de voedselproductie in Engeland volgens een rekenkundige reeks (1, 2, 3, 4...) toenam, maar dat de bevolking toenam volgens een meetkundige reeks (1, 2, 4, 8, 16...). Wanneer in deze verhouding geen verandering werd gebracht zou deze ertoe leiden dat het land zou verhongeren en verarmen en dat de levensstandaard alleen verhoogd zou kunnen worden door rampen als hongersnood en ziekte (die de bevolking zouden doen inkrimpen).*

Het dilemma van Malthus was volstrekt reëel, maar hij onderschatte de macht van de technologie. Hij zag niet in dat de problemen van hongersnood en ziekte in Europa een menselijke reactie zouden oproepen – de agrarische revolutie, die de voedselproductie enorm vergrootte. (Dit werelddeel verminderde ook de bevolkingsdruk door tientallen miljoenen mensen te exporteren naar verschillende koloniën, vooral in de Amerika's.) Malthus had het dus wat Europa betreft bij het verkeerde eind. Maar zijn analyse was wel goed van toepassing op Azië en Afrika.

Sterkte is zwakte

Maar hoe moeten we dan aankijken tegen de buitengewone Chinese zeereizen? De verbluffende vloot van Zheng He is slechts een onderdeel van het grote beeld van opmerkelijke prestaties in China en India – paleizen, hoven, steden – op hetzelfde moment dat het Westen op deze landen een voorsprong begon te nemen. De Taj Mahal werd in 1631 gebouwd ter ere van de geliefde vrouw Mumtaz Mahal van de Mogolkeizer Shah Jahan. Een Britse reiziger, William Hodges, was een van de velen die erop wees dat deze schepping in Europa ongeëve-

---

* Rampen verhoogden de levensstandaard door grote aantallen mensen te doden, waardoor er minder mensen overbleven om het gezamenlijk beschikbare inkomen met elkaar te delen. Toenemende rijkdom leidde er daarentegen toe dat mensen meer kinderen kregen en langer leefden, waardoor de inkomens daalden en de bevolking in de loop van de tijd terugliep. Dit heet de 'malthusiaanse val'. Het maakt begrijpelijk waarom hij als een pessimist wordt beschouwd.

naard was. 'De kostbare materialen, de prachtige vormen en de symmetrie van het geheel,' schrijft hij, 'overtreffen verreweg al datgene wat ik ooit heb aanschouwd.' Het bouwen van de Taj vereiste enorme talenten en vaardigheden, en verbazingwekkende staaltjes techniek. Hoe kon een samenleving zulke wereldwonderen voortbrengen en zich niet over een breder vlak ontwikkelen? Als de Chinezen in staat waren zulke spectaculaire en hoogontwikkelde expedities uit te rusten, waarom konden ze dan geen klokken maken?

Een deel van het antwoord ligt in de manier waarop de Mogols de Taj Mahal bouwden. Twintig jaar lang waren er op de bouwplaats twintigduizend arbeiders dag en nacht werkzaam. Ze bouwden een helling van zestien kilometer met als enig doel materiaal naar de koepel op een hoogte van zestig meter te brengen. Het budget was onbeperkt en er werd geen waarde toegekend aan de manuren die in het project werden geïnvesteerd. Als dit wel was gebeurd, was de Taj onbetaalbaar geworden. De vloot van Zheng He kwam op grond van een soortgelijk commandosysteem tot stand, en de Verboden Stad in Beijing eveneens. De bouw van deze stad, waarmee in 1406 een begin werd gemaakt, vereiste de arbeid van een miljoen mensen, en van nog eens een miljoen soldaten om op de arbeiders toe te zien. Wanneer alle krachten en hulpmiddelen van een grote samenleving op enkele projecten worden geconcentreerd, worden deze projecten vaak successen, maar geïsoleerde successen. De Sovjet-Unie kon zich tot ver in de jaren zeventig beroemen op een uitzonderlijk ruimtevaartprogramma, ook al was zij op dat moment technologisch gesproken de achterlijkste van alle industriële naties.

Maar meer mankracht in een probleem stoppen is niet de weg naar innovatie. De Chinese historicus Philip Huang maakt een fascinerende vergelijking tussen de boeren in de Yangtze-delta en de boeren in Engeland, twee gebieden die in 1800 respectievelijk de rijkste in China en in Europa waren.[6] Hij wijst erop dat het volgens bepaalde maatstaven lijkt alsof deze twee gebieden op een gelijk economisch niveau hebben gefunctioneerd. Maar in feite had Engeland een grote voorsprong op het centrale criterium voor groei: arbeidsproductiviteit. De Chinezen waren in staat hun land zeer productief te maken, maar ze deden dit door steeds meer mensen op een bepaalde oppervlakte aan het werk te zetten, iets wat Huang 'productie zonder ontwikkeling' noemt. De Engelsen bleven daarentegen zoeken naar manieren om de arbeid productiever te maken, zodat elke boer meer gewassen produceerde. Ze ontdekten nieuwe arbeidsbesparende middelen zoals het gebruik van dieren en de uitvinding van machines. Toen bijvoorbeeld het meerassige wiel ontwikkeld werd, dat door een getrainde operateur werd bediend, werd dit in Engeland alom in gebruik genomen. Maar in China bleef de minderwaardige maar goedkopere enkele as in gebruik, omdat deze door veel ongeschoolde operateurs bediend kon worden. (Waarom zou je geld aan arbeidsbesparende machines besteden als arbeid zo weinig waarde heeft?) Het uiteindelijke resultaat was dat een klein aantal Engelsen in staat was een zeer uitgestrekt boerenbedrijf te laten draaien. In de achttiende eeuw was de gemiddelde oppervlakte van een boerderij in zuidelijk Engeland 60 hectare; in de Yangtze-delta was dit ongeveer 0,4 hectare.

De expedities ter zee zijn een ander voorbeeld van het verschil in benadering tussen het Oosten en het Westen. De Europese expedities waren minder grootscheeps maar productiever. Vaak berustten ze volledig op particulier of op een combinatie van particulier en publiek initiatief en men maakte gebruik van nieuwe methoden om de expedities te betalen. De Nederlanders waren de pioniers op het gebied van bekostiging en belasting; in de jaren tachtig van de zestiende eeuw maakten hun haringhandelaars al een algemeen gebruik van termijncontracten. En deze financiële mechanismen waren een essentiële stap voorwaarts omdat ze garant stonden voor de bekostiging van een steeds groter aantal expedities. Met elke reis hoopte men winst te maken, nieuwe ontdekkingen te doen en nieuwe producten te vinden. Het project ontwikkelde zich met vallen en opstaan, waarbij elke expeditie op eerdere voortbouwde. In de loop van de tijd kwam er een kettingreactie van ondernemerschap, exploratie, wetenschap en kennis tot stand.

In China waren de expedities daarentegen afhankelijk van de interesses en de macht van een enkele monarch. Wanneer deze monarch
was verdwenen, werden de expedities beëindigd. In één geval gaf een
nieuwe keizer zelfs opdracht de bouwtekeningen van de schepen te
vernietigen, zodat de mogelijkheid om ze te bouwen verloren ging. De
Chinezen gebruikten tot ver in de dertiende eeuw kanonnen. Driehonderd jaar later konden ze geen kanon bedienen zonder dat een Europeaan hun dit voordeed. De economische historicus aan Harvard David
Landes concludeert dat China er niet in slaagde 'een voortgaand proces van wetenschappelijke en technologische ontwikkeling in gang te
zetten dat zichzelf in stand kon houden'.[7] De prestaties van dit land
bleken uiteindelijk incidenteel en voorbijgaand. Dit was de tragedie
van Azië: zelfs als er kennis aanwezig was, werd er niet geleerd.

Bepaalt de cultuur het lot?

Waarom stonden niet-westerse landen stil terwijl het Westen vooruit-
ging? Deze vraag is al eeuwenlang in discussie en er is geen sluitend antwoord op te geven. Rechtsbescherming van privébezit, goede bestuurs-
instellingen en een sterke burgermaatschappij (de maatschappij die niet
door de staat wordt overheerst) waren duidelijk van cruciaal belang voor
de groei in Europa en later in de Verenigde Staten. Daarentegen had de
Russische tsaar in theorie zijn hele land in eigendom. In China werd het
hof van de Ming-dynastie geleid door mandarijnen die neerkeken op
handel. Bijna overal in de niet-westerse wereld was de burgermaatschappij zwak en afhankelijk van de regering. Plaatselijke zakenlieden in India
stonden altijd bloot aan de grillen van het hof. In China lieten rijke
kooplieden hun zaken vaak schieten om zich toe te leggen op de confuciaanse klassieken, zodat ze een gunsteling van het hof konden worden.
De Mogols en de Ottomanen waren krijgers en aristocraten die de
handel minderwaardig en onbelangrijk vonden (hoewel het Midden-
Oosten een lange mercantiele traditie had). In India werd deze voor-

ingenomenheid versterkt door de lage positie van zakenlieden in de hindoeïstische kastenhiërarchie. Historici hebben vooral gewezen op hindoeïstische overtuigingen en praktijken als hinderpalen voor ontwikkeling. Paul Kennedy schrijft: 'De rigiditeit van hindoeïstische religieuze taboes verzette zich tegen modernisering: knaagdieren en insecten konden niet gedood worden, zodat enorme hoeveelheden voedsel verloren gingen; sociale gebruiken in verband met de omgang met afval en uitwerpselen brachten permanent onhygiënische toestanden met zich mee, die een voedingsbodem waren voor de builenpest; het kastensysteem verstikte initiatief, stelde rituelen in en beperkte de markt; en de invloed die op de plaatselijke heersers in India werd uitgeoefend door de brahmaanse priesters zorgde ervoor dat dit obscurantisme tot op het hoogste niveau kon doorwerken.'[8] J.M. Roberts maakt een algemenere opmerking over de hindoeïstische wereldopvatting wanneer hij stelt dat deze 'een visie [was] met eindeloze kringlopen van schepping en weer opgenomen worden in het goddelijke [die leidde] tot passiviteit en tot scepsis over de waarde van praktisch handelen.'[9]

Maar hoe moeten we, als de cultuur alles uitmaakt, het China en het India van nu begrijpen? Op dit moment wordt hun opmerkelijke groei vaak verklaard aan de hand van lofzangen op hun bijzondere culturen. Vroeger was het confucianisme slecht voor de groei; nu is het goed. De hindoeïstische geestelijke instelling, die vroeger een beletsel vormde, wordt nu beschouwd als de belichaming van een soort praktische aardsheid die de kapitalistische ondernemingsgeest ondersteunt. Het succes van de Chinese en hindoeïstische diaspora lijkt dergelijke theorieën van dag tot dag te bevestigen.

Wijlen Daniel Patrick Moynihan, de meest vooraanstaande geleerde senator van Amerika, heeft ooit gezegd: 'De kernwaarheid van de conservatieven is dat niet de politiek, maar de cultuur het succes van een samenleving bepaalt. De kernwaarheid van de liberalen is dat de politiek een cultuur kan veranderen en deze van zichzelf kan verlossen.' Dat slaat de spijker op de kop. Cultuur is belangrijk, verschrikkelijk

belangrijk. Maar zij kan veranderen. Culturen zijn complex. Op elk gegeven moment treden bepaalde kenmerken het sterkst naar voren en
lijken deze ook onveranderlijk. Maar dan veranderen de politiek en de
economie, en neemt het belang van deze kenmerken af, waardoor ze
ruimte maken voor andere. De Arabische wereld was ooit het centrum
van wetenschap en handel. In de afgelopen decennia zijn de belangrijkste uitvoerproducten van deze wereld de olie en het islamitisch
fundamentalisme. Elk cultureel argument moet in staat zijn zowel perioden van succes als perioden van mislukking te verklaren.

Waarom lag de Aziatische handelsgeest, die nu zo duidelijk naar voren komt, eeuwenlang begraven? Bij het zoeken van een verklaring
moet in sterke mate rekening worden gehouden met de structuur van
de Aziatische staten. De meeste landen in Azië hadden krachtige, gecentraliseerde en roofzuchtige overheden die hun onderdanen belastingen oplegden zonder veel tegenprestaties te leveren. Van de vijftiende eeuw tot het eind van de negentiende eeuw pasten Aziatische
heersers over het algemeen in het stereotype van de oosterse tiran. Nadat de Mogols in de vijftiende eeuw vanuit het noorden India waren
binnengedrongen, bestond hun inhalige bewind uit het opleggen van
belastingen en schattingen, en het bouwen van paleizen en forten, met
verwaarlozing van infrastructuur, communicatie, handel en ontdekkingsreizen. (De regering van Akbar, 1556-1605, was een korte en ge-
deeltelijke uitzondering.) De hindoevorsten in Zuid-India waren niet
veel beter. Zakenlieden moesten hoge rentes aanhouden om voorbereid te zijn op veelvuldige en willekeurige belastingheffingen van hun
heersers. Niemand werd erg aangespoord om rijkdom op te bouwen,
omdat deze gemakkelijk geconfisqueerd kon worden.

In het Midden-Oosten kwam de centralisatie veel later. Toen het gebied onder de Ottomaanse heerschappij op een betrekkelijk losse en
gedecentraliseerde manier werd bestuurd, bloeiden handel en innovatie. Goederen, ideeën en mensen uit alle windstreken konden onbe-
lemmerd met elkaar in contact komen. Maar in de twintigste eeuw re-
sulteerde een poging om 'moderne' en krachtige nationale staten te

vormen in dictaturen die economische en politieke stagnatie met zich meebrachten. Burgerlijke organisaties werden gemarginaliseerd of gevangengezet. Met een sterke staat en een zwakke samenleving raakte de Arabische wereld op bijna alle criteria voor vooruitgang bij de rest van de wereld achterop.

Waarom werd dit soort gecentraliseerde staat in Europa ingeperkt en in bedwang gehouden terwijl het in een groot deel van de niet-westerse wereld floreerde? Deels vanwege de christelijke kerk, de eerste grote instelling die de koningsmacht kon aanvechten. Deels vanwege de Europese landadel, die een zelfstandige basis had op het platteland en paal en perk kon stellen aan het koninklijke absolutisme. (De Magna Charta, de eerste grote 'grondwet' van de westerse wereld was in werkelijkheid een handvest voor de privileges van baronnen, dat aan de koning door zijn edelen werd opgedrongen.) Deels, en volgens sommigen uiteindelijk, was dit het gevolg van geografische omstandigheden.

Europa wordt verdeeld door brede rivieren, hoge bergen en grote dalen. Deze topografie deed veel natuurlijke grenzen ontstaan en gaf de aanzet tot politieke gemeenschappen van verschillende omvang: stadstaten, hertogdommen, republieken, naties en keizerrijken. In 1500 had Europa meer dan vijfhonderd staten, stadstaten en vorstendommen. Deze verscheidenheid hield in dat er een voortdurende concurrentie gaande was op het punt van ideeën, mensen, kunst, geld en wapens. Mensen die op de ene plek mishandeld of gemeden werden, konden uitwijken naar een andere plek en daar tot bloei komen. Succesvolle staten werden geïmiteerd. Mislukte staten stierven uit. In de loop van de tijd droeg deze concurrentie ertoe bij dat Europa een grote vaardigheid verwierf in het verwerven van rijkdom en het voeren van oorlogen.[10]

Azië bestaat daarentegen uit uitgestrekte vlaktes: de steppen in Rusland en de vlaktes in China. Legers kunnen zich door deze gebieden snel en met weinig tegenstand voortbewegen. (De Chinezen moesten de Grote Muur bouwen omdat ze zich niet op enige natuurlijke grens konden verlaten om hun grondgebied te beschermen.) Deze geografie droeg bij aan de instandhouding van grote, gecentraliseerde keizerrijken die in staat waren hun greep op de macht eeuwenlang te handhaven. Denk bijvoorbeeld aan de episode waarmee we dit hoofdstuk begonnen zijn, de beslissing van de Ming-dynastie om na de reizen van Zheng He een eind te maken aan de expedities over zee. Het opmerkelijkste van dit verbod was misschien wel dat het werkte. Een dergelijk beleid had in Europa niet ingevoerd kunnen worden. Geen enkele koning was machtig genoeg om een dergelijke beslissing af te dwingen, en zelfs als er zo'n machtige koning zou zijn geweest, zouden de mensen, de kennis en de expertise zich simpelweg naar een naburige natie, stadstaat of een naburig vorstendom verplaatst hebben. In China kon de keizer de klok terugzetten.

Ook de waterwegen van Europa waren een zegen. De Europese rivieren stromen rustig naar beschutte, bevaarbare baaien. De Rijn is een brede, langzaam stromende rivier die als verkeersweg voor goederen en mensen kan worden gebruikt. De Middellandse Zee is bijna zo kalm als een meer, met veel grote havens. Vergelijk dit met Afrika. Hoewel Afrika het op één na grootste werelddeel is heeft het de kortste kustlijn, en is het kustwater veelal te ondiep om grote havens te bouwen. Voeg hier nog bij de tropische hitte en het risico van ziekte en bederf van voedsel en je hebt een dwingende geografische verklaring voor de ontwikkelingsachterstand van Afrika – stellig niet de enige factor, maar wel een belangrijke.

Deze globale verklaringen kunnen de indruk wekken dat de zaken geen andere loop hadden kunnen nemen, maar in feite zeggen zulke structurele factoren alleen iets over de predisposities van een samenleving, over hoe de kansen liggen. Soms kunnen de kansen gekeerd worden. Ondanks zijn geografische diversiteit is Europa ooit veroverd door een groot keizerrijk, Rome, dat met afnemend succes het rijk gecentraliseerd probeerde te houden. Het Midden-Oosten heeft op een bepaald moment onder een uitgestrekt keizerrijk gebloeid. China heeft eeuwenlang welvaart gekend ondanks zijn vlakke geografie en ook India heeft zijn bloeiperioden gehad. De voordelen van Europa, die achteraf gezien zo duidelijk zijn, waren aanvankelijk klein en vooral gerelateerd aan wapens en technieken voor oorlogvoering. In de loop van de tijd hebben de voordelen zich echter vermeerderd en hebben ze elkaar versterkt, en heeft het Westen op de anderen een steeds grotere voorsprong gekregen.

De oorlogsbuit

Het contact met de rest van de wereld heeft Europa gestimuleerd. De ontdekking van nieuwe scheepvaartroutes, rijke beschavingen en vreemde volkeren heeft de vitaliteit en verbeelding van het Westen geprikkeld. Overal waar de Europeanen kwamen vonden ze goederen, markten en kansen. In de zeventiende eeuw vergrootten westerse naties hun invloed op elk gebied en elke cultuur waarmee ze in aanraking kwamen. Geen enkel deel van de wereld zou van deze invloed gevrijwaard blijven, van de landen aan de overkant van de Atlantische Oceaan tot de verste uithoeken van Afrika en Azië. Aan het einde van de achttiende eeuw waren zelfs Australië en de kleine eilanden in de Stille Zuidzee binnen de invloedssfeer van Europa terechtgekomen. Het Verre Oosten – China en Japan – bleef aanvankelijk buiten deze sfeer, maar halverwege de negentiende eeuw viel het eveneens aan de westerse opmars ten prooi. De opkomst van het Westen markeerde het begin van een mondiale beschaving, een beschaving die gevormd en overheerst werd door de naties van West-Europa.

Aanvankelijk richtten de Europeanen zich vooral op het zoeken naar producten waaraan in hun eigen land behoefte kon zijn. Dit nam soms de vorm aan van plundering en op andere momenten van handel. Europeanen brachten pelzen mee terug uit de Amerika's, kruiden uit Azië en goud en diamanten uit Brazilië. Maar al snel kreeg hun betrokkenheid een duurzamer karakter. Hun interesses varieerden afhankelijk van het klimaat. In gematigde luchtstreken, te beginnen met Noord- en Zuid-Amerika, gingen Europeanen zich vestigen en herschiepen zij westers georiënteerde samenlevingen op verafgelegen plaatsen. Dat was het begin van wat ze de 'Nieuwe Wereld' noemden. In landen die ze onbewoonbaar aantroffen, vaak tropische gebieden zoals Zuidoost-Azië en Afrika, creëerden ze een agrarisch systeem om gewassen te produceren die op binnenlandse markten aftrek konden vinden. De Nederlanders stichtten grootschalige boerderijen in Oost-Indië, en de Portugezen deden hetzelfde in Brazilië. Ze werden spoedig overtroffen door de Franse en Engelse plantages in het Caribisch gebied, waarbij Afrikaanse slaven als arbeidskrachten werden gebruikt.

Binnen honderd jaar nadat de Europeanen de eerste contacten hadden gelegd, was één tendens onmiskenbaar en onomkeerbaar: deze contacten veranderden of vernietigden de bestaande politieke, sociale en economische inrichting van niet-westerse samenlevingen. De oude orde stortte in of werd vernietigd, en vaak was er een combinatie van beide. Dit gebeurde ongeacht de omvang van het land; van het kleine Birma, waar de traditionele structuur onder het Britse gezag ineenstortte, tot aan de grote stammen van Afrika, waar Europese naties nieuwe grenzen trokken, nieuwe indelingen maakten en begunstigde groepen aan de macht brachten. In vele gevallen kwam met deze externe invloed een moderne levensstijl binnen, ook al ging deze soms vergezeld van grote wreedheid. In andere gevallen bracht de Europese invloed achteruitgang, door oude structuren te vernietigen maar weinig te doen om deze te vervangen. In elk geval leidde de ontdekking door het Westen ertoe dat Amerika, Azië en Afrika voorgoed en onomkeerbaar veranderd werden.

De richting van de Europese expansie werd bepaald door het machtsevenwicht. Ondanks hun heerschappij ter zee hadden de Europese naties verscheidene eeuwen lang geen militair voordeel op Turken en Arabieren. En daarom dreven ze tot het begin van de negentiende eeuw handel met de landen van het Midden-Oosten en

Noord-Afrika zonder een poging te doen deze landen in hun macht te krijgen. In Azië zagen de Europeanen maar weinig gemakkelijke toegangswegen en daarom zetten ze handelsposten en -kantoren op en stelden ze zich tevreden met de restjes die de Chinezen lieten liggen. In Afrika bezuiden de Sahara en in de Amerika's waren ze daarentegen duidelijk sterker dan de autochtone bevolking, en zich daarvan terdege bewust. De Portugese expansie begon in Afrika aan het begin van de zestiende eeuw, met expedities langs de Congo en de Zambezi. Maar het klimaat daar leende zich niet voor kolonisatie, en daarom wendden ze zich tot het westelijk halfrond.

Amerika was een vergissing – Columbus zocht een route naar Indië en botste tegen een groot obstakel aan – maar het bleek een gelukkig toeval te zijn. Vierhonderd jaar lang werden de Amerika's het grote overloopgebied voor Europa. Europeanen trokken naar de Nieuwe Wereld om een verscheidenheid van redenen – overbevolking, armoede en godsdienstige vervolging in het moederland of simpelweg de zucht naar avontuur – en bij hun landing troffen ze daar beschavingen aan die in vele opzichten hoogontwikkeld waren maar in militair opzicht primitief. Kleine groepjes Europese avonturiers zoals Cortés en Pizarro konden veel grotere inheemse legers verslaan. Samen met Europese ziekten waartegen de plaatselijke bevolking geen weerstand kon bieden leidde dit tot een massale vernietiging van stammen en culturen.

De kolonisatie was vaak niet in de handen van landen maar van ondernemingen. De Nederlandse en Engelse Oost-Indische compagnieën waren monopolies met een vergunning, die waren opgericht om een eind te maken aan de concurrentie tussen de zakenlieden in elk van deze landen. Het Franse equivalent, de Compagnie des Indes, was een zelfstandig geleide staatsonderneming. Aanvankelijk waren deze handelsondernemingen niet geïnteresseerd in territoriaal gezag en richtten ze zich uitsluitend op winsten, maar toen ze eenmaal in nieuwe gebieden geïnvesteerd hadden, wilden ze daar meer stabiliteit en toezicht. Tegelijkertijd wilden de Europese mogendheden concurrerende landen uit hun gebieden weren. Zo begon het grote spel van landjepik en de bouw van formele imperiums, waarvan het Britse rijk het grootste zou worden.

De ontwikkeling van koloniale imperiums ging gepaard met grote ambities. De westerlingen stelden zich niet langer tevreden met geld maar richtten hun streven ook op macht, invloed en cultuur. Afhankelijk van het ingenomen gezichtspunt werden ze ideologen of idealisten. Europese instellingen, praktijken en ideeën werden ingevoerd en opgelegd, hoewel altijd met behoud van raciale voorkeuren – zo werd het Britse rechtssysteem naar India gebracht, maar konden Indiase magistraten geen recht spreken over blanken. In de loop van de tijd werd de Europese invloed op de koloniën bijna alomvattend. En daarop verbreidde deze invloed zich tot ver buiten de koloniën. Niall Ferguson heeft betoogd dat het Britse rijk verantwoordelijk is voor de wereldwijde verbreiding van de Engelse taal, het bankwezen, het gewoonterecht, het protestantisme, teamsporten, de beperkte staat, representatief bestuur en de idee van vrijheid.[11] Een dergelijk betoog kan de ogen sluiten voor de hypocrisie en onmenselijkheid van koloniale overheersing: economische plundering, massa-executies, gevangenschap en marteling. Sommige Europeanen, bijvoorbeeld de Nederlanders en Fransen, zouden bezwaar kunnen maken tegen de exclusief Engelse herkomst van zulke ideeën. Maar in ieder geval is het onloochenbaar dat, als gevolg van de koloniale overheersing, Europese ideeën en praktijken zich over de hele wereld hebben verbreid.

Zelfs in het Verre Oosten, waar het Westen formeel gesproken nooit gebied heeft geannexeerd, was de Europese invloed zeer sterk. Toen het zwakke en slecht functionerende hof van de Qing-keizer aan het begin van de negentiende eeuw probeerde de opiumhandel te verbieden, lanceerde Engeland, waar de schatkist sterk afhankelijk was van de opiuminkomsten, een aanval met zeestrijdkrachten. De Anglo-Chinese oorlogen, die vaak de Opiumoorlogen worden genoemd, wierpen een helder licht op het machtsverschil tussen de twee landen. Aan het eind van deze oorlogen in 1842 werd Beijing gedwongen toe te stemmen in een reeks concessies die verder gingen dan de hervatting van de opiumhandel: Beijing stond Hongkong af, stelde vijf havensteden open voor Britse ingezetenen, kende alle Engelsen een vrijstelling toe van Chinese wetten, en betaalde een grote schadeloosstelling. In 1853 drongen westerse schepen – deze keer Amerikaanse – Japanse wateren binnen en maakten een einde aan het Japanse beleid van 'afzondering' van de wereld. Vervolgens ondertekende Japan een reeks handelsverdragen die westerse landen en hun ingezetenen bijzondere voorrechten verleenden. Ook de formele kolonisering bleef zich uitbreiden, tot in de landen van het kwakkelende Ottomaanse Rijk en in Afrika. Dit overheersingsproces culmineerde aan het begin van de twintigste eeuw, toen 85 procent van het land op aarde door een handjevol westerse hoofdsteden werd bestuurd.

Verwestersing

In 1823 besloot de East India Company een school op te zetten in Calcutta om leden van de plaatselijke bevolking te scholen. Dit leek alleen maar verstandig en vanzelfsprekend. Maar het voornemen gaf aanleiding tot een verhitte brief aan de Engelse minister-president, William Pitt, van de kant van een vooraanstaande Indiase ingezetene van Calcutta, Raja Ram Mohan Roy. De brief verdient het uitvoerig geciteerd te worden.

Toen deze onderwijsinstelling werd voorgesteld, werden we vervuld van vurige verwachtingen dat dit bedrag zou worden aangewend om getalenteerde en geschoolde Europeanen aan te stellen die de bewoners van India zouden onderwijzen in wiskunde, natuurwetenschap, scheikunde, anatomie en andere nuttige wetenschappen, die de Europese naties tot een niveau van volmaaktheid hebben gebracht dat hen boven de bewoners van andere delen van de wereld heeft verheven.

'We zien nu dat de regering bezig is een Sanskriet-school op te richten onder leiding van hindoe-pandits om kennis over te dragen die in India al gemeengoed is. Van deze school kan alleen verwacht worden dat deze de geest van de jongeren zal belasten met grammaticale bijzonderheden en metafysische eigenaardigheden die voor de bezitters van deze kennis of voor de samenleving van weinig of geen waarde zijn.

'Van het Sanskriet, een taal die zo moeilijk is dat er bijna een heel leven voor nodig is om deze volledig te beheersen, is al eeuwenlang bekend dat het de verspreiding van kennis op een betreurenswaardige manier in de weg staat. En ook kan weinig verbetering verwacht worden van beschouwingen als de volgende: Welke thema's zijn af te lezen uit de Vedanta? Op welke manier wordt de ziel opgenomen in de godheid? In welke relatie staat dit tot de goddelijke essentie? Met gepast ontzag voor de verheven positie van Uwe Excellentie neem ik de vrijheid te verklaren dat het nu goedgekeurde plan, wanneer het in praktijk wordt gebracht, het gestelde doel volstrekt niet kan verwerkelijken.[12]

Wanneer u het argument hoort dat de verwestersing louter een kwestie was van wapens en militaire kracht, is het nuttig te denken aan deze brief, en aan honderden dergelijke brieven, memo's en instructies. De verbreiding van westerse ideeën geschiedde deels onder dwang, maar er waren ook veel mensen buiten het Westen die graag de westerse gebruiken wilden leren. Daarvoor hadden ze een eenvoudige reden. Ze wilden succes hebben en mensen zijn altijd geneigd succesvolle mensen te imiteren.

In de zeventiende eeuw was de vaardigheid van het Westen om rijkdom te vergaren en oorlogen te voeren voor zijn buren een duidelijke zaak. Een van hen, Peter de Grote van Rusland, reisde maandenlang door Europa en liet zich daar verblinden door de industrieën en het militaire potentieel. Toen hij naar zijn land terugkeerde was hij vastbesloten hiervan te leren en kondigde een reeks van radicale hervormingen af: hij reorganiseerde het leger volgens Europese richtlijnen, moderniseerde de bureaucratie en verplaatste de hoofdstad van het Aziatische Moskou naar een nieuwe in Europese stijl gebouwde stad aan de westrand van het Russische rijk, die hij St. Petersburg noemde. Hij hervormde de belastingwet en bracht zelfs wijzigingen aan in de structuur van de orthodoxe Kerk om deze meer westers te maken. De mannen kregen het bevel hun baard af te scheren en Europese kleding te dragen. Wanneer iemand aan de oude gewoontes bleef vasthouden, moest hij een baardbelasting van honderd roebel per jaar betalen.

Sinds Peter de Grote is er een lange reeks van vooraanstaande niet-westerlingen geweest die geprobeerd hebben de ideeën van het Westen in hun land ingang te doen vinden. Sommigen van hen waren even radicaal als Peter. De beroemdste van hen was misschien wel Kemal Atatürk, die in 1922 de in verval geraakte Ottomaanse staat overnam en verklaarde dat Turkije zijn verleden moest loslaten en de Europese cultuur moest omhelzen om het Westen 'in te halen'. Hij creëerde een wereldlijke republiek, latiniseerde het Turkse schrift, schafte de sluier en de fez af en sloopte alle godsdienstige fundamenten van het Ottomaanse kalifaat. Al eerder, in 1885 in Japan, schreef de grote theoreticus van de Meji-hervorming, Yukichi Fukuzawa, een beroemd opstel met de naam 'Azië verlaten', waarin hij betoogde dat Japan Azië, vooral China en Korea, de rug moest toekeren en 'zijn lot moest verbinden aan de beschaafde landen van het Westen'. Veel Chinese hervormers kwamen met soortgelijke voorstellen. Sun Yat-Sen erkende voluit de superieure status van Europa en de noodzaak deze status over te nemen teneinde vooruit te komen.

Jawaharlal Nehru, de eerste minister-president van het onafhankelijke India, geloofde dat er aan de 'achterlijkheid' van zijn land alleen een einde kon worden gemaakt door politieke en economische inzichten en praktijken uit het Westen over te nemen. Door zijn scholing aan Harrow en Cambridge had hij de instelling van een westerse liberaal: ooit beschreef hij zichzelf privé als 'de laatste Engelsman die India regeert'. Ook Nehru's tijdgenoten over de hele wereld waren doorkneed in het westerse denken. Postkoloniale leiders probeerden zich in politiek opzicht van het Westen te bevrijden, maar wilden toch de westerse weg naar modernisering volgen. Zelfs de fel antiwesterse Gamal Abdul

Nasser van Egypte droeg westerse maatkleding en was een verwoed lezer van Europese geschiedenis. Hij ontleende zijn politieke ideeën onveranderlijk aan Engelse, Franse en Amerikaanse geleerden en schrijvers. Zijn favoriete film was Frank Capra's *It's a Wonderful Life*.

We herinneren ons soms de vurige antiwesterse retoriek en de
marxistische oriëntatie van deze leiders en denken dan dat zij het Westen hebben afgewezen. In werkelijkheid baseerden ze zich eenvoudigweg op de radicale tradities van het Westen. Marx, Engels, Rosa
Luxemburg en Lenin waren allen westerse intellectuelen. Zelfs tegenwoordig, wanneer mensen in Azië of Afrika het Westen bekritiseren,
gebruiken ze vaak argumenten die ontwikkeld zijn in Londen, Parijs of
New York. De kritiek die Osama bin Laden op Amerika uitoefende op
een videoband uit september 2007, met verwijzingen naar Noam
Chomsky, ongelijkheid, de hypotheekcrisis en de opwarming van de
aarde, had geschreven kunnen zijn door een linkse academicus van
Berkeley. In *Youth* van Joseph Conrad herinnert de verteller zich zijn
eerste ontmoeting met 'het Oosten': 'En toen, voordat ik mijn lippen
kon openen, sprak het Oosten tot mij, maar met een westerse stem. De
stem vloekte hevig; hij verstoorde de plechtige vrede van de baai met
een salvo van verwensingen. Hij begon me een varken te noemen en
liet dit aanzwellen tot niet nader te noemen adjectieven – in de Engelse
taal.'

Niet-westerse leiders die het Westen bewonderden zijn het meest onder de indruk gekomen van het superieure vermogen van het Westen
om rijkdom te vergaren en oorlogen te winnen. Na zijn nederlaag bij de
confrontatie met Europese strijdkrachten in Wenen in 1683 besloot het
Ottomaanse Rijk dat het van de gebruiken van zijn tegenstanders moest
leren. Het kocht wapens van Europa en toen het had ingezien dat het
meer dan alleen machines nodig had begon het vaardigheden, technieken en denk- en gedragswijzen in te voeren om zich beter te organiseren. In de negentiende eeuw organiseerden bevelvoerders uit het Midden-Oosten hun troepen op de manier van westerse legers, met
dezelfde pelotons en bataljons, dezelfde kolonels en generaals.[13] Over de

hele wereld namen de legers eenzelfde westers model over. Op dit moment zijn de strijdkrachten van een land, of dit nu China, Indonesië of Nigeria is, in hoofdzaak georganiseerd naar een negentiende-eeuwse westerse standaard.

Mensen als Roy, Fukuzawa en Nehru hadden het niet over intrinsieke culturele superioriteit. Zij waren geen Uncle Toms. In de brief van Roy vergelijkt deze de Indiase wetenschap van zijn tijd herhaaldelijk met de Europese wetenschap vóór Francis Bacon. Het was een kwestie van geschiedenis, niet van genen. Sun Yat-Sen was volledig vertrouwd met de roemruchte momenten uit het verleden van China en met de rijkdom van de Chinese kennistraditie. Fukuzawa legde zich toe op de Japanse geschiedenis. Nehru bracht jaren in Britse gevangenschap door met hartstochtelijke nationalistische geschiedschrijving over India. Zij geloofden allen in de glorie van hun eigen cultuur. Maar ze geloofden ook dat ze zich op dat moment in de geschiedenis, om in economisch, politiek en militair opzicht te slagen, op het Westen moesten oriënteren.

Modernisering

De kwestie waarover niet-westerse hervormers zich in de twintigste eeuw het hoofd braken is als centrale vraag voor de toekomst opnieuw aan de orde: kun je modern zijn zonder westers te zijn? Hoe verschillend zijn deze twee zaken? Zal het internationale leven sterk veranderen in een wereld waarin de niet-westerse mogendheden een enorm gewicht hebben? Zullen deze nieuwe machten andere waarden hebben? Of maakt de toenemende welvaart ons allemaal gelijk? Dit zijn geen loze gedachten. In de komende decennia zullen drie van de vier grootste economieën ter wereld niet-westers zijn (Japan, China en India). En de vierde, de Verenigde Staten, zal steeds sterker gevormd worden door zijn groeiende niet-Europese bevolking.

Enkele hedendaagse geleerden, met als meest vermaarde Samuel P.

Huntington, hebben betoogd dat modernisering en verwestersing twee volstrekt verschillende zaken zijn. Volgens Huntington was het Westen al westers voordat het modern was. Het Westen verkreeg zijn bijzondere karakter rond de achtste of negende eeuw, maar werd pas rond de achttiende eeuw 'modern'. Een moderne samenleving worden heeft te maken met industrialisatie, urbanisatie en stijgende niveaus van geletterdheid, scholing en rijkdom. De eigenschappen die een samenleving westers maken zijn daarentegen specifiek: de erfenis uit de klassieke oudheid, het christendom, de scheiding tussen kerk en staat, de rechtsstaat, de burgermaatschappij. 'De westerse beschaving,' schrijft Huntington, 'is niet waardevol omdat zij universeel is, maar omdat zij uniek is.'[14]

Behalve met dit intellectuele aspect moeten we ook rekening houden met het direct voelbare anders-zijn van niet-westerse landen: het feit dat ze er anders uitzien, anders aanvoelen en anders klinken. Op dit punt zijn de Japanners het duidelijkste voorbeeld. Japan is een hoogst moderne natie. In termen van technologie – hogesnelheidstreinen, mobiele telefoons, robotica – is Japan geavanceerder dan de meeste westerse landen. Maar voor buitenstaanders, vooral voor westerse bezoekers, blijft dit land vreemd en ondoorgrondelijk. Als de rijkdom Japan niet kon verwesteren, redeneert men, dan kan hij de andere landen evenmin verwesteren. Een wereld waarin Indiërs, Chinezen, Brazilianen en Russen rijker zijn en meer zelfvertrouwen hebben, zal een wereld zijn van een enorme culturele verscheidenheid en exotiek.

Toch is het Westen al zo lang aanwezig en heeft het zich zozeer verbreid dat het niet duidelijk is wat een breuk tussen modernisering en verwestersing zal inhouden. Zoveel van datgene wat we als modern beschouwen is, op zijn minst uiterlijk, westers. Hedendaagse vormen van bestuur, bedrijfsleven, recreatie, sport, vakanties en toerisme hebben hun oorsprong in Europese gebruiken en praktijken. Het kerstfeest wordt tegenwoordig op meer plaatsen gevierd dan ooit tevoren – ook al houdt het niet meer in dan champagne, kerstverlichting en cadeautjes (champagne is natuurlijk op zichzelf al een westerse uitvinding).

Valentijnsdag, die zijn naam ontleent aan een christelijke heilige en door de westerse wenskaartenindustrie gecommercialiseerd is, is bezig een bloeiende traditie te worden in India. Jeans werden ontworpen als passende kledij voor stoere werkers in Californische goudmijnen, maar zijn nu even overvloedig aanwezig in Ghana en Indonesië als in San Francisco. Je kunt je moeilijk voorstellen hoe de moderne wereld eruit zou zien zonder de invloed van het Westen.

Kishmore Mahbubani, een bedachtzame diplomaat en intellectueel uit Singapore, heeft kortgeleden voorspeld dat niet-westerse landen in de opkomende wereldorde, ook als ze rijker worden, hun specifieke tradities zullen behouden. In een toespraak uit 2006 betoogde hij dat het aantal vrouwen in India dat een sari (de traditionele Indiase kleding) draagt zelfs zou groeien.[15] Maar op hetzelfde moment dat Mahbubani de opkomst van de sari voorspelde rapporteerde de Indiase pers precies het omgekeerde verschijnsel. In de laatste tien jaar hebben Indiase vrouwen de sari verruild voor functionelere kleding. Zelfs tijdens de huidige hausse van de Indiase economie is de complexe sari-industrie, met zijn verschillende materialen, weefmethoden en stijlen, in verval. (Waarom? Vraagt u maar of een jonge werkende vrouw in India wil uitleggen hoe het is om je in zes tot negen meter vaak gesteven textiel te wikkelen en deze vervolgens zorgvuldig in plooien en vouwen te leggen.) Indiase vrouwen kiezen steeds meer voor een soort gemengde mode die inheemse en internationale stijlen combineert. Zo is de Indiase *salwar curta* (een ruimvallende combinatie van broek en tuniek) algemeen in zwang geraakt. Sari's raken voorbehouden aan bijzondere en ceremoniële gelegenheden, net als de kimono in Japan.

Dit kan oppervlakkig lijken, maar dat is het niet. De kleding van vrouwen is een krachtige indicator voor het gemak waarmee een samenleving omgaat met moderniteit. Het is niet verrassend dat de islamitische wereld de grootste problemen heeft met westerse kleding voor vrouwen. Dit is ook het gebied waar vrouwen het verst achterblijven op alle andere objectieve maatstaven: geletterdheid, scholing, deelname aan het arbeidsproces. De sluier en de chador kunnen volstrekt acceptabele kledingkeuzes zijn, maar ze vallen samen met een instelling die de moderne wereld ook in andere opzichten afwijst.

Voor mannen is westerse kleding algemeen in gebruik. Vanaf het moment dat legers westerse uniformen gingen dragen, zijn mannen over de hele wereld westerse werkkleding gaan dragen. Het zakenkostuum, een nazaat van de uitrusting van de Europese legerofficier, is nu het standaardtenue voor mannen van Japan tot Zuid-Afrika tot Peru, met als enige achterblijver (of rebel) opnieuw de Arabische wereld. Met al hun culturele eigenzinnigheid gaan de Japanners nog een stap verder door bij bijzondere gelegenheden (zoals de inhuldiging van hun regering) kamerjassen en gestreepte broeken te dragen, in de stijl van Engelse diplomaten uit de tijd van koning Edward, honderd jaar geleden. In India is het dragen van traditionele kleding lang geassocieerd geweest met patriottisme; Gandhi drong hierop aan als verzet tegen Engelse invoerrechten en Engelse textiel. Nu is het westerse zakenkostuum de standaardkleding geworden voor Indiase ondernemers en zelfs voor veel jonge regeringsambtenaren, wat iets zegt over een nieuwe postkoloniale fase in India.* In de Verenigde Staten hebben veel medewerkers in nieuwe bedrijfstakken natuurlijk al helemaal van formele kleding afgezien en zich een informele stijl van jeans en T-shirts aangemeten. Ook deze mode is in sommige andere landen aangeslagen, vooral bij jongere mensen in op technologie gebaseerde bedrijfstakken. Het patroon blijft hetzelfde. Westerse stijlen zijn voor dagelijkse kleding van mannen de standaard geworden die blijk geeft van moderniteit.

---

* Niet helemaal. Het verschil in sekse is blijven bestaan. Hoewel succesvolle Indiase mannen in overheidsdienst of in het zakenleven nu doorgaans westerse kleding dragen, geldt dit voor vooraanstaande Indiase vrouwen in veel mindere mate.

De dood van de oude orde

Verwestersing betreft niet alleen uiterlijkheden. Over de hele wereld worden ondernemingen geleid aan de hand van wat we zakelijke standaardpraktijken zouden kunnen noemen. Al deze standaarden, van dubbel boekhouden tot dividenden, hebben een westerse oorsprong. En dat geldt niet alleen voor het zakenleven. Gedurende de laatste tweehonderd jaar en vooral in de laatste twintig jaar zijn regeringsinstellingen zoals parlementen, toezichthoudende instanties en centrale banken over de hele wereld meer op elkaar gaan lijken. In een overzicht van verscheidene landen in Europa en Latijns-Amerika hebben twee wetenschappers vastgesteld dat het aantal zelfstandige toezichthoudende instanties (in de Amerikaanse stijl) tussen 1986 en 2002 verzevenvoudigd is.[16] Zelfs de politiek krijgt wereldwijd steeds sterker hetzelfde karakter. Amerikaanse consulenten ontvangen vorstelijke honoraria voor hun adviezen over hoe Aziatische en Latijns-Amerikaanse politici het best bij hun eigen landgenoten kunnen overkomen.

Boeken, films en televisieprogramma's geven duidelijk blijk van plaatselijke smaken, maar de structuur van deze sectoren (en veel aspecten van de inhoud) raken sterker gestandaardiseerd. Bollywood neemt bijvoorbeeld afstand van zijn traditie van goedkope budgets en lange draaiperiodes en richt zich sterker op kortere, commerciële films met investeerders uit Hollywood en exportmogelijkheden.[17] Je hoeft tegenwoordig maar ergens in de geïndustrialiseerde wereld een straat af te lopen om variaties op hetzelfde thema te zien – geldautomaten, koffiehuizen, modemagazijnen met hun seizoenopruimingen, concentraties van immigranten, populaire cultuur en muziek.

Wat in de ontwikkelingslanden bezig is te verdwijnen, is een oude hoge cultuur en een traditionele orde. Deze zaken worden uitgehold door de opkomst van een massapubliek dat door kapitalisme en democratie aan kracht heeft gewonnen. Dit wordt vaak in verband gebracht met verwestersing omdat datgene wat voor de oude situatie in de plaats is gekomen – de nieuwe dominante cultuur – westers aandoet, en vooral Amerikaans. McDonald's, blue jeans en popmuziek zijn universeel geworden en hebben oudere, plaatselijke vormen van eten, kleding en zingen verdrongen. Maar de nieuwe cultuur bedient een veel groter publiek dan de kleine elite die vroeger de gewoonten van hun land bepaalde. Het maakt allemaal een Amerikaanse indruk omdat Amerika, het land dat massakapitalisme en consumentisme heeft uitgevonden, deze nieuwe cultuur als eerste heeft ingevoerd. De invloed van het massakapitalisme is nu universeel. De Fransen klagen al eeuwenlang over het verlies van hun cultuur, terwijl het in feite slechts gaat om het verval van een oude, hiërarchische orde. At de meerderheid van de Franse bevolking, die in hoofdzaak uit arme boeren bestond, in de negentiende eeuw in authentieke bistro's of waar dan ook buiten de deur? Men zegt dat de Chinese opera bezig is uit te sterven. Maar komt dat door verwestersing of door de opkomst van een Chinese massacultuur? Hoeveel Chinese boeren gingen er vroeger in hun dorpen naar de opera? De nieuwe massacultuur is de belangrijkste cultuur geworden omdat in een democratisch tijdperk de kwantiteit het wint van de kwaliteit. Hoeveel mensen er luisteren maakt meer uit dan wíe er luistert.

Denk aan de veranderingen op een van de traditioneelste plekken ter wereld. In 2004 werd Christian Caryl, buitenlandcorrespondent van *Newsweek*, overgeplaatst naar Tokio, terwijl hij de tien jaar daarvoor in Moskou en Berlijn had doorgebracht. Hij verwachtte daar het exotische en sterk geïsoleerde land te vinden waarover hij had gelezen. 'Wat ik daarentegen heb aangetroffen,' schreef hij in een essay, 'is het zoveelste welvarende en moderne westerse land met een paar interessante eigen trekjes, een Aziatische natie die zich goed thuis zou voelen als zij plotseling binnen de grenzen van Europa werd gedropt.'[18] Hij herinnert zich: 'Toen we ons nieuwe huis betrokken, moesten we ons al snel voorbereiden op de eerste bizarre Japanse feestdag: Halloween.' Hij citeert de Amerikaanse schrijver Donald Richie, die vijftig jaar in Japan heeft gewoond en lesgegeven, als deze uitlegt dat jonge Japanse studenten de wereld van hun ouders, met zijn vormelijkheid, goede manieren en etiquette, niet langer kunnen begrijpen. 'Ze weten niets over het familiesysteem omdat het familiesysteem niet langer bestaat,' zegt Richie. 'Daarom moet ik het voor hen reconstrueren.' De traditionele, vormelijke versie van het Japans dat in films wordt gebruikt klinkt hun vreemd in de oren alsof het uit een 'verdwenen' wereld afkomstig was.

Wat momenteel jong en modern klinkt is Engels. Geen enkele taal heeft zich ooit zo breed en diep over de wereld verbreid. De beste vergelijking is die met het Latijn tijdens de middeleeuwen, en deze vergelijking gaat behoorlijk mank. Het Latijn werd gebruikt door een kleine elite in een tijd van algemene ongeletterdheid, en de meeste niet-westerse landen maakten niet eens deel uit van de christelijke wereld. Tegenwoordig kan bijna één vierde van de wereldbevolking, anderhalf miljard mensen, wat Engels spreken. En de snelheid waarmee het Engels zich verbreidt neemt bijna overal toe, van Europa en Azië tot Latijns-Amerika. De globalisering, die steeds meer contacten en handelsbetrekkingen met zich meebrengt, schept een prikkel voor een eenvoudig communicatiemiddel. Hoe groter het aantal deelnemers, des te groter de behoefte aan een gemeenschappelijke standaard. Ongeveer 80 procent van de elektronisch opgeslagen informatie op aarde is in het Engels. Wanneer diplomaten van de 25 regeringen van de Europese Unie in Brussel bij elkaar komen om zaken te bespreken hebben ze honderden tolken. Maar meestal spreken ze allemaal Engels.

Gaan mensen door een gemeenschappelijke taal ook hetzelfde denken? We zullen dit nooit zeker weten. Maar in de loop van de afgelopen honderd jaar is het Engels de taal van de moderniteit geworden. Het Russische woord voor tank is 'tank'. Wanneer Hindi sprekende Indiërs nucleair willen zeggen, zeggen ze meestal 'nuclear'. In het Frans is het weekend 'le weekend'. In het Spaans is internet 'internet'. En het Engels dat mensen spreken wordt, met bepaalde plaatselijke kenmerken, steeds sterker veramerikaniseerd. Het is de taal van het dagelijkse, oneerbiedige en terloopse spraakgebruik. Misschien zal deze oneerbiedigheid zich ook naar andere terreinen uitstrekken.

Natuurlijk vervult deze mogelijkheid ouderen met zorg. De meeste samenlevingen die net met hun modernisering gestart zijn willen hun nieuwe rijkdom combineren met elementen van de oude orde. 'We hebben het verleden achter ons gelaten,' zei Lee Kuan Yew tegen mij over zijn deel van de wereld, 'en we maken ons diep van binnen bezorgd dat er niets van ons zal overblijven dat tot het oude behoort.' Maar deze angst maakt ook deel uit van de ervaring van het Westen. Wanneer Aziatische leiders op dit moment spreken over de behoefte hun specifieke Aziatische waarden te beschermen, klinken ze net als westerse conservatieven die al eeuwenlang geprobeerd hebben vergelijkbare morele waarden te behouden. 'De rijkdom hoopt zich op en de mensen raken in verval,' schreef de dichter Oliver Goldsmith in 1770, toen Engeland zich industrialiseerde. Misschien zullen China en India hun eigen victoriaanse tijdperk doormaken, een tijdperk waarin een energiek kapitalisme gepaard ging met sociaalconservatisme. En misschien zal deze combinatie zelfs voortduren. De aantrekkingskracht van traditie en gezinswaarden blijft immers ook sterk aanwezig in enkele zeer moderne landen – de Verenigde Staten, Japan, Zuid-Korea. Maar over het algemeen en in de loop van de tijd brengen toenemende rijkdom en individuele mogelijkheden een sociale transformatie tot stand. De modernisering brengt een vorm van vrouwenbevrijding met zich mee. Zij breekt de hiërarchie van leeftijd, godsdienst, traditie en feodale orde af. En dit alles leidt ertoe dat samenlevingen steeds meer op die in Europa en Noord-Amerika gaan lijken.

De gemengde toekomst

Als ik zit te denken over hoe de wereld eruit zal zien wanneer de anderen opkomen en het Westen in verval raakt, word ik altijd herinnerd aan een briljante Indiase film, *Shakespeare Wallah*, uit 1965. Hij gaat over een rondreizend toneelgezelschap dat in het postkoloniale India toneelstukken van Shakespeare ten beste geeft en geconfronteerd wordt met een vreemd en droevig feit. De vele scholen, clubs en theaters die om hun diensten gewedijverd hadden, beginnen hun interesse snel te verliezen. De Engelse sahibs zijn verdwenen en er is niemand over die je kunt imponeren met je interesse voor de grote Shakespeare. De hartstocht voor Shakespeare bleek direct gerelateerd te zijn aan het Britse bewind in India. De cultuur volgt de macht.

Wat is er voor deze vrolijke toneelspelers in de plaats gekomen? De film. Met andere woorden, een deel van het verhaal in *Shakespeare Wallah* gaat over de opkomst van de massacultuur. Bollywood, de autochtone massacultuur van India, is een cultureel kruisingsproduct. Omdat Bollywood deel uitmaakt van de massacultuur baseert het zich op de wereldleider (misschien de stichter) van de massacultuur: de Verenigde Staten. Veel Bollywoodfilms zijn gemakkelijk herkenbare imitaties van Amerikaanse klassieken, gelardeerd met zes tot tien liedjes. Maar ze behouden ook kernelementen uit India. De verhalen gaan vaak over zich opofferende moeders, strubbelingen binnen de familie, noodlottige scheidingen en bijgeloof. Ze vormen een mengeling van West en Oost.

De wereld die we binnentreden zal op Bollywood lijken. Hij zal door en door modern zijn, en daarom in sterke mate door het Westen geïnspireerd, maar hij zal ook belangrijke elementen van de plaatselijke cultuur bewaren. Chinese popmuziek klinkt in de verte als zijn westerse tegenhanger, met dezelfde instrumenten en ritmes, maar de thema's, de teksten en de zang zijn uitgesproken Chinees. Braziliaanse dansen combineren Afrikaanse, Latijnse en algemeen moderne (dus westerse) bewegingen.

Op dit moment gaan mensen er overal ter wereld gemakkelijker toe over hun eigen stempel op de moderniteit te drukken. Toen ik opgroeide in India lag de moderniteit in het Westen. We wisten allemaal dat de toonaangevende ontwikkelingen, van wetenschap tot industriële vormgeving, daar plaatsvonden. Dat is niet langer waar. Een gevestigde Japanse architect heeft me uitgelegd dat hij in zijn jonge jaren wist dat de beste en de meest geavanceerde gebouwen alleen in Europa en Amerika gebouwd werden. Nu zien de jonge architecten op zijn kantoor hoe er elke maand in China, Japan, het Midden-Oosten en Latijns-Amerika grote gebouwen worden opgetrokken. De jongere generatie van dit moment kan thuisblijven en haar eigen versie van de moderniteit creëren en toegankelijk maken – even ver ontwikkeld als alles in het Westen, maar meer vertrouwd.

Het plaatselijke en het moderne ontwikkelen zich samen met het mondiale en het westerse. Chinese pop verkoopt oneindig veel beter dan westerse pop. De samba beleeft een hausse in Latijns-Amerika. Binnenlandse filmindustrieën zijn overal, van Latijns-Amerika en Oost-Azië tot het Midden-Oosten, tot bloei gekomen en winnen op de binnenlandse markt zelfs terrein op de import uit Hollywood. De Japanse televisie, die grote hoeveelheden Amerikaanse shows placht te kopen, is nu nog maar voor 5 procent van zijn programmering afhankelijk van de vs.[19] Frankrijk en Zuid-Korea, die lang door Amerikaanse films gedomineerd werden, hebben nu grote eigen filmindustrieën. Plaatselijke moderne kunst, vaak een vreemde mengeling van abstracte westerse stijlen en traditionele volksmotieven, bloeit bijna overal ter wereld. Je kunt gemakkelijk misleid worden door de Starbucks- en Coca-Cola-reclame die je wereldwijd tegenkomt. Het werkelijke effect van de globalisering is dat er een mengeling van het lokale en het moderne tot bloei is gekomen.

Kijk nog wat nauwkeuriger naar de leidende rol van het Engels. Hoewel er veel meer mensen Engels spreken, vindt de grootste groei op televisie, radio en het internet plaats in lokale talen. In India dachten de mensen dat het openstellen van de ether zou leiden tot een hausse aan particuliere nieuwskanalen in het Engels, de taal die de meeste deskundigen spreken, maar de grootste hausse – met een drie- tot viermaal grotere snelheid – heeft plaatsgevonden in programma's in lokale talen. Hindi, Tamil, Telugu, Gujarati en Marathi doen het allemaal uitstekend in deze geglobaliseerde wereld. Het Mandarijnchinees maakt een sterke groei door op het internet. Het Spaans breidt zich in vele landen uit, met inbegrip van de Verenigde Staten. In de

eerste fase van de globalisering keek iedereen naar CNN. In de tweede
fase kwamen de BBC en Sky News erbij. Nu produceert elk land zijn eigen versie van CNN – van Al Jazeera en Al Arabia tot NDTV en Aaj Tak
in New Delhi.

Deze nieuwskanalen maken deel uit van een krachtige tendens – de
groei van nieuwe verhalen. Toen ik opgroeide in India werden de actualiteiten, vooral de mondiale actualiteiten, vanuit een westers perspectief
bepaald. Je zag de wereld door de ogen van de BBC en de Voice of America. Je begreep de wereld aan de hand van *Time, Newsweek*, de *International Herald Tribune* en, in vroeger dagen, van de *Times of London*. Op
dit moment bestaan er veel meer nieuwskanalen die, wat belangrijker is,
heel andere perspectieven op de wereld geven. Wanneer je naar Al Jazeera kijkt, krijg je natuurlijk een visie op het Arabisch-Israëlische conflict
die volledig afwijkt van de visies in het Westen. Maar het gaat niet alleen
om Al Jazeera. Wanneer je naar een Indiase omroep kijkt, krijg je een
heel andere visie op het atoomonderzoek van Iran. Waar je zit heeft invloed op hoe je de wereld ziet.

Zullen deze veranderingen ertoe leiden dat 'de anderen' zich anders
zullen opstellen in de zakenwereld, het landsbestuur of de buitenlandse politiek? Dit is een gecompliceerde kwestie. In de zakenwereld gaat
het in de kern om dezelfde dingen. Maar de toegang tot deze kern va-
rieert enorm, zelfs binnen het Westen. De structuur van de economische activiteit is in Italië heel anders dan in Engeland. De Amerikaanse
economie ziet er heel anders uit dan de Franse economie. De praktijk
van het zakendoen verschilt tussen Japan, China en India. En deze verschillen zullen toenemen.

In sommige opzichten geldt hetzelfde voor buitenlandse politiek. Er
zijn enkele onderliggende realiteiten. Fundamentele kwesties als veiligheid en het beïnvloeden van de directe omgeving zijn cruciale com-
ponenten van een nationaal veiligheidsbeleid. Maar daarbuiten kunnen er reële verschillen bestaan, hoewel deze niet altijd met de cultuur
verbonden hoeven te zijn. Neem de mensenrechten, een kwestie waarover niet-westerse landen in het algemeen, en China en India in het

bijzonder, waarschijnlijk heel andere gezichtspunten innemen dan de Verenigde Staten. Hiervoor zijn enkele fundamentele redenen. Ten eerste beschouwen deze landen zich als ontwikkelingslanden en daarom als te arm om zich in te laten met kwesties inzake de mondiale orde, vooral kwesties die met zich meebrengen dat er vanuit het buitenland criteria en rechten worden vastgelegd en afgedwongen. Ten tweede zijn deze landen geen protestantse, missionaire mogendheden en daarom minder geneigd universele waarden over de hele aarde te verbreiden. Het hindoeïsme en het confucianisme geloven geen van beide in universele geboden of in de noodzaak het geloof te verbreiden. Daarom is het niet waarschijnlijk dat deze landen, zowel om praktische als om culturele redenen, kwesties inzake mensenrechten een centrale plaats zullen geven in hun buitenlands beleid.

Natuurlijk ontwikkelt geen enkele beschaving zich in een hermetisch afgesloten doos. Zelfs op het punt van religie en fundamentele wereldbeschouwing hebben landen een gemengde achtergrond, waarbij plaatselijke elementen verdrongen zijn door invloeden van buiten. India is bijvoorbeeld een hindoeïstisch land dat vierhonderd jaar geregeerd is door moslimdynastieën en daarna door een protestantse mogendheid. China heeft nooit direct onder buitenlands gezag gestaan, maar de confuciaanse achtergrond van dit land is veertig jaar lang zonder pardon opzijgeschoven en vervangen door een communistische ideologie. Japan heeft er in de afgelopen honderd jaar voor gekozen veel Amerikaanse stijlen en opvattingen over te nemen. Afrika heeft zijn eigen oude tradities, maar biedt nu ook onderdak aan de grootste en snelst groeiende christelijke bevolking op aarde. In Latijns-Amerika blijven de kerken een vitale rol spelen; een rol die in Europa onvoorstelbaar is. We horen veel over evangelisch protestantisme in de Verenigde Staten, maar deze beweging groeit het snelst in Brazilië en Zuid-Korea. Als de christelijke waarden in de kern van de westerse traditie liggen, wat moeten we dan met een land als Zuid-Afrika, dat meer dan zevenduizend christelijke kerkgenootschappen kent? Of Nigeria, dat meer anglicanen huisvest dan Engeland?

Het Westen en de anderen zijn al duizenden jaren met elkaar in interactie. Volgens de legende heeft Sint Marcus het christendom in 60 n.C. naar Afrika gebracht. Enkele van de eerste christelijke gemeenten van de wereld zijn in Noord-Afrika gevestigd. Het Midden-Oosten heeft eeuwenlang westerse wetenschap bewaard en verder ontwikkeld. Rusland worstelt al minstens vierhonderd jaar met zijn westerse en niet-westerse identiteiten. In grote delen van de wereld is het Westen zo lang aanwezig geweest dat het in zekere zin deel is gaan uitmaken van het weefsel van die beschaving. Daarom lijkt het volkomen vanzelfsprekend dat het grootste casino ter wereld gebouwd is in Macao, in China – en een imitatie is van het San Marcoplein in Venetië, dat op zijn beurt sterk is beïnvloed door Moorse (islamitische) voorbeelden. Is het Chinees, westers, Moors of modern? Waarschijnlijk van alles een beetje.

De komst van de moderniteit is samengevallen met de opkomst van het Westen, en heeft daarom een westers gezicht aangenomen. Maar nu de moderne wereld zich uitbreidt en meer van de aardbol omvat, wordt de moderniteit een smeltkroes. Handel, reizen, imperialisme, immigratie en zending hebben allemaal tot een mengeling geleid. Elke cultuur heeft zijn eigen bijzondere elementen, en sommige daarvan kunnen de modernisering doorstaan. Anderen kunnen dat niet, en met de opmars van het kapitalisme sterven de oudere feodale, formele, familiale en hiërarchische gebruiken uit, zoals ze dat ook in het Westen hebben gedaan. De invloed van moderne, westerse waarden blijft sterk. China en India zijn misschien minder geneigd zich sterk te maken voor mensenrechten, maar moeten wel rekening houden met de plaats die deze kwestie inneemt op de mondiale agenda. In het geval van India, dat een democratie is met een liberale intellectuele elite, is er een invloedrijk gedeelte van de kiezers binnen het land bij wie de opvattingen over dit onderwerp in hoofdzaak door het Westen gevormd zijn.

De vraag 'Zal de toekomst modern of westers zijn?' is gecompliceerder dan hij misschien lijkt. Het enige eenvoudige antwoord is 'ja'. Het enig mogelijke complexe antwoord is naar specifieke landen te kijken, inzicht te krijgen in hun verleden en heden, hun cultuur en volksgebruiken, in de manier waarop ze zich aan de westerse wereld hebben aangepast en zichzelf hebben gemoderniseerd. Ik zal dit hierna doen met de twee belangrijkste opkomende machten: India en China. Dit is ook de beste manier om de nieuwe geopolitiek te begrijpen. De echte uitdaging die we in de toekomst onder ogen zullen moeten zien is immers niet een vage uitdaging in verband met verschillende opvattingen maar een concrete uitdaging in verband met verschillende geografie, geschiedenis, belangen en capaciteiten. De wereld ziet er voor China en India niet alleen anders uit op grond van wie ze zijn, maar ook op grond van waar ze zijn. De grote verschuiving die op de wereld plaatsvindt zal mogelijk minder over cultuur en meer over macht blijken te gaan.

4

De uitdager

Amerikanen hebben wel gevoel voor schoonheid, maar ze raken pas goed onder de indruk van grote formaten. Denk maar aan de Grand Canyon, de mammoetbomen in Californië, Grand Central Terminal, Disney World, suv's, de Amerikaanse strijdkrachten, General Electric, de Double Quarter Pounder (met kaas) en de Venti Latte. Europeanen geven de voorkeur aan complexiteit en Japanners vereren het minimalisme. Maar Amerikanen houden van alles wat groot is, en liefst uitzonderlijk groot.

Dit is de reden waarom Amerikanen zo geïmponeerd worden door China. Het is een land met een omvang waarbij de Verenigde Staten in het niet vallen. Met 1,3 miljard inwoners heeft het vier keer de bevolking van Amerika. Meer dan honderd jaar hebben Amerikaanse zendelingen en zakenlieden gedroomd over de mogelijkheden: een miljard zielen die gered konden worden, twee miljard oksels die om deodorant vragen, maar het bleef altijd bij dromen. China was heel groot, maar ook heel arm. De bestseller van Pearl Buck *The Good Earth* (die ook tot een toneelstuk en een film werd bewerkt), presenteerde een blijvend portret van China: een agrarische samenleving met sappelende boeren, inhalige landeigenaren, hongersnoden en overstromingen, epidemieën en armoede.

Napoleon deed de beroemde en waarschijnlijk apocriefe uitspraak: 'Laat China slapen, want als het wakker wordt zal het de wereld een schok bezorgen.' En China lijkt deze instructie bijna tweehonderd jaar lang te hebben opgevolgd, door te blijven slapen en als weinig meer te dienen dan een arena waarin de andere grote machten hun ambities tot gelding brachten. In de twintigste eeuw was Japan, dat China ooit navolgde, dit land in oorlog en vrede de baas. In de Tweede Wereld-oorlog maakten de Verenigde Staten China tot bondgenoot en gaven het steun en, in 1945, een zetel in de Veiligheidsraad van de VN. Toen Washington en Beijing na de communistische machtsovername van 1949 vijanden van elkaar werden, en het naoorlogse Japan tot bloei kwam, raakte China verder achterop. Mao Zedong sleepte zijn land mee in een reeks van rampzalige beroeringen die het economische, technologische en intellectuele kapitaal van het land vernietigden. Maar in 1979 kwam het land in beweging.

Het ontwaken van China hervormt het economische en politieke landschap, maar wordt ook zelf gevormd door de wereld waarbinnen China in opkomst is. Beijing moet leren omgaan met dezelfde twee krachten die algemeen bepalend zijn voor de post-Amerikaanse we-reld – globalisering en nationalisme. Aan de ene kant wordt Beijing door economische en technologische druk ertoe gedreven zich door samenwerking in de wereld te integreren. Maar deze zelfde krachten brengen binnen het land verstoringen en sociale onrust teweeg en het regime zoekt naar nieuwe manieren om een samenleving met steeds grotere verschillen tot een geheel te verenigen. Tegelijkertijd betekent groei ook dat China assertiever wordt en daarmee een grote schaduw over zijn omgeving en over de wereld werpt. De stabiliteit en de vrede van de post-Amerikaanse wereld zal in hoge mate afhangen van het evenwicht dat China tot stand brengt tussen deze integrerende en des-integrerende krachten.

Wanneer historici terugkijken op de laatste decennia van de twintig-ste eeuw zouden ze het jaar 1979 heel goed als een waterscheiding kun-nen aanmerken. In dat jaar viel de Sovjet-Unie Afghanistan binnen en groef daarmee haar eigen graf als supermacht. En in ditzelfde jaar lan-ceerde China zijn economische hervormingen. Het signaal voor deze gebeurtenis werd in december 1978 gegeven op een bijeenkomst die daarvoor niet het meest geëigend leek: het Derde Plenum van het Elfde Centrale Comité van de Communistische Partij van China, doorgaans een gelegenheid voor holle retoriek en uitgekauwde ideologie. Vóór de formele bijeenkomst hield de zojuist aan de macht gekomen partijleider, Deng Xiaoping, tijdens de zitting van een werkgroep een toespraak die de belangrijkste in de moderne Chinese geschiedenis zou blijken te zijn. Hij drong erop aan dat het regime zich zou concentreren op economische ontwikkeling en zich door feiten en niet door ideologie moest laten leiden. 'Het maakt niet uit of het een zwarte of een witte kat is,' zei Deng. 'Zolang hij muizen kan vangen is het een goede kat.' Sindsdien heeft China precies gedaan wat hij gezegd heeft en is het een weg naar modernisering ingeslagen die genadeloos pragmatisch is.

De resultaten zijn verbijsterend geweest. China groeit al bijna dertig jaar met 9 procent per jaar, het snelste groeitempo van een grote economie in de geschiedenis. In deze zelfde periode heeft het ongeveer vierhonderd miljoen mensen uit de armoede verlost, de grootste reddingsoperatie die ooit ter wereld heeft plaatsgevonden. Het inkomen van de gemiddelde Chinees is bijna verzevenvoudigd. Ondanks tegenslagen en schaduwzijden heeft China op een enorme schaal de droom van elk derdewereldland verwezenlijkt: een beslissende afrekening met armoede. De econoom Jeffrey Sachs verwoordt dit eenvoudig als: 'China is het succesvolste ontwikkelingsverhaal in de wereldgeschiedenis.'

De schaal van de verandering in China is bijna onvoorstelbaar. De omvang van de economie is in dertig jaar elke acht jaar verdubbeld. In 1978 maakte het land tweehonderd airconditioners per jaar; in 2005 maakte het er 48 miljoen. China exporteert nu op één enkele dag meer dan het exporteerde in het hele jaar 1978. Voor iedereen die het land tijdens deze periode heeft bezocht zijn er meer voorbeelden en beelden van verandering dan je zou kunnen opsommen. Vijftien jaar geleden, toen ik voor het eerst naar Shanghai ging, was Pudong, aan de oostkant van de stad, nog woeste grond. Nu is het het financiële centrum van de stad, bezaaid met torens van glas en staal en elke nacht zo helder verlicht als een kerstboom. Het is acht keer zo groot als het nieuwe financiële centrum van Londen, Canary Wharf, en maar iets kleiner dan de hele stad Chicago. De stad Chongqing modelleert zich intussen helemaal naar Chicago, dat honderd jaar geleden de snelst groeiende stad ter wereld was. Chongqing, waar de bevolking elk jaar met drie-honderdduizend mensen toeneemt, zou op dit moment waarschijnlijk op deze titel aanspraak kunnen maken. En Chongqing is slechts de koploper van een hele meute; de twintig snelst groeiende steden in de wereld liggen allemaal in China.

Ondanks de aantrekkingskracht van Shanghai voor westerlingen blijft Beijing de zetel van de Chinese politiek, cultuur en kunst, en zelfs van de economie. De stad wordt herbouwd op een schaal die in de geschiedenis zijn gelijke niet kent. (Wat er het dichtste bij komt is de herinrichting van Parijs door Haussmann in de negentiende eeuw.) Alleen al ter voorbereiding op de Olympische Spelen van 2008 is Beijing bezig met de aanleg van zes nieuwe metrolijnen, 43 kilometer lichte spoorwegen, een nieuwe luchthaven (natuurlijk de grootste ter wereld), 25 miljoen vierkante meter nieuw geprivatiseerde grond, een 'groenstrook' van 125 kilometer en een Olympisch park van twaalf vierkante kilometer. Wanneer je de maquettes van het nieuwe Beijing bekijkt moet je onwillekeurig denken aan de grandioze plannen voor het naoorlogse Berlijn die Albert Speer uitwerkte in de jaren 1940; en inderdaad heeft Albert Speer jr., de zoon, die ook architect is, de boulevard van acht kilometer ontworpen die van het Verboden Paleis naar het Olympische park zal leiden. Hij ziet geen echte overeenkomst tussen de transformatie van Beijing en de bouwplannen van zijn vader voor Hitler. Dit is 'groter', zegt hij, 'veel groter.'[1]

Elke zakenman heeft tegenwoordig wel duizelingwekkende cijfers over China, die bedoeld zijn om de luisteraar het zwijgen op te leggen. En het zijn ook indrukwekkende cijfers, waarvan de meeste alweer verouderd zullen zijn tegen de tijd dat je ze te lezen krijgt. China is de grootste producent ter wereld van kolen, staal en cement. Het is de grootste markt ter wereld van mobiele telefoons. Er werd in 2005 op drie miljard vierkante meter gebouwd, meer dan vijfmaal zoveel als in Amerika. De exporten naar de Verenigde Staten zijn in de afgelopen vijftien jaar met 1600 procent gegroeid. Op het hoogtepunt van de industriële revolutie werd Engeland 'de werkplaats van de wereld' genoemd. Deze titel komt nu toe aan China. Het fabriceert twee derde van alle kopieermachines, magnetrons, DVD-spelers en schoenen die in de wereld te koop zijn.

Om een idee te krijgen hoe volledig de productie van goedkope artikelen door China wordt gedomineerd kunnen we kijken naar Wal-Mart. Wal-Mart is een van de grootste ondernemingen van de wereld. De inkomsten bedragen achtmaal die van Microsoft en maken twee procent van het Amerikaanse bbp uit. Het heeft 1,4 miljoen mensen in dienst, meer dan General Motors, Ford, General Electric en IBM bij elkaar. Het heeft een reputatie opgebouwd door zijn doelmatige – sommige mensen zouden zeggen onbarmhartige – inspanningen om voor zijn klanten de laagste prijs te krijgen. Voor dit doel heeft het handig gebruikgemaakt van technologie, organisatorische vernieuwing en, wat misschien het belangrijkste is, goedkope producenten. Wal-Mart importeert elk jaar ter waarde van achttien miljard dollar goederen uit China. De grote meerderheid van zijn leveranciers is in dat land te vinden. De mondiale toevoerketen van Wal-Mart is in feite een Chinese toevoerketen.

China heeft ook een uitgesproken open handels- en investeringsbeleid gevolgd. Ook om deze reden is China niet het nieuwe Japan. Beijing is niet de Japanse (of Zuid-Koreaanse) ontwikkelingsweg ingeslagen: een op export gerichte strategie die de binnenlandse markt en de binnenlandse samenleving gesloten hield. China heeft zich daarentegen voor de wereld opengesteld. (Dit is deels zo gegaan omdat China geen keuze had, aangezien het de binnenlandse spaartegoeden van Japan of Zuid-Korea miste.) In China is de handel nu 70 procent van het bbp, wat China tot een van de meest open economieën ter wereld maakt. In de laatste vijftien jaar zijn de importen uit de Verenigde Staten meer dan verzevenvoudigd. Procter & Gamble verdient nu tweeëneenhalf miljard dollar per jaar in China, en bekende producten als Head & Shoulders en Pampers zijn bij consumenten buitengewoon populair. Starbucks voorspelt dat het in 2010 in China meer cafés zal hebben dan in de Verenigde Staten. China staat ook sterk open voor internationale merknamen, zowel van goederen als van mensen. De meeste van de glanzende torens en grote ontwikkelingsprojecten die het nieuwe China zijn gezicht geven, zijn door buitenlandse architecten gebouwd. En toen Beijing op zoek was naar iemand die het debuut van China op het wereldtoneel, de opening van de Olympische Spelen, onder zijn hoede kon nemen, koos het een Amerikaan, Steven Spielberg. Het is onvoorstelbaar dat Japan of India een dergelijke rol aan een buitenlander had toevertrouwd.

China is ook de grootste geldbeheerder van de wereld. De reserves aan buitenlandse valuta bedragen 1,5 biljoen dollar, 50 procent meer dan die van het naastliggende land (Japan) en driemaal de tegoeden van de hele Europese Unie. Het in bezit houden van zulke enorme reserves is misschien geen verstandige politiek, maar zeker wel een indicatie van de formidabele veerkracht van China bij het opvangen van mogelijke schokken of crises. Alles bij elkaar genomen is het deze combinatie van factoren die China uniek maakt. Het is het volkrijkste land van de wereld, de snelst groeiende grote economie; de grootste industriële producent; de een na grootste consument; de grootste spaarder; en (bijna zeker) op een na het land met de hoogste militaire uitgaven.* China zal de Verenigde Staten niet als de supermacht van de wereld verdringen. Het is niet waarschijnlijk dat het de vs in de komende decennia op enige dimensie – militair, politiek of economisch – voorbij zal streven, laat staan op al deze gebieden overheersend zal zijn. Maar

---

* De officiële militaire begroting van China zou dit land in de wereld op de derde plaats stellen, na de Verenigde Staten en het Verenigd Koninkrijk. Maar de meeste analisten zijn het erover eens dat veel grote uitgaven niet in de officiële begroting zijn opgenomen en dat de militaire uitgaven van China alleen achterblijven – en ver achterblijven – bij die van de Verenigde Staten.

op het ene terrein na het andere is China het op één na belangrijkste land van de wereld geworden en heeft daarmee een volledig nieuw element aan het internationale systeem toegevoegd.

Centrale planning die werkt?

De economische prestaties van China worden door sommige mensen betwijfeld. Sommige journalisten en deskundigen beweren dat er met de cijfers geknoeid is, dat er allerwegen sprake is van corruptie, dat de banken aan de rand van de afgrond staan, dat er regionale spanningen groeiend zijn, dat de ongelijkheid gevaarlijk toeneemt en dat de situatie niet houdbaar is. We moeten hier wel bij aantekenen dat de meeste van deze waarnemers dit al twintig jaar naar voren brengen en dat hun voornaamste voorspelling, de ineenstorting van het regime, tot nog toe niet is uitgekomen. China kent veel problemen, maar beschikt nog steeds over één ding waarvoor elk ontwikkelingsland een moord zou doen: stevige groei. Dit maakt elk ander probleem, hoe ernstig ook, gemakkelijker hanteerbaar. Een van de intelligentste critici van het regime, de geleerde Minxin Pei, erkent volmondig dat 'het Chinese verhaal in vergelijking met dat van alle andere ontwikkelingslanden veel succesvoller is'.

Voor een regime dat officieel communistisch is, is Beijing verbijsterend openhartig in zijn acceptatie van het kapitalisme. Ik heb ooit aan een Chinese ambtenaar gevraagd wat de beste oplossing was voor armoede op het platteland. Zijn antwoord was: 'We moeten de markten het werk laten doen. Die halen mensen weg van het platteland naar de industrie, weg van boerderijen naar steden. Historisch gesproken is dit het enige antwoord op armoede op het platteland. We moeten blijven industrialiseren.' Als ik deze zelfde vraag aan ambtenaren in India of Latijns-Amerika stelde, kwamen ze aanzetten met ingewikkelde verklaringen over de behoefte aan welzijn op het platteland, subsidies voor arme boeren en dergelijke programma's, die er allemaal op gericht zijn de kracht van de markt af te remmen en het historische – en vaak pijnlijke – proces van door de markt aangestuurde industrialisatie te vertragen.

Maar de benadering van Beijing verschilt ook van de benadering die wordt voorgestaan door veel vrijemarkteconomen: een programma van gelijktijdige hervormingen op alle fronten dat soms de 'Washington consensus' wordt genoemd. Het duidelijkst verschilt zij met de schoktherapie die in Rusland is toegepast onder Boris Jeltsin, en die door Chinese leiders zorgvuldig is bestudeerd en vaak als negatief voorbeeld wordt aangehaald. Dit sluit waarschijnlijk aan bij de kernachtige beschrijving van Strobe Talbot toen deze dienstdeed in de regering-Clinton: 'Te veel schok, te weinig therapie.' In plaats van één enkel knaleffect koos Beijing voor een stap-voor-stapbenadering, die ik de benadering van de 'groeiende noemer' zou willen noemen. In plaats van alle ondoelmatige ondernemingen direct te sluiten, slechte leningen te beëindigen en een grootschalige privatisering door te voeren, nam Beijing beleidsmaatregelen die de economie buiten deze verliesgevende gebieden deed groeien, zodat ze in de loop van de tijd een steeds kleiner percentage van de algehele economie (de noemer) gingen uitmaken. Zodoende kocht Beijing tijd om zijn problemen geleidelijk op te lossen. Het maakt pas nu een begin met het saneren van zijn banken en zijn financiële sector, tien jaar nadat de meeste deskundigen daarop aandrongen, en in een veel langzamer tempo dan die deskundigen hadden aanbevolen. Op dit moment kan Beijing zulke hervormingen doorvoeren binnen de context van een economie die zich in omvang verdubbeld heeft en aanzienlijk gediversifieerd is. Dit is kapitalisme met Chinese kenmerken.

Van centrale planning werd aangenomen dat deze niet zou werken. En in zekere zin doet zij dat ook niet, zelfs in China. Beijing heeft veel minder kennis en beheersing over de rest van China dan het zou willen en dan buitenstaanders inzien. Eén cijfer vertelt het hele verhaal. Het aandeel van de Chinese centrale regering in de belastingopbrengsten ligt rond de 50 procent;[2] voor de federale regering van de vs (volgens internationale maatstaven een zwakke regering) ligt dit aandeel bijna op 70 procent. Met andere woorden, gedecentraliseerde ontwikkeling is nu de bepalende werkelijkheid van het economische, en steeds sterker ook van het politieke leven in China. Tot op zekere hoogte is dit verlies van beheersing gepland. De regering heeft de opkomst van een werkelijke vrije markt op vele gebieden gestimuleerd, de economie opengesteld voor buitenlandse investeringen en handel, en haar lidmaatschap van de Wereldhandelsorganisatie gebruikt om hervormingen in de economie en de samenleving door te zetten. Veel van de successen (groeiende ondernemingsgeest) en veel van de mislukkingen (verslechterde gezondheidszorg) zijn het resultaat van het gebrek aan coördinatie tussen het centrum en de regio's. Dit probleem van toenemende decentralisatie zal voor China de grootste uitdaging zijn, en een waarop we nog terugkomen.

Het kost moeite om het toe te geven, maar het is onvermijdelijk: in vele gevallen is Beijing er bij de uitvoering van zijn effectieve strategie bij gebaat geweest dat het zich niet tegenover het publiek hoefde te verantwoorden. Andere regeringen namen hier jaloers toeziend notitie van. Ambtenaren in India wijzen er graag op dat hun Chinese tegenhangers zich geen zorgen hoeven te maken over kiezers. 'Wij moeten hier veel dingen doen die politiek populair, maar onverstandig zijn,' zei een hooggeplaatst lid van de Indiase regering. 'Dat zijn dingen die ons economische potentieel op lange termijn schaden. Maar politici hebben behoefte aan stemmen op de korte termijn. China kan ver vooruitzien. En hoewel het niet alles goed doet, neemt het veel slimme en vooruitziende beslissingen.' Dit wordt zichtbaar in de impuls die China op dit moment geeft aan hoger onderwijs. Omdat de centrale regering inziet dat het land beter geschoolde arbeidskrachten nodig heeft om een hoogwaardiger economie tot stand te brengen, heeft ze zich ertoe verplicht studiebeurzen en andere vormen van steun in 2008 tot een bedrag van 2,7 miljard dollar op te voeren, tegenover 240 miljoen dollar in 2006. Functionarissen hebben plannen om het totale regeringsbudget voor het onderwijs, dat in 2006 nog maar een armzalige

2,8 procent van het bbp bedroeg, in 2010 tot vier procent te verhogen, waarvan een groot deel bestemd zal zijn voor een klein aantal elite-instellingen die op mondiaal niveau kunnen concurreren. Een dergelijk project zou bijvoorbeeld in het democratische India onmogelijk zijn, omdat daar enorm veel geld wordt uitgegeven aan kortetermijnsubsidies om kiezers tevreden te stellen. (In India staan de elitaire onderwijsinstellingen daarentegen onder druk om toelating op grond van verdienste te beperken en bijna de helft van hun studenten toe te laten op grond van quota en positieve discriminatie.)

Het is ongebruikelijk dat een niet-democratische regering over een zo lange periode bij machte is geweest economische groei te doen plaatsvinden. De meeste autocratische regeringen raken al snel geïsoleerd, corrupt en in de versukkeling, en voeren dan het bewind over economische plundering en stagnatie. De staat van dienst van Marcos, Mobutu en Mugabe is veel kenmerkender voor dergelijke regeringen. (En om te voorkomen dat we uitwijken naar culturele verklaringen moeten we in gedachten houden dat de staat van dienst van de Chinese regering onder Mao afzichtelijk was.) Maar in het huidige China behoudt de regering, met al haar fouten, een sterk element van fundamenteel pragmatisme en competentie. 'Ik heb over de hele wereld met regeringen te maken gehad,' zegt een ervaren investeringsbankier, 'en de Chinese regering is waarschijnlijk de indrukwekkendste.' Dit gezichtspunt wordt algemeen gedeeld door vooraanstaande zakenlieden die naar China gaan. 'Over wat men als het grootste goed beschouwt moet iedereen op elk moment zijn eigen waardeoordeel vormen,' zei Bill Gates tegen het tijdschrift *Fortune* in 2007. 'Persoonlijk heb ik vastgesteld dat de Chinese leiders zorgvuldig met deze zaken omgaan.'

Dit is echter geen volledig beeld. Hoewel China sterk groeit en er op elk niveau kansen in overvloed zijn, staan veel belangrijke economische activiteiten – dankzij de stap-voor-stapbenadering van de hervorming – nog steeds onder staatsgezag. Zelfs nu nog maken staatsondernemingen ongeveer de helft van het bbp uit. Van de 35 grootste ondernemingen op de effectenbeurs van Shanghai zijn er 34 geheel of gedeeltelijk eigendom van de regering. En staatsgezag staat vaak op gespannen voet met openheid, eerlijkheid en doelmatigheid. De Chinese banken, die in hoofdzaak regeringsorganen zijn, verlenen jaarlijks voor tientallen miljarden dollars steun aan noodlijdende bedrijven, en sluizen op niet-economische gronden geld door aan gebieden, groeperingen en mensen. De corruptie lijkt toe te nemen en het aandeel van de corruptiezaken waarbij hooggeplaatste functionarissen betrokken zijn stijgt onrustbarend, van 1,7 procent in 1990 tot 6,1 procent in 2002.[3] De regionale verschillen verdiepen zich en de ongelijkheid neemt duizelingwekkende vormen aan, wat sociale spanningen veroorzaakt. Een vaak genoemd cijfer, van de regering zelf, geeft blijk van een belangrijke tendens. In 2004 kwamen er in China over allerlei kwesties 74 000 protesten los; tien jaar eerder waren dat er nog maar 10 000.

Deze twee beelden kunnen met elkaar verzoend worden. De problemen van China zijn in vele opzichten een consequentie van zijn succes. Ongekende economische groei heeft ongekende sociale verandering met zich meegebracht. China heeft de tweehonderd jaar industrialisatie van het Westen samengebald in dertig jaar. Elke dag verplaatsen tienduizenden mensen zich uit dorpen naar steden, van boerderijen naar fabrieken, van west naar oost, in een tempo dat in de geschiedenis ongekend is. Ze verplaatsen zich niet alleen in geografische zin; ze laten hun familie, hun klasse en hun geschiedenis achter zich. Het is nauwelijks verrassend dat de Chinese staat het er moeilijk mee heeft deze sociale onrust de baas te blijven. In zijn beschrijving van de afnemende greep van de Chinese staat wijst Minxin Pei erop dat de autoriteiten niet langer in staat zijn zoiets eenvoudigs als de verkeersveiligheid te bewaken: het aantal verkeersdoden bedraagt 26 op 10 000 voertuigen (tegenover 20 in India en 8 in Indonesië).[4] Maar het is tegelijkertijd van wezenlijk belang op te merken dat het aantal auto's op de wegen van China met 26 procent per jaar is toegenomen, tegenover 17 procent in India en 6 procent in Indonesië. Wanneer de groei van India die van China voorbijstreeft, zoals in de verwachting

ligt, wil ik erom wedden dat India het aantal verkeersongelukken ook
opvallend zal zien toenemen, of het nu democratisch geregeerd wordt
of niet.

We kunnen kijken naar de gevolgen van de Chinese groei voor het
milieu, niet op de hele aarde, maar in China zelf. Ongeveer 26 procent
van het water in de grootste riviersystemen van China is zo vervuild
dat ze 'hun vermogen om een fundamentele ecologische functie uit te
oefenen verloren hebben'.[5] Alleen al langs de oever van de Yangtze-ri-
vier liggen negenduizend chemische bedrijven. Beijing is nu al op
grond van één criterium de hoofdstad van de wereld – luchtvervuiling.
Van de 560 miljoen stadsbewoners van China ademt slechts één procent lucht in die volgens maatstaven van de Europese Unie als veilig
wordt beschouwd.[6] Maar er moet ook op gewezen worden dat bijna al
deze cijfers en metingen afkomstig zijn van de Chinese regering. Beijing heeft milieuoverwegingen hoger op zijn agenda geplaatst dan de
meeste ontwikkelingslanden. Hoger geplaatste functionarissen in China spreken over de behoefte aan een groen bbp en groei met evenwicht, en milieuoverwegingen spelen een belangrijke rol in het plan
van president Hu Jintao voor een 'harmonische samenleving'. Een
westers adviesbureau heeft onderzoek gedaan naar de nieuwe Chinese
wetten op het punt van luchtvervuiling en berekend dat de vraag naar
producten die deeltjes uit de lucht zullen wegzuiveren in de afzienbare
toekomst met 20 procent per jaar zal toenemen, wat een markt van
tien miljard dollar oplevert. Beijing probeert een moeilijk dilemma de
baas te blijven: het terugdringen van armoede vereist stevige groei,
maar groei betekent meer vervuiling en milieubederf.

Het grootste probleem dat China in zijn verdere ontwikkeling zal
ontmoeten is niet dat zijn regering ongeneeslijk kwaadaardig is; het is
het risico dat zijn regering het vermogen zal verliezen om de zaak bij
elkaar te houden, een probleem waarvan toenemende decentralisatie
deel uitmaakt, maar dat veel omvattender is. Het tempo waarmee China verandert, maakt de zwakheden van zijn communistische partij en
staatsbureaucratie zichtbaar. Verscheidene jaren heeft haar monopolie

op macht de regering in staat gesteld grootschalige hervormingen snel door te voeren. Ze kon mensen en hulpmiddelen naar de plek brengen waar die nodig waren. Maar één resultaat van haar beslissingen is economische, sociale en politieke onrust, en de geïsoleerde en hiërarchische structuur van de partij maakt deze minder competent om in dit vaarwater koers te houden. De Communistische Partij van China, de partij van boeren en arbeiders, is in werkelijkheid een van de elitairste organisaties van de wereld. Zij bestaat uit drie miljoen in hoofdzaak stedelijke hoogopgeleide mannen en vrouwen, een groep die volstrekt niet representatief is voor de grote boerengemeenschap waaraan zij leiding geeft. Slechts weinige van de hooggeplaatste partijfunctionarissen hebben gespecialiseerde politieke vaardigheden. Degenen die hogerop komen zijn doorgaans goede technocraten die ook bedreven zijn in de kunst van het manoeuvreren en steun zoeken binnen de partij. Het staat nog te bezien of deze leiders over het charisma of het vermogen beschikken om massapolitiek te bedrijven, de vaardigheden die ze nodig zullen hebben om te regeren over een bevolking van 1,3 miljard mensen die voortdurend assertiever wordt.

In landen als Taiwan en Zuid-Korea ging de economische groei in de jaren 1970 en 1980 gepaard met geleidelijke wettelijke, sociale en politieke hervormingen. Deze regimes waren autoritair, niet totalitair – een belangrijk onderscheid – en streefden dus niet naar een allesomvattende beheersing van de samenleving, wat het hun gemakkelijker maakte hun greep losser te maken. Ze werden er ook toe aangezet hun systeem open te maken door de Verenigde Staten, hun voornaamste weldoener. Beijing is niet aan een dergelijke druk onderhevig. Naarmate China verandert, is de totalitaire structuur plaatselijk barsten gaan vertonen of irrelevant geworden. De mensen hebben veel meer keuzes en vrijheden dan tevoren. Ze kunnen werken, zich verplaatsen, eigendommen bezitten, zaken opzetten en, in beperkte mate, aanbidden wie ze willen. Maar de politieke controle blijft streng gehandhaafd en vertoont op bepaalde kerngebieden nog weinig tekenen van versoepeling. Beijing heeft bijvoorbeeld een heel systeem ontwikkeld om toezicht te houden op het gebruik van internet, dat verrassend effectief is gebleken.

De Communistische Partij besteedt een enorme hoeveelheid tijd en energie aan het zich zorgen maken over sociale instabiliteit en onrust onder de bevolking. Dit wijst erop dat zij met een probleem van een zekere omvang te maken heeft waarvoor geen duidelijke oplossing gereedligt. Vergelijk dit met het democratische buurland aan de zuidkant. Politici in India maken zich allerlei zorgen, vooral over het verliezen van verkiezingen, maar slechts zelden over sociale beroeringen of het voortbestaan van het regime zelf. Ze raken niet in paniek bij de gedachte aan protesten of stakingen omdat ze die als een onderdeel beschouwen van het normale verkeer tussen regeerders en geregeerden. Regeringen die vertrouwen stellen in de legitimiteit van hun stelsel raken niet van streek door een organisatie als de Falun Gong, waarvan de leden bijeenkomen voor ademoefeningen.

Veel Amerikaanse schrijvers hebben haastig beweerd dat China het tegenbewijs is van de stelling dat economische hervormingen tot politieke hervorming leiden, dat kapitalisme leidt tot democratie. China zou een uitzondering kunnen vormen, maar het is nog te vroeg om dit te zeggen. De regel is overal opgegaan, van Spanje en Griekenland tot Zuid-Korea, Taiwan en Mexico: landen die een markteconomie instellen en zich moderniseren beginnen in politiek opzicht te veranderen rond het moment waarop ze een middeninkomen verwerven (een brede categorie, die ergens tussen de vijfduizend en tienduizend dollar ligt).* Aangezien het inkomensniveau van China nog hieronder ligt kun je niet beweren dat dit land de tendens heeft gelogenstraft. En naarmate de Chinese levensstandaard stijgt, wordt politieke hervorming een steeds dringender aangelegenheid. Het regime zal in de ko-

---

* Het is moeilijk dit cijfer nauwkeurig vast te stellen omdat onderzoekers verschillende maatstaven (kkp, dollars van 1985 enz.) hebben gebruikt. Maar het belangrijkste punt, dat China zich nog onder de drempel voor een overgang naar democratie bevindt, is juist.

mende vijftien jaar ongetwijfeld met grote problemen geconfronteerd worden, ook al hoeft dit niet te betekenen dat China van de ene dag op de andere in een liberale democratie in westerse stijl zal veranderen. Het is veel waarschijnlijker dat er in China eerst een 'gemengd' regime tot stand zal komen, ongeveer net zoals in veel westerse landen in de negentiende eeuw of Oost-Aziatische landen in de jaren 1970 en 1980, die democratie combineerden met enkele elementen van hiërarchie en toezicht door een elite. Japan is de langst gevestigde democratie in Oost-Azië, en wordt bestuurd door een partij die al zestig jaar aan de macht is.

Aan het eind van 2006 kreeg de Chinese minister-president Wen Jiabao bij een ontmoeting met een bezoekende Amerikaanse delegatie de vraag voorgelegd wat Chinese leiders onder het begrip 'democratie' verstonden wanneer ze zeiden dat China daarheen op weg was. Wen legde uit dat dit begrip voor hen drie kerncomponenten bevatte: 'verkiezingen, een onafhankelijke rechtspraak en controlemechanismen voor het behoud van het machtsevenwicht.' John Thornton, de leidinggevende van Goldman Sachs die China-specialist was geworden en die de delegatie leidde, deed grondig onderzoek naar deze drie gebieden en stelde vast dat er enkele (kleine) bewegingen waren geweest in de richting van provinciale verkiezingen, meer anticorruptiemaatregelen en zelfs een grotere beweging in de richting van een beter rechtssysteem. In 1980 namen Chinese rechtbanken 800 000 zaken in behandeling. In 2006 namen ze het tienvoudige in behandeling. In een afgewogen essay in *Foreign Affairs* schetst Thornton een beeld van een regime dat aarzelend en stapvoets in de richting gaat van grotere aansprakelijkheid en openheid.[7]

Stapvoets voortschrijden is misschien niet genoeg. De communistische bestuurders van China zouden hun Marx moeten lezen, of herlezen. Karl Marx was een beroerd econoom en ideoloog, maar een begaafde sociale wetenschapper. Een van zijn belangrijkste inzichten was dat een samenleving die haar economische basis verandert, ook het politieke systeem dat daarop berust zal zien veranderen. Marx beweerde dat samenlevingen, naarmate ze zich meer op de markt oriënteren, democratischer worden. Deze verbinding tussen markteconomie en democratie wordt door de historische gegevens bevestigd, hoewel er natuurlijk tijd overheen kan gaan voordat deze verbinding tot stand komt. Met uitzondering van landen die hun rijkdom aan olie ontlenen, is er in de hele wereld op dit moment maar één land dat een westers niveau van economische ontwikkeling bereikt heeft en nog steeds geen volledig functionerende democratie is: Singapore. Maar Singapore, een kleine stadstaat met een uitzonderlijk competente bestuurselite, blijft een uitzondering. Vele leiders hebben geprobeerd de evenwichtskunst van Lee Kuan Yew te imiteren: het scheppen van welvaart en moderniteit met behoud van politieke dominantie. Geen enkele van deze navolgers heeft dit lang kunnen volhouden. En zelfs Singapore is bezig snel te veranderen en zelfs op bepaalde punten (vooral culturele en sociale kwesties als homoseksualiteit) meer open te worden dan andere Oost-Aziatische samenlevingen. Wanneer we kijken naar tientallen landen over tientallen jaren van ontwikkeling, van Zuid-Korea tot Argentinië tot Turkije, zien we een sterk patroon: een markteconomie die een gemiddeld inkomen bereikt ontwikkelt zich op de lange duur in de richting van een liberale democratie. Misschien is dit wel, zoals veel wetenschappers hebben opgemerkt, de belangrijkste en de best gedocumenteerde generalisatie in de politieke wetenschap.

Vele van de jongere generatie Chinese leiders begrijpen het dilemma waar hun land voor staat en spreken privé over de noodzaak het politieke systeem te versoepelen. 'De slimste mensen in de partij verdiepen zich niet in economische hervorming,' hoorde ik van een jonge Chinese journalist met goede contacten met de leiders in Beijing. 'Ze verdiepen zich in politieke hervorming.' Ministers in Singapore bevestigen dat Chinese functionarissen veel tijd besteden aan het bestuderen van het systeem dat Lee Kuan Yew heeft opgebouwd, en de Communistische Partij heeft ook delegaties naar Japan en Zweden gestuurd om erachter te komen hoe deze landen een democratisch bestuur hebben opgebouwd dat door één enkele partij wordt gedomineerd. Ze kijken naar het politieke systeem, de regels bij verkiezingen, de formele en informele voordelen van de partij en de hordes die buitenstaanders moeten nemen. Ongeacht of dit schijnbewegingen zijn of pogingen om op een nieuwe manier aan de macht blijven, deze verkenningen doen vermoeden dat de partij weet dat zij zichzelf moet veranderen. Maar de opgave waar China voor staat is niet technocratisch, maar politiek. Het gaat er niet om de macht te herstructureren, maar de macht los te laten: gevestigde belangen op te geven, protectienetwerken te ontmantelen en af te zien van geïnstitutionaliseerde voorrechten. Dit alles zou niet betekenen dat de partij de regeringsmacht uit handen geeft, tenminste nog niet, maar het zou wel betekenen dat de partij haar invloedssfeer, haar rol en haar gezag inperkt. En ondanks alle nieuwe managementtraining die zij ondergaat is de Chinese Communistische Partij er misschien nog niet aan toe deze grote stap voorwaarts te zetten.

De meeste autocratische regimes die hun economie gemoderniseerd hebben – Taiwan, Zuid-Korea, Spanje, Portugal – hebben de politieke consequenties van deze veranderingen doorstaan en zijn er met een grotere stabiliteit en legitimiteit uit tevoorschijn gekomen. Beijing heeft al eerder problemen onder ogen gezien en zich aangepast. En zelfs als het regime deze overgang verkeerd aanpakt hoeven politieke onrust en verandering de groei van China nog niet stop te zetten. Ongeacht hoe de politiek van China er in de toekomst zal uitzien is het onwaarschijnlijk dat de opkomst van China op het wereldtoneel zal worden teruggedraaid. De krachten die deze opkomst voeden zullen niet verdwijnen wanneer het huidige regime instort of, wat waarschijnlijker is, zich in verschillende politieke groeperingen opsplitst. We moeten bedenken dat Frankrijk na zijn revolutie twee eeuwen lang politieke crises heeft doorgemaakt, en tweemaal een keizerrijk, eenmaal een nagenoeg fascistische dictatuur en viermaal een republiek is geweest. Maar ondanks de politieke beroeringen had Frankrijk een bloeiende economie en bleef het een van de rijkste landen ter wereld.

China is gebrand op succes en misschien is dit wel een van de belangrijkste redenen voor de voortgaande ontwikkeling. In de twintigste eeuw, na honderden jaren van armoede, beleefde het land de ineenstorting van een keizerrijk, een burgeroorlog en een revolutie, om
daarna terecht te komen in Mao's helse versie van het communisme.
Het verloor 38 miljoen mensen in de 'Grote Sprong Voorwaarts', een
onmenselijk experiment met collectivisering. Daarna trok het zich in
een nog dieper isolement terug en vernietigde het zijn gehele professionele en academische klasse tijdens de Culturele Revolutie. In tegenstelling tot India, dat ondanks een langzame economische groei trots
kon zijn op zijn democratie, had China in de jaren 1970 geen enkele reden om een hoge borst op te zetten. Toen kwamen de hervormingen
van Deng. Op dit moment hebben de leiders, de ondernemers en de
bevolking van China één verlangen met elkaar gemeen: ze willen vooruit. Het is niet waarschijnlijk dat ze drie decennia van betrekkelijke
stabiliteit en voorspoed luchthartig terzijde zullen schuiven.

Het licht onder de korenmaat zetten

Alles wat er binnen China gebeurt zal het internationale leven waarschijnlijk compliceren. Door zijn sterke punten, op economisch, politiek en militair gebied, strekt de invloed van China zich tot ver buiten
zijn grenzen uit. Landen met een dergelijke capaciteit zijn geen alle-
daags verschijnsel. De lijst van deze landen, de Verenigde Staten, Engeland, Frankrijk, Duitsland, Rusland, is al bijna twee eeuwen onveran-
derd gebleven. Grote mogendheden zijn als diva's: ze betreden en
verlaten het internationale toneel met veel commotie. Denk aan de opkomst van Duitsland en Japan aan het begin van de twintigste eeuw; of
in diezelfde periode het verval van het Habsburgse en het Ottomaanse
Rijk, dat allerlei crises teweegbracht op de Balkan en in het rommelige
moderne Midden-Oosten.

In het nabijere verleden heeft dit patroon niet volledig standgehouden. Het moderne Japan en het moderne Duitsland zijn de op één en twee na grootste economieën van de wereld geworden, maar op politiek en militair gebied opvallend inactief gebleven. En tot dusver heeft China zonder veel verstoring zijn eigen plaats verworven. In de eerste tien jaar van zijn ontwikkeling, de jaren 1980, had China eigenlijk geen buitenlandbeleid. Of liever gezegd: de hoofdstrategie wás juist de groeistrategie. Beijing zag goede betrekkingen met Amerika en de rest van de wereld als voorwaarde voor zijn ontwikkeling, deels omdat het toegang wilde verkrijgen tot de grootste markt van de wereld en de geavanceerdste technologie. In de Veiligheidsraad van de VN stemde China doorgaans voor resoluties die Amerika ondersteunde, of zag het er op z'n minst van af hierover zijn veto uit spreken. Algemener gesproken hield China zich koest om, zoals Deng het uitdrukte, 'zijn licht onder de korenmaat te zetten'. Deze politiek van niet tussenbeide komen en geen confrontaties aangaan wordt in hoofdzaak nog steeds voortgezet. Met uitzondering van alles wat met Taiwan te maken heeft vermijdt Beijing het doorgaans met andere regeringen ruzie te zoeken. De aandacht blijft gericht op groei. In zijn rede van tweeënhalf uur voor het Zeventiende Partijcongres in 2007 richtte president Hu Jintao zich tot in bijzonderheden op economische, financiële, industriële, sociale en milieukwesties – maar liet hij het buitenlandbeleid bijna volledig buiten beschouwing.

De opkomende macht van hun land maakt veel doorgewinterde Chinese diplomaten zenuwachtig. 'Het jaagt me angst aan,' zei Wu Jianmin, de president van de Chinese Universiteit voor Buitenlandse Zaken en een voormalige ambassadeur bij de Verenigde Naties. 'We zijn nog steeds een arm land, een ontwikkelingsland. Ik wil niet dat mensen over ons denken in overdreven termen.' Xinghai Fang, de plaatsvervangend algemeen directeur van de aandelenbeurs van Shanghai, sprak in dezelfde geest: 'Denkt u er alstublieft aan dat het bbp per hoofd in Amerika 25 maal zo hoog is als dat bij ons. We hebben nog een lange weg te gaan.' Deze angst is tot uitdrukking gekomen in een interessant binnenlands debat in China over de vraag hoe Beijing zijn buitenlandbeleid moet afficheren. In 2002 voerde Zheng Bijian, toen plaatsvervangend hoofd van de Centrale Partijschool, de term 'vreedzame opkomst' in als aanduiding van het voornemen van China om rustig op de mondiale ladder te stijgen. Wanneer Zheng sprak, werd er geluisterd, omdat zijn voormalige baas president Hu Jintao was. Hu en minister-president Wen Jiabao gingen deze term vervolgens allebei gebruiken en gaven hem zo een officiële sanctie. Maar daarna raakte hij uit de gunst.

Veel westerse analisten dachten dat het probleem met deze term het woord 'vreedzaam' was, dat de speelruimte van China met betrekking tot Taiwan kon inperken. Maar in feite was er binnen China over deze kwestie weinig verdeeldheid. China beschouwt Taiwan als een binnenlandse affaire en gelooft dat het volledig bevoegd is om geweld te gebruiken, hoewel slechts in laatste instantie. Zoals Zheng het me uitlegde: 'Lincoln voerde oorlog om de Unie in stand te houden, maar je kunt toch nog altijd zeggen dat de Verenigde Staten zich vreedzaam ontwikkelden.' Enkele belangrijke Chinese leiders maken zich daarentegen zorgen over het tweede woord in de uitdrukking: 'opkomst'. (Een nauwkeuriger vertaling zou zijn 'stoot' of 'golf'.) Hogergeplaatste diplomaten schrokken terug van het idee dat ze over de hele wereld de opkomst van China zouden moeten goedpraten. Ze maakten zich vooral zorgen over critici in de Verenigde Staten die de opkomst van China als een bedreiging zouden zien. Lee Kuan Yew gaf Beijing de suggestie dat men beter over een 'renaissance' zou kunnen spreken dan over een opkomst, en partijleiders discussieerden over de uitdrukking tijdens een retraite in Beidaihe in de zomer van 2003. Sindsdien spreken ze van 'vreedzame ontwikkeling'. 'Het idee is hetzelfde,' zei Zheng. 'Het is alleen een andere benaming.' Dat klopt, maar de verandering weerspiegelt de behoefte van China om nergens in de wereld iemand tegen de haren te strijken terwijl het op volle kracht voorwaarts stoomt.

Het regime geeft zich ook moeite zijn strategie aan het Chinese volk duidelijk te maken. In 2006 en 2007 zond de Chinese televisie een serie in twaalf delen uit, 'De opkomst van de grote naties', kennelijk bedoeld als een daad van volksopvoeding.[8] Gezien het intens politieke karakter van de inhoud kun je er zeker van zijn dat deze met grote zorg is gekozen om inzichten te presenteren die de regering wilde overdragen. De serie was weldoordacht en intelligent, geproduceerd in de stijl van BBC of PBS, en behandelde de opkomst van negen grote mogendheden, van Portugal en Spanje tot de Sovjet-Unie en de Verenigde Staten, gelardeerd met interviews met geleerden van over de hele wereld. De gedeelten over afzonderlijke landen zijn meestal nauwkeurig en evenwichtig. De opkomst van Japan, die in China een emotioneel onderwerp is, wordt onpartijdig behandeld, zonder te proberen een nationalistische hysterie op te wekken over Japanse aanvallen op China; de naoorlogse economische opkomst van Japan wordt bij herhaling geprezen. Op enkele punten wordt een opmerkelijke nadruk gelegd. De episodes over de Verenigde Staten gaan bijvoorbeeld uitvoerig in op de programma's van Theodore en Franklin Roosevelt om het kapitalisme te reguleren en te temmen en leggen de nadruk op de rol van de staat in het kapitalisme. En er zijn enkele voorspelbare, maar beschamende lacunes, zoals het volledig onbesproken blijven van de terreur, de zuiveringen of de Goelag in een programma van een uur over de Sovjet-Unie. Maar er zijn ook verrassende erkenningen, zoals uitbundige lof voor de Amerikaanse en Engelse systemen van representatief bestuur vanwege het vermogen van deze systemen om hun landen vrijheid, legitimiteit en politieke stabiliteit te brengen.

De fundamentele boodschap van de serie is dat de weg van een natie naar grootheid ligt in haar economische kracht en dat militarisme, imperialisme en agressie doodlopende wegen zijn. Dit punt wordt voortdurend herhaald. De laatste episode, die expliciet de 'moraal' van de serie inhoudt, presenteert de sleutelelementen die tot grote macht leiden: nationale cohesie, economisch en technologisch succes, politieke stabiliteit, militaire kracht, culturele creativiteit en magnetisme. Dit laatste wordt uitgelegd als de aantrekkelijkheid van de ideeën van een natie, in overeenstemming met het idee van 'zachte macht' zoals dit is ontwikkeld door Joseph Nye, een van de geleerden die voor de serie is geïnterviewd. De episode eindigt met een verklaring dat een natie in de nieuwe wereld zijn concurrentiepositie alleen kan handhaven als zij de kennis en de technologische capaciteiten heeft om te blijven vernieuwen. Kortom: de weg naar macht loopt via markten, en niet via imperiums.

God en de buitenlandse politiek

Is de manier van China om over de wereld te denken uitgesproken Chinees? In vele opzichten is dit niet het geval. De lessen die China uit de geschiedenis van grote mogendheden heeft getrokken zijn lessen die ook door veel westerlingen getrokken zijn, en veel van de geïnterviewde geleerden kwamen uit het Westen. De Chinese denkwijze weerspiegelt dezelfde inzichten die in recente jaren bepalend zijn geweest voor het gedrag van Duitsland en Japan. De omgang van China met de wereld heeft een pragmatisch karakter, en weerspiegelt omstandigheden en belangen en het zelfbeeld van China als ontwikkelingsland. Ondanks de enorme schaduw die het over de wereld werpt, beseft China dat het nog steeds een land is met honderden miljoenen buitengewoon arme mensen. In het verkeer met de buitenwereld staan de belangrijkste aandachtspunten van China dus in verband met ontwikkeling. Wanneer ze een vraag krijgen voorgelegd over kwesties als mensenrechten geven sommige jongere Chinese functionarissen toe dat dit voor hen simpelweg geen aandachtspunten zijn. Het is alsof ze deze kwesties als luxeproblemen zien die ze zich niet kunnen veroorloven. Ongetwijfeld wordt deze opstelling versterkt door het inzicht dat mensenrechten in het buitenland niet losstaan van mensenrechten in China zelf. Als China kritiek zou leveren op de dictatuur in Birma, wat zou het dan tegen zijn eigen dissidenten moeten zeggen?

De Chinese denkwijze over de wereld omvat echter ook bredere culturele elementen. Je kunt het belang van cultuur gemakkelijk overdrijven, en cultuur daarmee gebruiken als een façade voor beleid dat op belangen gebaseerd is. Maar er zijn enkele reële en belangrijke verschillen tussen het Chinese en het westerse (vooral het Amerikaanse) wereldbeeld die nader onderzoek waard zijn. Om te beginnen God. Toen hun in 2007 bij een peiling van Pew werd gevraagd of je in God moest geloven om deugdzaam te zijn, antwoordde een ruime meerderheid van de Amerikanen (57 procent) bevestigend. In Japan en China antwoordde een veel grotere meerderheid echter ontkennend, in China zelfs een klinkende 72 procent! Dit is een opvallende en ongebruikelijke afwijking van de norm, zelfs in Azië. Het punt is niet dat deze twee landen niet deugen – in feite wijzen alle harde gegevens juist op het omgekeerde – maar dat in geen van beide landen mensen in God geloven.

Dit kan veel mensen in het Westen een schok bezorgen, maar voor mensen die zich in dit onderwerp verdiept hebben is het een welbekend feit. Oost-Aziaten geloven niet dat de wereld een schepper heeft die een verzameling abstracte morele wetten heeft voorgeschreven die opgevolgd moeten worden. Dit is een abrahamische of semitische voorstelling van God die wordt beleden door het jodendom, het christendom en de islam, maar aan de Chinese beschaving volledig vreemd is. Mensen beschrijven de religie van China soms als confucianisme. Maar Joseph Needham, een vooraanstaand kenner van het confucianisme, merkt op dat het confucianisme, wanneer je aan religie denkt 'als de theologie van een transcendente scheppende godheid', simpelweg geen religie is.[9] Confucius was een leraar en geen profeet of heilige in enige zin van het woord. Zijn geschriften, of de fragmenten die zijn overgeleverd, zijn opvallend niet-religieus. Hij waarschuwt expliciet tegen denken over het goddelijke, en stelt in plaats daarvan regels op voor het verwerven van kennis, ethisch gedrag, het behouden van de sociale stabiliteit en het scheppen van een geordende beschaving. Zijn werk heeft meer overeenkomst met de geschriften van Verlichtingsfilosofen dan met religieuze traktaten.

Tijdens de Verlichting was Confucius dan ook zeer populair. Need-

ham vermeldt dat zijn klassieke werken 'met gretigheid gelezen werden door alle grote voorlopers van de Franse Revolutie, door Voltaire,
Rousseau, d'Alembert, Diderot enzovoort.'[10] Tussen 1600 en 1649 verschenen er in Europa elke 'tien jaar dertig tot vijftig titels in verband
met China, en tussen 1700 en 1709 werden er 599 werken over China
gepubliceerd. Deze stortvloed aan publicaties over China viel samen
met de nasleep van de Dertigjarige Oorlog (1618-1648), waarin religie
tot onvoorstelbaar bloedvergieten had geleid. Veel Europese liberalen
idealiseerden het confucianisme vanwege zijn basis in een natuurlijke
in plaats van een goddelijke wet. Voltaire verwoordde het eenvoudig
in zijn *Dictionnaire Philosophique*: 'Geen bijgeloof, geen onzinnige le-
genden, geen enkele van die dogma's die de rede en de natuur beledi-
gen.' Immanuel Kant zou Confucius later 'de Chinese Socrates' noemen. Leibniz, een filosoof die zich aan beide kanten van de scheidslijn
tussen religiositeit en secularisme bewoog, betoogde zelfs: 'We hebben
zendelingen uit China nodig om ons het nut en het gebruik van natuurlijke religie te onderwijzen...'

Vroege Verlichtingsdenkers hingen het confucianisme aan vanwege
zijn beroep op de rede in plaats van een beroep op de godheid als richtsnoer voor het handelen in wereldse zaken. Er ontwikkelde zich een
stelling: Hoewel Europa een grote voorsprong kon hebben op het punt
van wetenschappelijke en technologische vooruitgang, had China 'een
hoger ontwikkelde ethiek', een 'hoogwaardiger burgerlijke organisatie'
(op basis van verdienste, niet patronage) en een 'praktische filosofie',
zaken die met elkaar 'een sociale vrede en een goed georganiseerde sociale hiërarchie tot stand hebben gebracht'. De 'climax' van de sinofilie
tijdens de Verlichting kwam in 1759 met het *Essai sur les Moeurs* van
Voltaire, waarin hij volgens de Duitse geleerde Thomas Fuchs 'China
transformeerde tot een politieke utopie en de ideale staat van een verlicht absolutisme; hij hield de spiegel van China voor om Europese
monarchen aan te zetten tot kritisch denken over zichzelf.'[11] In het volgende jaar schreef de meest verlichte van deze monarchen, Frederik de
Grote, zijn *Rapport van Phihihu*, een reeks brieven van een fictieve

Chinese ambassadeur in Europa aan de keizer van China. Het oogmerk van Frederik was het fanatisme van de katholieke kerk te contrasteren met de Chinese rationaliteit.

Westerlingen hebben het vaak moeilijk gevonden het verschil te begrijpen tussen de plaats van religie in China en die in het Westen. Kijk naar de ervaringen van een Portugese missionaris in het Verre Oosten, Matteo Ricci, zoals beschreven door de grote historicus aan Yale, Jonathan Spence.* Toen Ricci in de jaren 1580 net in China was aangekomen probeerde hij zich als een eerbiedwaardige figuur te presenteren door zijn hoofd en baard te scheren en zichzelf in het gewaad van een boeddhist te hullen. Pas enkele jaren later zag Ricci in hoezeer hij zich vergist had. Monniken en heiligen stonden in China niet in hoog aanzien. Hij begon in een draagstoel rond te reizen of huurde dienaren om hem op hun schouders te dragen, 'zoals mannen van stand gewend zijn te doen,' schreef Ricci later, in 1592, aan Claudio Acquaviva, generaaloverste van de jezuïeten. 'De naam van vreemdelingen en priesters wordt in China zo sterk geminacht dat we van zulke methoden gebruik moeten maken om hun te laten zien dat we niet zulke verachtelijke priesters zijn als die van hen.' Tegen 1595 had Ricci de ascetische monnikskleding afgelegd en de dracht van confucianistische geleerden overgenomen. Ricci had de confucianen aanvankelijk geminacht omdat ze niet in God, het paradijs en de onsterfelijkheid van de ziel geloofden. Zoals Ricci aan een vriend schreef, was de confucianistische school 'de ware tempel van de intelligentsia'. Maar uiteindelijk zag hij in dat het confucianisme, ook al bewaarde het 'een strikt neutrale opstelling' tegenover God en het hiernamaals, een sterk gevoel had voor ethiek, moraal en rechtvaardigheid. Net als andere Verlichtingsfiguren kwam hij tot de overtuiging dat het Westen van het confucianisme moest leren.

Wat heeft God te maken met buitenlandse politiek? Historisch ge-

---

* Matteo Ricci was de missionaris die aan het einde van de zestiende eeuw klokken voor de Chinese keizer meebracht.

sproken hebben landen onder de invloed van christendom en islam een neiging ontwikkeld om hun inzichten te verbreiden en mensen tot hun geloof te bekeren. Deze missionaire gesteldheid komt duidelijk naar voren in het buitenlands beleid van zulke uiteenlopende landen als Engeland, de Verenigde Staten, Frankrijk, Saudi-Arabië en Iran. In het geval van Engeland en de Verenigde Staten, misschien omdat deze zo machtig zijn geweest, heeft de protestantse doelgerichtheid in de kern van hun buitenlands beleid een sterk stempel op de wereldpolitiek gedrukt. Het is daarentegen heel wel mogelijk dat China nooit een dergelijke missionaire ambitie ontwikkelt. Door simpelweg China te zijn en een wereldmacht te worden vervult dit land in zekere zin zijn historische opdracht. Het hoeft niets aan iemand anders over te dragen om zichzelf te bewijzen. Als Beijing zich dus op het punt van mensenrechten onverschillig lijkt op te stellen, komt dit niet louter doordat het regime zelf onderdrukt of met het oog op zijn belangen een genadeloze realpolitik wil bedrijven, hoewel dat zeker een rol speelt. De Chinezen hebben een andere kijk op deze kwesties, niet vanuit een verzameling abstracte principes maar vanuit een praktische zin die hun tot richtsnoer dient.

Westerse zakenlieden hebben vaak opgemerkt dat hun Chinese tegenhangers zich minder gelegen laten liggen aan regels, wetten en contracten. Hun gevoel voor ethiek is meer pragmatisch. Wanneer een Chinese zakenman of functionaris denkt dat de wet een ezel is (om een Engelsman te citeren) zal hij deze wet negeren of omzeilen of simpelweg het voorstel doen een nieuw contract op te stellen. De verering van een abstract idee past niet goed bij de praktische instelling van Chinezen. Sociale betrekkingen en vertrouwen zijn veel belangrijker dan papieren verplichtingen. Microsoft kon het jarenlang niet voor elkaar krijgen dat Beijing haar rechten op intellectuele eigendom erkende – tot de onderneming tijd en energie stak in een relatie met de regering en duidelijk maakte dat zij steun wilde geven aan de ontwikkeling van de economie en het onderwijssysteem in China. Toen Microsoft de Chinese regering eenmaal van haar goede gezindheid had overtuigd, begonnen de eigendomsrechten gerespecteerd te worden. Slechts weinig Chinezen zijn doordrongen geraakt van het feit dat abstracte regels, wetten en contracten belangrijker zijn dan een pragmatische analyse van een concreet geval, wat inhoudt dat de politieke en wettelijke ontwikkeling van China waarschijnlijk langs meer omwegen zal verlopen dan je zou verwachten.

De culturele tradities van China zijn ook van invloed op de stijl van onderhandelen van dit land. Robert Weller van Boston University stelt: 'De Chinezen baseren hun gevoel van oorzaak en gevolg op het idee van qi-energie. Qi is de grondstof van Feng Shui*, en het element in het lichaam dat gevoelig is voor acupunctuur of Chinese kruiden. Het maakt deel uit van een algemene visie op de structuur van de wereld als een verzameling interacterende krachten met complexe onderlinge relaties, die niet werkzaam zijn volgens een eenvoudige, lineaire verbinding tussen oorzaak en gevolg.' 'Dit kan ook een effect hebben op de buitenlandse politiek,' zegt Weller.[12] Zulke beschouwingen kunnen soms overdreven worden en zelfs onzinnig aandoen. Maar wanneer je praat met Chinezen over hun manier van denken kom je er snel achter dat begrippen als qi in hun visie even centraal staan als een morele schepper of vrije wil bij westerlingen. Buitenlandse politiek wordt door een groot aantal universele krachten aangedreven, maar het lijdt geen twijfel dat een onderliggende wereldbeschouwing bepalend is voor de manier waarop mensen waarnemen, handelen en reageren, vooral op kritieke momenten.

Cultuur bestaat echter niet in een vacuüm. Het verleden en het eigen DNA van China zijn gevormd door zijn moderne geschiedenis: de invloed van het Westen, de decimering van de traditie onder het communisme, het daaruit volgende vacuüm in de Chinese spiritualiteit en, misschien vooral, zijn recente pogingen om zijn traditis met de mo-

---

* Noot vertaler: Doel van Feng Shui is onze leef- en werkomgeving zodanig aan te passen dat een harmonieuze stroming van qi (levenskracht) gestimuleerd wordt.

derniteit te verzoenen. Wanneer je spreekt met Chinese economen verkondigen deze geen confucianistische methode om economische groei op te wekken of inflatie aan banden te leggen. De Centrale Bank van China lijkt heel modern (en in dat opzicht westers) in zijn benadering. Dat deze bank niet direct reageert wanneer de Verenigde Staten hem verzoeken zijn valuta te herwaarderen, zegt ons misschien meer over nationalisme dan over cultuur. (Wanneer was het eigenlijk de laatste keer dat de Verenigde Staten hun economische politiek wijzigden omdat een buitenlandse regering hen op hoge toon daartoe aanspoorde?) De Chinezen hebben het westerse rationalisme op veel gebieden overgenomen. Sommige Chinese analisten van buitenlandse politiek noemen zichzelf 'christelijke confucianen', niet bedoeld als evangelische bekeerlingen maar als Chinezen met een westerse kijk, die ernaar streven de Chinese politiek een sterker gevoel van doelgerichtheid en waarden mee te geven. Net als alle andere niet-westerse landen zal China zijn eigen culturele cocktail samenstellen, deels oosters, deels westers, om in de eenentwintigste eeuw te kunnen bloeien.

Te groot om zich te verbergen

Het grootste probleem van China heeft niet te maken met culturele bijzonderheden maar met universele kenmerken van macht. China beschouwt zichzelf als een natie die zich vreedzaam wil ontwikkelen en waarvan het gedrag gekenmerkt wordt door nederigheid, terughoudendheid en vriendschappelijke relaties met iedereen. Maar in het verleden hebben ook veel andere opkomende landen hetzelfde geloof gehecht aan hun goedaardige motieven – en ten slotte toch het systeem op zijn kop gezet. De politicoloog Robert Gilpin merkt op dat een natie, naarmate haar macht toeneemt, 'in de verleiding komt om haar beheersing over de omgeving te versterken. Om haar eigen veiligheid te beschermen zal ze haar politieke, economische en territoriale invloed proberen uit te breiden, en het internationale systeem zodanig proberen te wijzigen dat het op haar bijzondere belangen is afgestemd.'[13] Het belangrijkste punt is hier dat grote mogendheden, door de hele geschiedenis heen, zichzelf de beste bedoelingen hebben toegedacht maar tot optreden gedwongen zijn geweest om hun steeds verder uitdijende belangen te beschermen. En de belangen van China, het tweede land van de wereld, zullen zich aanmerkelijk uitbreiden.

Uiteindelijk kunnen de voornemens van China irrelevant blijken. In de onordelijke wereld van de internationale politiek zijn bedoelingen en uitkomsten niet direct aan elkaar gekoppeld. (Geen enkel land verwachtte in 1914 een wereldoorlog.) Het lijkt op een markt waarop alle ondernemingen hun winst proberen te maximaliseren door hun prijzen te verhogen: op het niveau van het systeem is het resultaat dan precies het omgekeerde, een daling van de prijzen. Ook in de internationale politiek, net zo'n systeem zonder één enkel hoogste gezag, voorspellen de voornemens van landen niet altijd nauwkeurig de uitkomsten. Vandaar de Romeinse zegswijze: 'Als je vrede wilt, bereid je dan voor op oorlog.'

Hoe vreedzaam China zich zal kunnen ontwikkelen zal bepaald worden door een combinatie van acties van China, reacties van andere landen, en de systeemeffecten die deze interacties teweegbrengen. Gezien zijn huidige omvang mag China niet verwachten dat het het grote wereldpodium onopgemerkt kan betreden. Het is bijvoorbeeld volstrekt begrijpelijk dat China uit is op energie en grondstoffen. China groeit snel, gebruikt energie en allerlei producten, en heeft behoefte aan een stabiele en duurzame aanvoer daarvan. Andere landen kopen olie, dus waarom zou Beijing niet hetzelfde doen? Het probleem is de schaal. China opereert op zo'n grote schaal dat dit de aard van het spel onvermijdelijk zal veranderen.

De kijk van China op zijn belangen is aan het verschuiven. Mensen als Wu Jianmin komen uit een oudere generatie van diplomaten, en de jongere generatie is zich duidelijk bewust van de nieuwe macht van China. Sommige waarnemers van China maken zich er zorgen over dat de macht China op den duur naar het hoofd zal stijgen. In enkele voorzichtig geformuleerde waarschuwingen die hij in 2005 in China uitsprak, verwoordde Lee Kuan Yew zijn zorgen, niet over de huidige leiders van China of zelfs de volgende generatie – maar over de generatie daarna, die geboren zal zijn in een tijd van stabiliteit, welvaart en groeiende Chinese invloed. 'De jeugd van China moet ervan doordrongen worden dat de wereld de zekerheid moet krijgen dat de opkomst van China geen verstorende kracht zal blijken te zijn,' zei hij in een toespraak aan de Fudan University. Lee impliceerde dat de nederigheid van de Chinese leiders sinds Deng Xiaoping voortkomt uit de bittere herinnering aan de vergissingen van Mao – het aanstichten van revoluties in het buitenland, de Grote Sprong Voorwaarts en de Culturele Revolutie, die met elkaar de dood van ongeveer veertig miljoen Chinezen tot gevolg hadden. 'Het is van vitaal belang,' vervolgde Lee, 'dat de jongere generatie Chinezen, die uitsluitend een periode van vrede en groei hebben doorgemaakt en geen ervaring hebben met het tumultueuze verleden van China, zich bewust worden van de vergissingen van China als gevolg van overmoed en ideologische excessen.'

Voorlopig blijft de buitenlandse politiek van China volledig gericht op commerciële doelen, hoewel ook deze gerichtheid haar eigen schaduw werpt. In Afrika is China bijvoorbeeld bezig met het aanknopen van economische banden. Dit werelddeel beschikt over natuurlijke hulpbronnen, vooral olie en aardgas, die China voor zijn groei nodig heeft. Beijing en de Afrikaanse regeringen hebben beide de nieuwe handelsrelaties verwelkomd, deels omdat er geen koloniaal verleden of een moeilijke geschiedenis is die de zaken compliceert, en de zaken verlopen voorspoedig. De handel groeit met ongeveer 50 procent per jaar en de Chinese investeringen in Afrika zelfs nog sneller. In veel Afrikaanse landen heeft de economische groei een recordhoogte bereikt, een feit dat door velen aan de nieuwe banden met China wordt toegeschreven. Sommigen in dit werelddeel beschouwen deze relatie als een vorm van uitbuiting en staan afwijzend tegenover de nieuwe macht van China, zodat Beijing zich alle moeite geeft om van zijn goede bedoelingen te doen blijken. In november 2006 belegde president Hu Jintao een topconferentie over Chinees-Afrikaanse betrekkingen. Alle 48 Afrikaanse landen die diplomatieke betrekkingen met China onderhouden waren aanwezig, de meeste vertegenwoordigd door hun president of minister-president. Op deze bijeenkomst beloofde China zijn steun aan Afrika in twee jaar te verdubbelen, vijf miljard dollar aan leningen en kredieten te verstrekken, een fonds van vijf miljard dollar in te stellen om verdere Chinese investeringen in Afrika te stimuleren, een groot deel van de schuld aan China kwijt te schelden, de Chinese markt meer toegankelijk te maken, vijftienduizend Afrikanen voor hoger geschoolde functies op te leiden, en in het hele werelddeel nieuwe ziekenhuizen en scholen te bouwen. De minister-president van Ethiopië, Meles Zenawi, stak hierover de loftrompet: 'China is een inspiratiebron voor ons allen.'[14]

Wat zou er verkeerd kunnen zijn aan het aanknopen van zulke betrekkingen? Niets – behalve dat China, wanneer het Afrika binnentrekt, economische, politieke en militaire ruimte inneemt die vroeger bezet was door Engeland of Frankrijk of de Verenigde Staten. Dit zal onvermijdelijk tot spanningen leiden, aangezien elke grote mogendheid ernaar streeft zijn eigen belangen en zijn eigen opvatting over verantwoord optreden in Afrika te bevorderen. De Chinese interpretatie van zijn eigen optreden is dat het niet tussenbeide komt in de binnenlandse zaken van deze landen, dat zijn optreden in zekere zin waardevrij is. Maar is dit ook zo? Moisés Naím, hoofdredacteur van het tijdschrift *Foreign Policy*, vertelt een verhaal over de Nigeriaanse regering toen deze in 2007 met de Wereldbank onderhandelde over een lening van vijf miljoen dollar voor spoorwegen. De bank had erop aangedrongen dat de regering de berucht corrupte spoorwegbureaucratie zou zuiveren voordat de lening werd goedgekeurd. De zaak was bijna beklonken toen de Chinese regering tussenbeide kwam en de Nigerianen een lening van negen miljárd dollar aanbood om het hele spoorwegstelsel te vernieuwen, zonder voorwaarden, zonder eisen, zonder noodzaak van enige hervorming. De Wereldbank kon binnen enkele dagen zijn koffers pakken. Het behoeft geen betoog dat veel van dit

Chinese geld terecht zal komen op de bankrekening van regeringsfunctionarissen op sleutelposities in plaats van te dienen voor betere
spoorwegvoorzieningen voor Nigerianen.

Beijing heeft het als nuttig ervaren direct met regeringen zaken te
doen, omdat deze nog bijna altijd de eigenaar zijn van de hulpmiddelen waaraan China behoefte heeft. Transacties zijn eenvoudiger wanneer je met één gecentraliseerde autoriteit te maken hebt, vooral wanneer deze een verschoppeling is en zich alleen nog maar tot China kan
wenden. Zo koopt China platina en ijzererts van Zimbabwe en verkoopt het, ondanks een embargo van de vs en de Europese Unie, als
tegenprestatie wapens en apparaten voor de storing van radioverkeer
aan Robert Mugabe, goederen die deze leider gebruikt om tegenstanders in eigen land te intimideren, te arresteren en te doden. Beijing is
de belangrijkste beschermer van Mugabe in de Veiligheidsraad van de
vn.

In Sudan gaat de Chinese betrokkenheid zelfs nog verder. Sinds 1999
heeft China in dit land drie miljard dollar geïnvesteerd in olievelden.
Chinese ondernemingen bezitten de meerderheid van de aandelen in
de twee grootste olieconglomeraten van het land, en China koopt 65
procent van de Sudanese olie-exporten. Het onderhoudt een militair
bondgenootschap met Sudan en lijkt dit land, ondanks door de vn
opgelegde beperkingen, te hebben voorzien van wapens die uiteindelijk in handen komen van regeringsgezinde milities in Darfur. Chinese
functionarissen bevestigen vaak dat zij een nauwe militaire relatie met
Sudan hebben en deze ook in stand willen houden. In zijn toelichting
op de opstelling van zijn land zei de Chinese staatssecretaris van Buitenlandse Zaken: 'Zaken zijn zaken. We proberen zaken en politiek gescheiden te houden. Ten tweede denk ik dat de binnenlandse situatie
in Sudan een binnenlandse kwestie is, en dat we niet in een positie verkeren om hen hierover iets op te leggen.'

Als China op het wereldtoneel maar een kleine speler was, zou het
niets uitmaken wat het in Zimbabwe of Sudan deed. Voor zover we
weten heeft Cuba met beide regeringen vergaande contacten, maar

daar maakt niemand zich druk over. Beijing daarentegen kan zijn licht niet langer onder de korenmaat zetten. De Chinese bemoeienis met deze landen werpt hun een reddingsboei toe, vertraagt hun ontwikkeling en bestendigt uiteindelijk de kringloop van slechte regimes en sociale spanningen waarvan Afrika het slachtoffer is. Dit soort verbondenheid brengt ook met zich mee dat de Afrikaanse regeringen wel een gunstig beeld van China kunnen krijgen, maar dat de bevolking daar anders over kan denken – zoals ze al jarenlang anders denken over westerse regeringen.

Beijing is in gebreke gebleven zijn bredere verantwoordelijkheid in dit deel van de wereld te erkennen door vol te houden dat het zich alleen maar met zijn eigen zaken bezighoudt. Maar zelfs dit laatste is niet het geval. Beijing heeft vaak laten zien dat het zich terdege bewust is van zijn macht. Eén reden waarom het zich op Afrika heeft gericht is dat dit werelddeel al sinds lang een aantal landen omvat die zich vriendschappelijk tegenover Taiwan hebben opgesteld. Hoewel zeven van de 26 regeringen op de wereld die op dit moment betrekkingen met Taiwan onderhouden in Afrika liggen, hebben zes van deze zeven landen, waaronder Zuid-Afrika, in de afgelopen tien jaar op grond van weloverwogen voorstellen tot hulp hun loyaliteit van Taipei op Beijing overgedragen.

China is verstandiger te werk gegaan en heeft betere diplomatie en 'zachte macht' gebruikt in Azië, het gebied waaraan Beijing de meeste tijd, energie en aandacht besteedt. Langs de weg van intelligente diplomatie heeft het in de laatste twintig jaar bereikt dat de houding tegenover China volledig is omgeslagen. In de jaren 1980 onderhield China zelfs geen betrekkingen met een groot deel van Oost-Azië, zoals Zuid-Korea, Indonesië en Singapore. Maar in de zomer van 2007 hield het gezamenlijke militaire oefeningen met de Associatie van Zuidoost-Aziatische Naties (ASEAN). Toen hun in 2007 bij peilingen werd gevraagd aan wie ze de wereldmacht toevertrouwden gaven respondenten in landen als Thailand en Indonesië, traditionele bondgenoten van de vs, de voorkeur aan China boven de Verenigde Staten. Zelfs in Australië zijn de positieve opvattingen over China en de Verenigde Staten met elkaar in evenwicht.

Tot voor kort zijn de herinneringen aan de revolutionaire buiten-landse politiek van China, die in de praktijk met zich meebracht dat Chinese ingezetenen in het buitenland daar onrust stookten, op de achtergrond gebleven. De invasie van Vietnam, de aanspraken in de Zuid-Chinese Zee en de grensconflicten met Rusland en India hadden China het imago gegeven van een prikkelbare en lastige buur. Maar aan het eind van de jaren 1990 had China een heel andere regionale po-litiek ingevoerd, die vooral duidelijk werd door de constructieve rol van China in de regio na de Oost-Aziatische crisis van 1997. Sindsdien is Beijing opmerkelijk bedreven geworden in een geduldig, onopval-lend en buitengewoon effectief gebruik van zijn politieke en economi-sche macht. De Chinese diplomatie legt nu de nadruk op een langeter-mijnperspectief, een niet-moraliserende opstelling en strategische besluitvorming die niet wordt belemmerd door binnenlandse opposi-tie of bureaucratische verlamming. Beijing heeft een meer tegemoet-komende politieke lijn gevolgd, ruimhartig steun geboden (vaak veel ruimhartiger dan de Verenigde Staten), en is snel tot zaken gekomen over vrijhandel met de ASEAN. Hoewel het zich lang afzijdig heeft ge-houden van multilaterale samenwerkingsverbanden is het sinds kort bij zo veel mogelijk van deze verbanden betrokken geraakt – en heeft er zelfs een gesticht, de Oost-Aziatische Top, waarvan de Verenigde Staten opvallend is uitgesloten. China wordt nu ook door de Zuid-oost-Aziatische naties verwelkomd. De schijnbaar pro-Amerikaanse president van de Filipijnen, Gloria Arroyo, heeft in het openbaar ver-kondigd: 'We zijn gelukkig met China als onze grote broer.'[15]

Deze verandering weerspiegelt zich in de betrekkingen van Beijing met regeringen in de hele omgeving. De Vietnamezen bijvoorbeeld zijn niet bijzonder op China gesteld. Zoals een functionaris het tegen-over mij verwoordde: 'We bekijken dit nuchter. China heeft Vietnam duizend jaar bezet gehouden. En het is ons sindsdien dertien keer bin-nengevallen.' Maar hij erkende ook: 'Ze zijn enorm aanwezig, onze grootste exporteur' – wat betekent dat de regering en de bevolking van beide landen deze relatie pragmatisch moeten benaderen. In boekwinkels die ik in Vietnam heb bezocht liggen de verzamelde toespraken van de Chinese leiders Deng Xiaoping, Jiang Zemin en Hu Jintao op een opvallende plaats uitgestald.

Vóór mijn aankomst in Vietnam was ik in Tokio geweest, tijdens het staatsbezoek in 2007 van de Chinese minister-president Wen Jiabao, en daar hoorde ik gelijksoortige geluiden. Wen negeerde de vele punten van spanning tussen de twee landen en benadrukte de positieve punten: hun bloeiende economische betrekkingen. Deze ontspanning is echter kwetsbaar en wijst op het voornaamste gevaar in de buitenlandse politiek van Beijing: zijn poging om nationalisme voor zijn eigen doelen in te zetten.

In het verleden hield Beijing de betrekkingen met Japan bewust gespannen. De oorlogsmisdaden van Japan en het gebrek aan bereidheid om hiervoor schuld te erkennen zijn de hoofdmoot van het probleem geweest. Maar het leek of Beijing de spanning ook actief cultiveerde, door het gedrag van Japan in oorlogstijd te pas en te onpas naar voren te brengen, Japanse verontschuldigingen te weigeren en een fel anti-Japanse versie van de geschiedenis op zijn scholen te onderwijzen. In april 2005 leek de Chinese regering steun te geven aan anti-Japanse protesten tegen geschiedenisboeken op school, totdat deze uitgroeiden tot massademonstraties, rellen, het gooien van stenen naar de Japanse ambassade en wijdverbreide oproepen om Japanse producten te boycotten.

In strategische termen heeft het voor Beijing, met 'vreedzame ontwikkeling' als uitgangspunt, weinig zin om zich tegenover Tokio even onverzoenlijk op te stellen als in het verleden. Dit zou ertoe leiden dat China een vijandig buurland zou krijgen, met een geducht militair apparaat en een economie die nog steeds driemaal zo groot is als die van China. Een verstandiger strategie zou zijn Japan te blijven inkapselen met economische banden en sterkere samenwerking, om zo toegang te krijgen tot zijn markten, investeringen en technologie, en in de loop van de tijd de overhand te krijgen. Er is zelfs een argument voor echte verzoening. Japan heeft zich niet smetteloos gedragen, maar het heeft verscheidene malen voor zijn agressie verontschuldigingen aangeboden en China meer dan 34 miljard dollar aan ontwikkelingshulp (in feite herstelbetalingen) betaald, iets wat de Chinezen nooit genoemd hebben. En er was duidelijk sprake van een wens tot verzoening toen minister-president Wen in 2007 naar Japan ging. Maar misschien houdt deze wens geen stand. Aan de kant van China staat een binnenlands probleem deze verzoening in de weg. Vanaf het moment dat de Communistische Partij het communisme had opgegeven, heeft zij het nationalisme gebruikt als het bindmiddel dat China bijeenhoudt, en het moderne Chinese nationalisme wordt in hoofdzaak gekarakteriseerd door de vijandigheid tegenover Japan. Ondanks zijn vele rampzalige beleidsmaatregelen blijft Mao in China een held omdat hij tegen de Japanners vocht en het land tot een eenheid smeedde.

De Chinese regering is er over het algemeen van uitgegaan dat ze de sentimenten onder de bevolking in bedwang kon houden, maar is bezig dit vertrouwen te verliezen. Omdat China geen democratie is, heeft de regering op dit punt weinig ervaring. Zij gaat onwennig om met boosheid en andere emoties bij het publiek en voelt zich onzeker of ze deze moet aanmoedigen of afremmen, uit angst over waar ze toe kunnen leiden. Ze heeft geen idee wat ze moet aanvangen met een groep als de Alliantie van Patriotten, een hypernationalistische groep op het internet die de anti-Amerikaanse protesten organiseerde na het vliegtuigincident met een EP-3 in 2001 en de anti-Japanse protesten van 2005. Beide acties werden eerst aangemoedigd, maar werden veel feller dan het regime verwachtte. Het lijkt of deze incidenten tot enige herbezinning hebben geleid: Beijing heeft meer recentelijk zijn steun aan het nationalisme ingetoomd en zich meer consequent achter een rustiger benadering van diplomatie en politiek gesteld.

Het gevaar van een crisis in de buitenlandse betrekkingen in combinatie met binnenlands nationalisme vormt de grootste dreiging voor Taiwan. Beijing, waarvoor Taiwan al sinds lang een obsessie is, heeft zich onverzoenlijk opgesteld en hetzelfde geldt voor enkele Taiwanese politici, iets dat met elkaar een licht ontvlambaar mengsel oplevert, zoals toen president Chen Shuibian van Taiwan een golf van verontwaardiging opwekte door in 2002 een nationaal referendum over de onafhankelijkheid van Taiwan voor te stellen. Voor het merendeel heeft Beijing zijn langetermijnplan gevolgd om de betrekkingen met de voornaamste oppositiepartij op het eiland te 'normaliseren' en deze met verzoeningsgebaren te overstelpen. Maar niet altijd. In maart 2005 heeft Beijing een 'anti-afscheidings'-wet aangenomen en Taiwan met militair optreden gedreigd als het China op enigerlei wijze zou ergeren. Dit heeft er onder andere toe geleid dat de Europese Unie zijn voornemen om een wapenembargo tegen China op te heffen heeft uitgesteld.

Taiwan levert het duidelijkste en belangrijkste voorbeeld van de tegenstelling tussen economische prikkels ten gunste van integratie en politieke impulsen ten gunste van nationalisme, en van de manier waarop deze divergentie gehanteerd kan worden. De rationele besluitvorming die richting geeft aan het economisch beleid kan niet zo gemakkelijk worden toegepast op het gebied van de politiek, waar eer, geschiedenis, trots en woede een belangrijke rol spelen. Maar China is overgestapt op een slimmere, minder agressieve benadering van Taiwan (en zelfs van Japan), vanuit het inzicht dat het de tijd mee heeft. Zo heeft Beijing enkele handige zetten gedaan die de afhankelijkheid van Taiwan van het vasteland versterkt hebben, zoals vooral de verlaging van de invoertarieven voor agrarische producten die afkomstig zijn van de meest op zelfstandigheid gerichte delen van Taiwan. En intussen is de militaire macht van China natuurlijk snel gegroeid, met als voornaamste strategische doel het vermogen om in ieder conflict met Taiwan snel de overhand te verkrijgen. Met andere woorden: economische groei en globalisering hebben Beijing ertoe gebracht zich toe te leggen op integratie, maar tegelijkertijd het vermogen opgeleverd voor een militaire en politieke confrontatie.

De draak en de adelaar

Het belang van de Chinese betrekkingen met elk land ter wereld valt in het niet bij het belang van de betrekkingen met één land, de Verenigde Staten van Amerika. Of, om het anders uit te drukken: geen van de mogelijke problemen waarmee China geconfronteerd wordt is van belang tenzij de betrokkenheid van Amerika daardoor in het spel wordt gebracht. Zonder betrokkenheid van de vs zou een oorlog om Taiwan bloedig en tragisch kunnen zijn, maar alleen als deze oorlog zou uitlopen op een confrontatie tussen China en de vs zou hij verreikende mondiale consequenties hebben. De uitdaging van China heeft ook grotere implicaties voor de Verenigde Staten dan voor andere landen. Wanneer de leidende macht van de wereld door een opkomende macht wordt uitgedaagd, hebben deze beide historisch gesproken een moeilijke relatie. En hoewel geen van beide dit openlijk wil erkennen, maken China en de Verenigde Staten zich beide zorgen en bereiden ze zich beide voor op moeilijkheden. Dertig jaar lang is de Chinese buitenlandse politiek er, om een verscheidenheid van praktische redenen, op gericht geweest de Verenigde Staten tevreden te stellen. Eerst was het een anti-Sovjetideologie, toen een verlangen naar markten en hervorming, daarna een rehabilitatie na de gebeurtenissen op het Plein van de Hemelse Vrede, het lidmaatschap van de Wereldhandelsorganisatie en ten slotte de Olympiade in Beijing. Maar de jongere elites in China raken er steeds sterker van overtuigd dat hun land zich in verschillende opzichten als een mededinger van Washington moet beschouwen. In Washington zijn er altijd al mensen geweest die China als de eerstvolgende alomvattende bedreiging zien van Amerikaanse nationale belangen en idealen. Deze zienswijze houdt niet in dat er sprake zal zijn van oorlog of zelfs van conflict, maar alleen dat er waarschijnlijk spanningen zullen ontstaan. Hoe de twee landen deze spanningen hanteren zal bepalend zijn voor hun toekomstige betrekkingen, en voor de wereldvrede.

Voorlopig hebben de op integratie gerichte krachten zowel in Beijing als in Washington getriomfeerd. De economische relatie tussen China en Amerika is er een van wederzijdse afhankelijkheid. China heeft de Amerikaanse markt nodig om zijn goederen te verkopen, de Verenigde Staten hebben China nodig om hun schuld te financieren; in het tijdperk van de globalisering staat dit gelijk met de wederzijds verzekerde vernietiging tijdens de Koude Oorlog. (En om hun steentje bij te dragen aan de stabiliserende krachten dienen de Chinese en Amerikaanse kernwapenarsenalen aanvullend als afschrikkers.) De realiteit van een geglobaliseerde wereld dwingt Amerika en China tot een bondgenootschap dat door geopolitiek op zich nooit tot stand zou kunnen komen. Daardoor heeft de regering-Bush zich met betrekking tot Taiwan opvallend tegemoetkomend opgesteld jegens Beijing. George W. Bush is in ideologisch opzicht waarschijnlijk de ideologisch meest vijandige president die ooit de betrekkingen tussen de vs en China heeft moeten regelen. Gedurende zijn hele ambtsperiode heeft hij democratie geprezen, dictatuur veroordeeld en beloofd dat hij Amerikaanse macht zal gebruiken om zijn doelen te bereiken. Maar ondanks dit alles heeft Bush zich met betrekking tot Taiwan herhaaldelijk aan de zijde van Beijing opgesteld en Taiwan gewaarschuwd geen afscheidingspoging te ondernemen, een sterker anti-Taiwanese uitspraak dan enige Amerikaanse president ooit gedaan heeft. Dit is de reden waarom Beijing, ondanks de toespraken van Bush over vrijheid en zijn ontmoeting met de Dalai Lama, nog steeds tevreden is over zijn regering. Inzake de kwestie die Beijing het meest ter harte gaat heeft het in Bush een bondgenoot gevonden.

Beijing en Washington doen er verstandig aan om samen te werken. Een conflict tussen grote mogendheden is iets dat de wereld sinds de Koude Oorlog niet heeft meegemaakt. Als er opnieuw een dergelijk conflict zou uitbreken zouden alle moeilijkheden waarover we ons nu zorgen maken – terrorisme, Iran, Noord-Korea – in vergelijking daarmee verbleken. Het zou leiden tot wapenwedlopen, grenskwesties, rivaliteiten tussen bondgenoten en satellietstaten, lokale conflicten, en misschien nog tot meer. Het proces van wereldwijde economische en politieke modernisering zou worden vertraagd, zo niet stopgezet. Zelfs zonder deze sombere scenario's zal China de bestaande machtsrelaties compliceren. Als de Verenigde Staten en de Europese Unie bijvoorbeeld tegenover de opkomst van China een fundamenteel verschillende houding zouden aannemen, zou dit een voortdurende druk leggen op het westerse bondgenootschap die de spanningen over Irak verre in de schaduw zou stellen. Maar een ernstige rivaliteit tussen de vs en China zou het karakter van het nieuwe tijdperk volledig bepalen en afwenden van integratie, handel en globalisering.

Er is een groep Amerikanen, in hoofdzaak bestaande uit neoconservatieven en enkele functionarissen van het Pentagon, die over de Chinese dreiging de alarmklok heeft geluid en deze in hoofdzaak in militaire termen aan de orde heeft gesteld. Maar hun benadering wordt niet door de feiten ondersteund. China is zeker bezig zijn militaire apparaat uit te breiden, met een defensiebegroting die met 10 procent of meer per jaar is gegroeid. Maar het besteedt nog maar een fractie van de militaire uitgaven van Amerika, op zijn hoogst 10 procent van het jaarlijkse budget van het Pentagon. De Verenigde Staten hebben twaalf met kernkracht aangedreven vliegdekschepen die elk 85 straaljagers in de lucht kunnen brengen; de maritieme ingenieurs in China werken nog aan hun eerste. China heeft volgens schattingen van het Pentagon twintig kernraketten die de kusten van de vs kunnen bereiken, maar deze 'kleine en onhandelbare' wapens zijn 'kwetsbaar voor een preventieve aanval'. Daarmee vergeleken hebben de Verenigde Staten ongeveer negenduizend bedrijfsklare kernkoppen en ongeveer vijfduizend strategische koppen.[16]

De Chinezen begrijpen dat de militaire verhoudingen ver uit evenwicht zijn. De uitdaging voor China zal dus niet eenzelfde karakter dragen als die voor de Sovjet-Unie, waarbij Beijing zich zou inspannen om op militair gebied met de vs gelijke tred te houden. Het is waarschijnlijker dat China een 'asymmetrische supermacht' zal blijven. China is nu al bezig manieren te zoeken om de Amerikaanse militaire suprematie, zoals op het gebied van ruimte- en internet-technologie, uit te hollen. En wat nog belangrijker is, het zal zijn economische kracht en zijn politieke vaardigheden gebruiken om zijn doelen te bereiken zonder een beroep hoeven te doen op militaire kracht. China wil Taiwan niet binnenvallen en bezetten; eerder zal het de Taiwanese onafhankelijkheidsbeweging blijven ondermijnen door geleidelijk punten te scoren en de tegenstander uit te putten.

In een paper getiteld 'De Beijing Consensus', dat gebaseerd is op interviews met vooraanstaande Chinese functionarissen en academici, schetst Joshua Cooper Ramo een fascinerend beeld van de nieuwe buitenlandse politiek van China. 'In plaats van een mogendheid in de stijl van de vs op te bouwen, tot de tanden gewapend en onverdraagzaam tegenover de opvattingen van anderen,' schrijft hij, 'baseert China zijn opkomende macht op het voorbeeld van zijn eigen model, de kracht van zijn economische systeem en de onwrikbare verdediging van nationale soevereiniteit.' Ramo beschrijft een elite die begrijpt dat de opkomende macht en de minder interventionistische stijl van hun land het tot een aantrekkelijke partner maken, vooral in een wereld waarin de Verenigde Staten als een dwingeland worden gezien. 'Voor China is het doel niet conflict, maar het vermijden van conflict,' schrijft hij. 'Werkelijk succes in strategische kwesties houdt in dat China een situatie zo effectief kan manipuleren dat de uitkomst onvermijdelijk ten gunste komt aan Chinese belangen. Dit denkbeeld is ontleend aan de oudste Chinese strategische denker, Sun Zi, die stelde dat "elke slag gewonnen of verloren is voordat hij zelfs maar begonnen is".'

De Verenigde Staten begrijpen hoe zij met een traditionele militair-politieke uitdaging moeten omgaan. Dit was immers het karakter van de Sovjetdreiging en van de opkomende macht van de nazi's. De Verenigde Staten beschikken over een beleidskader en over de werktuigen – wapens, hulppakketten, bondgenootschappen – waarmee ze een dergelijke uitdaging tegemoet kunnen treden. Als China hier en daar zijn spierballen zou tonen, zijn buren zou ergeren en de wereld schrik zou aanjagen, zou Washington in staat zijn met een combinatie van effectieve maatregelen te reageren en daarbij te profiteren van het natuurlijke evenwichtsproces dat Japan, India, Australië en de Verenigde Staten, en misschien anderen, bij elkaar zou brengen om de opkomende macht van China in te perken. Maar hoe zou het eraan toegaan als China aan zijn asymmetrische strategie blijft vasthouden? Hoe zou het zijn als China zijn economische banden geleidelijk versterkt, zich kalm en gematigd gedraagt en zijn invloedssfeer langzaam uitbreidt door uitsluitend een groter gewicht, vriendschap en invloed in de wereld te zoeken? Hoe zou het zijn als het Washington in Azië geleidelijk naar de zijlijn drukt, in een poging het geduld en het uithoudingsvermogen van Amerika uit te putten? En als het zich rustig zou opstellen als het alternatief voor een bazig en hooghartig Amerika? Hoe zal Amerika omgaan met een dergelijk scenario, een soort Koude Oorlog, maar deze keer met een vitale marktsamenleving, met de grootste bevolking van de wereld, een natie die geen toonbeeld is van een hopeloos model van staatssocialisme en die zijn macht niet verspilt aan nutteloze militaire interventies? Dit is voor de Verenigde Staten een nieuwe uitdaging, waarmee zij nooit eerder geconfronteerd zijn geweest en waarop ze grotendeels niet zijn voorbereid.

Bij hun beschouwingen over de benadering van China hebben Amerikaanse politieke elites hun blik gericht op een andere opkomende macht, dicht bij China en dicht op de hielen van China – India.

5

De bondgenoot

In het najaar van 1982 nam ik een vlucht met Air India vanaf de luchthaven Santa Cruz in Bombay om in de Verenigde Staten te gaan studeren. De tien voorafgaande jaren in India waren onrustig geweest, met
massaprotesten, rellen, afscheidingsbewegingen, opstanden en de op-
schorting van democratie. Daaronder lag een rampzalige economie,
die een magere groei combineerde met een steeds hoger oplopende inflatie. De economische groei kon maar ternauwernood de bevolkings-
groei bijhouden. Aan de hand van de groei van het bbp per hoofd op
dat moment zou het de gemiddelde Indiër 57 jaar kosten om zijn inkomen te verdubbelen. Veel getalenteerde en ambitieuze Indiërs geloofden dat hun enige werkelijke toekomst in het buitenland lag. In de jaren 1980 emigreerde 75 procent van de afgestudeerden aan de Indiase
technologie-instituten naar Amerika.

De tien jaar na 1997 vormden daarmee een opmerkelijk contrast. In
die jaren was India vreedzaam, stabiel en welvarend. De brandhaarden
van afscheiding en militant nationalisme waren uitgedoofd. Op nationaal en op staatsniveau gingen de regeringen zonder incidenten in andere handen over. Er was zelfs sprake van een dooi in de eeuwig gespannen
relaties met Pakistan. En de grondslag van dit alles was de transformatie
van de Indiase economie die tijdens dit hele decennium met 6,9 procent
groeide en tijdens de tweede helft daarvan met 8,5 procent. Wanneer dit
laatste tempo kan worden volgehouden zal de gemiddelde Indiër zijn inkomen in minder dan tien jaar verdubbelen. Het cumulatieve effect van

deze nieuwe economie is al duidelijk geworden. De laatste tien jaar lieten meer Indiërs de armoede achter zich dan in de vijftig jaar daarvoor.

De wereld heeft hiervan nota genomen. Op het Wereld Economisch Forum in Davos in Zwitserland is er elk jaar een nationale ster, een land dat er op deze bijeenkomst van wereldleiders uitspringt vanwege een bijzonder intelligente minister-president of minister van Financiën of een spraakmakend verhaal over hervorming. In de twaalf jaar dat ik in Davos ben geweest heeft geen enkel land zozeer op de verbeelding van deze conferentie gewerkt of de gesprekken zo sterk overheerst als India in 2006. En dit verschijnsel beperkt zich niet tot één conferentie. De wereld maakt India het hof als nooit tevoren. Buitenlandse leiders trekken nu massaal naar India met de belofte diepere en sterkere betrekkingen aan te knopen met dit ooit exotische land.

Toch zijn de meeste buitenlandse waarnemers er nog niet zeker van hoe ze de opkomst van India moeten beoordelen. Zal India het volgende China worden? En wat zou dit in economisch en politiek opzicht betekenen? Zal een rijker India in botsing komen met China? Zal het de Verenigde Staten als een bondgenoot beschouwen? Bestaat er zoiets als een 'hindoeïstische' kijk op de wereld? Buitenlanders die zich hierover het hoofd breken kunnen zich troosten met het feit dat ook de Indiërs zelf het antwoord op deze vragen niet weten. India is nog te veel in een juichstemming om al te diep na te denken.

De juichstemming was al voldoende effectief op het Wereld Economisch Forum. Als je in Zürich uit het vliegtuig stapte zag je grote reclameborden met de kreet *'Incredible India!'* Ook de stad Davos was volgeplakt met affiches. 'De snelst groeiende vrije-markteconomie ter wereld' stond er op de stadsbussen. Als je in je kamer kwam vond je daar een pashmina-sjaal en een iPod-shuffle met Bollywood-songs, geschenken van de Indiase delegatie. Wanneer je de conferentiezalen binnenging hoorde je doorgaans een Indiase stem, een van de dozijnen algemeen directeuren van Indiase topondernemingen die daar acte de présence gaven. En dan waren er de regeringsfunctionarissen, het 'droomteam' van India, allemaal intelligent en welbespraakt en er allemaal op gebrand hun land te verkopen. Het belangrijkste sociale evenement van het Forum was een spectaculaire Indiase show, met een schooltje Indiase schoonheden die dansten op ritmische hindoe-wijsjes tegen de achtergrond van een blauw oplichtende Taj Mahal. De smetteloos geklede voorzitter van het Forum, Klaus Schwab, droeg een kleurige Indiase tulband en sjaal, knabbelde op chicken tikka en besprak de vooruitzichten van het land met Michael Dell. 'India Overal', vermeldde het logo. En zo was het ook.

Het succes van deze marketingstrategie leidde ertoe dat zij steeds opnieuw werd gebruikt. Op de zestigste verjaardag van de Indiase onafhankelijkheid werd New York overspoeld met betoverende concerten, gala's, champagnerecepties en seminars ter ere van het culturele, politieke en economische succes van dit land. De leuze India@60 weerspiegelde de drijvende kracht achter dit succes, de Indiase technologie-ondernemingen. Deze gebeurtenis stond in scherp contrast met de viering van de vijftigste verjaardag tien jaar eerder, die zijn hoogtepunt vond in een saaie receptie op het Indiase consulaat – met uitsluitend vruchtensap vanwege Gandhi's taboe op alcohol – en een toespraak die de loftrompet stak over de verscheidenheid van India. Natuurlijk zouden de swingende campagnes van dit moment niet werken als er niets substantieels achter lag. In de laatste vijftien jaar is India het op één na snelst groeiende land ter wereld geweest, met alleen China boven zich, en het lijkt op een koers te liggen waarmee het deze supersnelle groei nog wel tien jaar kan voortzetten. Net als in het geval van China brengt alleen al de omvang van India, met een bevolking van één miljard, met zich mee dat dit land, als het eenmaal in beweging is gekomen, een lange schaduw over de aarde zal werpen.

Terwijl de opkomst van China al voelbaar aanwezig is, is die van India meer een verhaal over de toekomst. Het bbp per hoofd is nog maar 960 dollar.* Maar die toekomst wordt steeds scherper omlijnd. Het

---

* Niet aangepast aan koopkracht. Het kkp-cijfer is 2100 dollar. De vergelijkbare cijfers voor China zijn 2500 dollar (markt) en 4100 dollar (kkp).

BRIC-onderzoek van Goldman Sachs voorspelt dat de economie van India in 2015 in omvang gelijk zal zijn aan die van Italië en in 2020 die van Engeland zal hebben ingehaald. In 2040 zal India de op twee na grootste economie hebben. In 2050 zal het inkomen per hoofd zijn gestegen tot twintigmaal het huidige niveau.[1] Dergelijke voorspellingen zijn een hachelijke zaak en ontwikkelingstendensen lopen vaak dood. Maar toch verdient het de aandacht dat het huidige groeitempo van India veel hoger is dan in het onderzoek wordt aangenomen en, wat van cruciaal belang is, dat het land een veelbelovend demografisch profiel heeft. Naarmate de industriële wereld vergrijst zal India nog steeds beschikken over grote aantallen jonge mensen, dus arbeidskrachten. China wordt geconfronteerd met een tekort aan jongeren vanwege zijn succesvolle 'éénkindbeleid'; India ziet een overvloed aan jongeren tegemoet vanwege het ironische gegeven dat zijn eigen gezinsplanningsbeleid in het verleden gefaald heeft. (De moraal van dit verhaal is dat alle sociale technologie onbedoelde gevolgen heeft.) Als het lot van een natie bepaald wordt door demografie, is de toekomst van India verzekerd.

Zelfs de huidige situatie is indrukwekkend. Het armoedecijfer van India is nog maar de helft van dat van twintig jaar geleden. De particuliere sector is verbijsterend actief en meldt jaar na jaar winsten van vijftien, twintig en vijfentwintig procent. De kracht van de particuliere sector reikt veel verder dan outsourcing-firma's als Infosys, de voornaamste van vele werkverbanden in de Verenigde Staten met de Indiase economie. De Tata-groep is een reusachtig conglomeraat dat van alles produceert, van auto's en staal tot software en adviessystemen. In 2006 stegen de inkomsten van deze groep van 17,8 miljard tot 22 miljard dollar, een stijging van 23 procent. De meer dynamische Reliance Industries, de grootste onderneming van India, zag tussen 2004 en 2006 haar winsten verdubbelen. De totale inkomsten van de bedrijfstak auto-onderdelen, die bestaat uit honderden kleine ondernemingen, groeiden van onder de 6 miljard dollar in 2003 tot meer dan 15 miljard dollar in 2007. In de komende drie jaar zal alleen al General

Motors ter waarde van een miljard dollar auto-onderdelen uit India importeren.[2] India heeft nu meer miljardairs dan enig ander Aziatisch land, en de meeste van hen zijn dit op eigen kracht geworden.

Van onderop

Op dit punt zal iedereen die in India is geweest zich waarschijnlijk verbazen. 'India?' zal hij of zij zich afvragen. 'Met zijn vervallen luchthavens, slecht onderhouden wegen, uitgestrekte sloppenwijken en verarmde dorpen? Hebt u het over dat India?' Jawel, ook dat is India. Het land heeft misschien verscheidene Silicon Valleys, maar omvat ook drie Nigeria's: meer dan driehonderd miljoen mensen die leven van minder dan een dollar per dag. India is de woonplaats van 40 procent van de armen op de wereld en heeft de op één na grootste hiv-positieve bevolking. Maar zelfs wanneer het India van armoede en ziekte het vertrouwde India is, zegt de film meer dan de foto. India verandert. De massale armoede duurt voort, maar de nieuwe economische vitaliteit brengt overal dingen in beweging. Zelfs in de sloppenwijken kun je het merken.

Voor veel bezoekers ziet India er niet aantrekkelijk uit. Als westerse zakenlieden naar India gaan, verwachten ze dat dit land het volgende China zal zijn. Maar dit zal nooit gebeuren. De groei van China wordt gecontroleerd door een krachtige regering. Beijing besluit dat het land behoefte heeft aan nieuwe luchthavens, snelwegen met acht rijstroken, fonkelende industrieparken, en die worden dan binnen enkele maanden aangelegd. De regering legt de loper uit voor multinationals en verschaft ze binnen enkele dagen vergunningen en faciliteiten. Een Amerikaanse CEO herinnerde zich hoe Chinese functionarissen hem meenamen naar een plek die ze hem voorstelden voor zijn nieuwe (en zeer grote) vestiging. De plek was centraal gelegen, op een goede locatie, en vervulde bijna al zijn wensen, behalve dat hij volledig bezet was met bestaande gebouwen en mensen, met inbegrip van een kleine

woongemeente. De CEO bracht dit onder de aandacht van zijn gastheer. De functionaris glimlachte en zei: 'Daarover hoeft u zich geen
zorgen te maken, over achttien maanden zijn die hier niet meer.' En
toen waren ze inderdaad verdwenen.

India heeft geen regering die in staat of bereid is mensen ter wille
van buitenlandse investeerders van hun plek te verjagen. New Delhi en
Mumbai hebben niet de schitterende infrastructuur van Beijing en
Shanghai, en evenmin kennen Indiase steden de gecontroleerde urbanisatie van de steden in China. Toen ik de belangrijkste minister van
de meest geïndustrialiseerde staat van India, Vilasrao Deshmukh, de
vraag stelde of India iets kon leren van het Chinese planmatige model
van stadsontwikkeling, antwoordde hij: 'Ja, maar binnen bepaalde
grenzen. China heeft vaak de eis gesteld dat mensen moeten kunnen
bewijzen dat ze een baan hebben voordat ze naar een stad kunnen ver-
huizen. Dit zorgt ervoor dat ze geen miljoenen werkzoekenden krijgen
die zich samenpakken in sloppenwijken aan de buitenrand van de
stad. Ik kan dat niet doen. De grondwet van India garandeert vrijheid
van beweging. Als iemand in Mumbai naar werk wil komen zoeken,
staat het hem vrij dit te doen.'

De groei van India vindt niet plaats dankzij de regering, maar ondanks de regering. De groei komt niet van bovenaf maar van onderop, en verloopt daarom slordig, chaotisch en in hoofdzaak niet-ge-
pland. De voornaamste voordelen van het land zijn een echte
particuliere sector, gevestigde rechten van eigendom en contract,
onafhankelijke rechtbanken en de rechtsstaat (ook al wordt deze
vaak geschonden). In India vormt de particuliere sector de ruggengraat van de groei. Terwijl er in China twintig jaar geleden nog geen
particuliere ondernemingen bestonden, bestaan veel van deze ondernemingen in India al honderd jaar. En op de een of andere manier nemen ze hindernissen, doorbreken ze de bureaucratie, omzeilen ze een slechte infrastructuur, en zijn ze lonend. Als ze geen grote
goederen kunnen exporteren vanwege de slechte verkeerswegen en
havens, exporteren ze software en diensten, zaken die je langs draden

kunt transporteren in plaats van wegen. Gurcharan Das, de voormalige algemeen directeur van Procter & Gamble in India grapt: ''s
Nachts slaapt de regering en groeit de economie.'

Het opvallendste kenmerk van het huidige India is zijn menselijk
kapitaal: een enorme en groeiende bevolking van ondernemers, ma-
nagers en zakelijk ingestelde individuen. Hun aantal neemt toe, sneller
dan iemand zich had kunnen voorstellen en deels omdat zij gemakkelijk toegang hebben tot de taal van de moderniteit, het Engels. Dat de
Engelsen aan India hun taal hebben nagelaten zou onbedoeld hun belangrijkste erfenis kunnen blijken. Op grond van deze erfenis is de ma-
nagers- en ondernemersklasse in India volledig vertrouwd met westerse stijlen van zakendoen, zonder behoefte aan tolken of culturele
gidsen. Ze lezen over computers, managementtheorie, marketingstrategie en de laatste innovaties in wetenschap en technologie. Ze spreken
vloeiend de taal van de globalisering.

Het resultaat is een land dat geen gelijkenis vertoont met enig ander
ontwikkelingsland. Het bbp van India bestaat voor 50 procent uit
diensten, voor 25 procent uit industrie en voor 25 procent uit landbouw. De enige andere landen die in dit profiel passen zijn Portugal en
Griekenland – landen met een gemiddeld inkomen die de eerste stadia
van massale industrialisatie gepasseerd zijn en binnentreden in de
postindustriële economie. India ligt bij zulke economieën achter op
het punt van industrieproducten en landbouw, maar daarop voor op
het punt van diensten: een combinatie die niemand had kunnen plannen. De rol van de consument in de groei van India is al even verrassend geweest. De meeste Aziatische succesverhalen zijn op gang gebracht door overheidsmaatregelen die mensen tot sparen dwingen,
waarbij groei tot stand komt door de accumulatie van kapitaal en door
beleid ten gunste van marktontwikkeling. In India is de consument
koning. Hoger opgeleide jonge Indiërs wachten niet tot ze aan het eind
van hun leven van hun spaargeld een huis kunnen kopen. Ze nemen
een hypotheek. De creditcard-industrie groeit met 35 procent per jaar.
Persoonlijke consumptie heeft in India een verbijsterend aandeel van

67 procent in het bbp, veel hoger dan in China (42 procent) of enig ander Aziatisch land. Het enige land in de wereld waar de consumptie
hoger ligt is Amerika, met 70 procent.[3]

Hoewel de infrastructuur van India verbetert, en verdere aanvullin-
gen en vernieuwingen van de luchthavens, verkeerswegen en havens
van het land op stapel staan, zal India er niet gaan uitzien als China.
Democratie kan bepaalde voordelen met zich meebrengen voor ontwikkeling op lange termijn, maar autocratische regeringen kunnen
grote infrastructurele projecten met een ongeëvenaarde doelmatigheid
plannen en uitvoeren. Dit is duidelijk, ongeacht of je China met India
of met Engeland vergelijkt. De architect Norman Foster heeft me erop
gewezen dat hij, in dezelfde tijd die nodig was voor het milieuonder-
zoek voor één enkel nieuw gebouw op Terminal Five van Heathrow,
de hele nieuwe luchthaven van Beijing van begin tot einde gebouwd
zal hebben, een luchthaven die groter is dan alle vijf terminals van
Heathrow bij elkaar.

Maar zelfs als een uitstekende infrastructuur bij buitenlandse reizigers
en investeerders in de smaak valt en duidelijk aangeeft dat het desbetreffende land in beweging is, kunnen de economische effecten ervan
overdreven worden. Toen China, in de jaren 1980 en begin 1990, het
snelst groeide, had het verschrikkelijke wegen, bruggen en luchthavens –
veel slechtere dan India nu. Zelfs in de ontwikkelde wereld is het land
met de beste infrastructuur niet altijd de winnaar. Frankrijk heeft trei-
nen en wegen waartegen het krakkemikkige systeem in Amerika maar
pover afsteekt. Maar de economie van de vs is al dertig jaar lang de koploper op het punt van groei. Een bloeiende particuliere sector kan uitzonderlijke groei opleveren, zelfs als hij over slechte wegen moet reizen.

Sommige geleerden betogen dat de weg van India duidelijke voordelen biedt. Yasheng Huang van MIT wijst erop dat Indiase ondernemingen hun kapitaal veel doelmatiger gebruiken dan Chinese ondernemingen, deels omdat ze geen toegang hebben tot een bijna onbeperkte
toevoer van kapitaal.[4] Ze houden zich aan mondiale maatstaven en
worden beter geleid dan Chinese firma's. Hoewel India later met zijn

hervormingen is begonnen (en zich dus op een eerder moment in de ontwikkelingscyclus bevindt) dan China, heeft het veel meer ondernemingen van wereldklasse voortgebracht, zoals Tata, Infosys, Ranbaxy en Reliance. En op de lagere niveaus komt het voordeel nog duidelijker naar voren. Elk jaar kent Japan de felbegeerde Demingprijzen voor management-innovatie toe. In de afgelopen vijf jaar zijn deze prijzen vaker toegekend aan Indiase ondernemingen dan aan firma's in enig ander land, met inbegrip van Japan. De financiële sector van India is op zijn minst even transparant en doelmatig als elke andere in het zich ontwikkelende deel van Azië (dat wil zeggen met uitzondering van Singapore en Hongkong).

'De cijfers kunnen de mentaliteitsverandering niet zichtbaar maken,' zegt Vday Kotak, oprichter van een bloeiend bedrijf in financiële dienstverlening. 'Het India waarin ik ben opgegroeid [in de jaren 1960 en 1970] was een ander land. De jonge mensen met wie ik tegenwoordig werk zijn zoveel zelfverzekerder en enthousiaster over wat ze hier kunnen doen.' De oude aanname dat 'made in India' gelijkstaat met tweederangs, is aan het verdwijnen. Indiase ondernemingen kopen aandelen in westerse ondernemingen omdat ze denken dat ze het management ervan kunnen verbeteren. In 2006 en 2007 waren de Indiase investeringen in Engeland groter dan de Engelse investeringen in India.

En het gaat niet alleen om zakendoen. Het stedelijke India bruist van enthousiasme. Modeontwerpers, schrijvers en kunstenaars praten erover hoe ze hun invloed over de hele wereld kunnen uitbreiden. De filmsterren van Bollywood vergroten hun binnenlandse publiek van een half miljard door buiten India nieuwe fans te werven. Cricketers zijn hun sport aan het moderniseren om in het buitenland grote massa's naar de velden te lokken. Het lijkt of honderden miljoenen mensen plotseling de sleutel hebben gevonden om hun mogelijkheden te ontsluiten. Zoals een beroemde Indiër het ooit heeft verwoord: 'Er komt een moment, dat zich in de geschiedenis maar zelden voordoet, waarop we uit het oude in het nieuwe stappen, waarop een tijdperk eindigt en de lang onderdrukte ziel van een natie tot uiting komt.'

Deze woorden, die Indiërs van een bepaalde generatie uit het hoofd kennen, zijn uitgesproken door de eerste minister-president van het land, Jawaharlal Nehru, net na middernacht op 15 augustus 1947, toen Engeland de macht overdroeg aan de Constituerende Assemblee van India. Nehru doelde met deze woorden op de geboorte van India als een onafhankelijke staat. Wat er op dit moment gebeurt is de geboorte van India als een onafhankelijke samenleving – onstuimig, kleurig, open, vitaal, en boven alles klaar voor verandering. India begint niet alleen af te wijken van zijn eigen verleden, maar ook van de ontwikkelingsweg van andere landen in Azië. Het is geen rustig, beheerst, quasi-autoritair land dat zich geleidelijk volgens plan ontsluit. Het is een luidruchtige democratie die haar bevolking ten langen leste in economisch opzicht sterk heeft gemaakt.

Deze verschuiving wordt door de Indiase kranten weerspiegeld. De bladzijden van deze kranten zijn tientallen jaar lang gedomineerd door staatszaken. Doorgaans geschreven in het cryptische jargon van insiders (PM TO PROPOSE CWC EXPANSION AT AICC MEET) legden ze verslag van de handelingen van de regering, grote politieke partijen en bureaucratische lichamen. Alleen een kleine elite begreep deze verslagen, en ieder ander deed alsof. Op dit moment beleven de Indiase kranten een bloeiperiode – een zeldzame oase van groei voor de gedrukte journalistiek – en lopen ze over van verhalen over zakenlieden, technische nieuwtjes, modeontwerpers, winkelcentra en natuurlijk Bollywood (dat nu per jaar meer films maakt dan Hollywood). De Indiase televisie maakt een explosieve groei door, waarbij er elke maand nieuwe kanalen bij lijken te komen. Zelfs in de nieuwssector is het aantal kanalen en de verscheidenheid ervan verbijsterend. In 2006 had India bijna twee dozijn kanalen die uitsluitend nieuws brachten.[5]

Maar er is meer aan de hand dan glitter en glamour. Kijk naar de reactie op de tsunami van 2005. In het verleden zou de enige reactie die de aandacht waard was van de regering zijn gekomen en zou deze reactie weinig meer hebben ingehouden dan de coördinatie van buitenlandse hulp. In 2005 weigerde New Delhi aangeboden hulp uit het bui-

tenland (weer een teken van groeiende nationale trots). Maar de opvallendste verschuiving vond elders plaats. Binnen twee weken nadat
de vloedgolf had toegeslagen hadden Indiërs particulier tachtig miljoen dollar aan de hulpverlening geschonken. Vier jaar eerder, in 2001,
had het een jaar gekost om dezelfde hoeveelheid geld bijeen te brengen
na een zware aardbeving (7,9 op de schaal van Richter) in Gujarat. Particuliere liefdadigheid heeft in Azië doorgaans maar een ondergeschikte plaats ingenomen. Wanneer rijke mensen schenkingen doen, schenken ze aan tempels en heilige mannen. Maar dit lijkt te veranderen.
Een van de rijkste mannen van India, Azim Premji, een multimiljar-
dair uit de technologie, heeft gezegd dat hij het merendeel van zijn fortuin aan een stichting zal nalaten, ongeveer net zoals Bill Gates heeft
gedaan. Anil Aggarwal, nog zo'n miljardair op eigen kracht, heeft
plannen aangekondigd om een miljard dollar te schenken voor de
stichting van een nieuwe particuliere universiteit in Orissa, een van de
armste deelstaten van India. Particuliere en non-profitgroepen raken
betrokken bij gezondheidszorg en onderwijs en nemen functies op
zich die onder de verantwoordelijkheid van de staat zouden moeten
vallen. Naar sommige maatstaven bevindt meer dan 25 procent van de
scholen en 80 procent van de gezondheidszorg in India zich nu buiten
de staatssector.[6] De software-firma Infosys Technologies heeft een eigen stichting opgezet om landelijke gebieden te voorzien van ziekenhuizen, weeshuizen, klaslokalen en schoolboeken.

Dit klinkt ons allemaal vertrouwd in de oren. In één belangrijk opzicht vertoont India, een van de armste landen ter wereld, een treffende gelijkenis met het rijkste land, de Verenigde Staten van Amerika. In
beide landen heeft de samenleving de overhand gekregen op de staat.
Zal deze formule in India even succesvol blijken als hij in Amerika is
geweest? Kan de samenleving de staat vervangen?

Regeren is noodzakelijk

De Indiase staat wordt vaak in een kwaad daglicht gesteld, maar op één punt is hij een doorslaand succes geweest. De Indiase democratie is werkelijk uitzonderlijk. Ondanks zijn armoede heeft India al bijna zestig jaar democratisch bestuur instandgehouden. Wanneer je de vraag stelt: 'Hoe zal India er politiek gesproken over 25 jaar uitzien?' ligt het antwoord voor de hand: 'Net als nu, als een democratie.' Democratie betekent populisme, gesjoemel en uitstel. Maar op de lange termijn betekent het ook stabiliteit.

Het politieke systeem van India heeft veel te danken aan de instellingen die de Engelsen daar tweehonderd jaar geleden hebben ingevoerd. In veel andere delen van Azië en in Afrika waren de Engelsen betrekkelijk kortstondig aanwezig. Maar ze zijn eeuwenlang in India geweest. Ze beschouwden India als de parel in de kroon van hun imperium en hebben in het hele land duurzame instellingen opgebouwd: rechtbanken, universiteiten, bestuursorganen. Maar wat misschien nog belangrijker is, India heeft veel geluk gehad met het voertuig van zijn onafhankelijkheid, de Congrespartij, en zijn eerste generatie van leiders na de onafhankelijkheid, die de beste Engelse tradities instandhielden en zich op oudere Indiase gebruiken baseerden om deze tradities te versterken. Mensen als Nehru hadden misschien niet de juiste economische inzichten, maar ze hadden begrip voor politieke vrijheid en voor de manier waarop ze deze veilig moesten stellen.

Het feit dat er al een politiek en institutioneel kader bestaat, is voor India een belangrijk sterk punt. Natuurlijk hebben alom aanwezige corruptie en politieke patronage veel van deze instellingen aangetast, en soms in zo sterke mate dat ze onherkenbaar zijn geworden. India heeft een opmerkelijk moderne bestuursstructuur – tenminste in theorie. Het heeft rechtbanken, ambtenaren en organen met de juiste samenstelling, taakstelling en zelfstandigheid, tenminste in theorie. Maar ondanks het machtsmisbruik brengt deze basisstructuur ongelooflijke voordelen met zich mee. India heeft geen onafhankelijke cen-

trale bank hoeven te ontwikkelen; het had er al een. Het zal geen onafhankelijke rechtbanken hoeven in te stellen; het kan volstaan met de
bestaande rechtbanken te saneren. En sommige Indiase bestuursorganen, zoals zijn nationale verkiezingscommissie, zijn ook nu al eerlijk,
doelmatig en alom gerespecteerd.

De Indiase staat mag dan op bepaalde gebieden succesvol zijn geweest, op veel andere gebieden heeft hij gefaald. In de jaren 1950 en
1960 heeft India geprobeerd zich te moderniseren door het uitwerken
van een 'gemengd' economisch model tussen kapitalisme en communisme. De uitkomst was een aan handen en voeten gebonden en overmatig gereguleerde private sector en een door en door ondoelmatige
en corrupte publieke sector. De resultaten waren pover en in de jaren
1970, toen India socialistischer werd, werden ze rampzalig. In 1960 was
het bbp per hoofd van India hoger dan dat van China en 70 procent
van dat in Zuid-Korea; op dit moment is het minder dan tweevijfde
van dat van China. In Zuid-Korea is het twintigmaal groter.

Het meest deprimerend is misschien wel de score van India op de
Index van Menselijke Ontwikkeling van de Verenigde Naties, die landen niet alleen beoordeelt op inkomen maar ook op gezondheid, geletterdheid en andere soortgelijke maten. India bezet de 128e plaats van
177 landen, achter Syrië, Sri Lanka, Vietnam en de Dominicaanse Republiek. De geletterdheid van vrouwen staat op een schokkend diepte-
punt van 48 procent. Ondanks een stroom van retoriek over hulp aan
de armen heeft de Indiase regering weinig voor hen gedaan, zelfs vergeleken bij de regeringen van veel andere arme landen. Zij heeft te weinig geïnvesteerd in mensen – in hun gezondheid en hun scholing, en
wanneer hier geld voor werd uitgetrokken werd dit zelden goed besteed. In de jaren 1980 heeft minister-president Rajiv Gandhi berekend
dat van elke tien roepies die voor de armen bestemd waren er slechts
één bij de behoeftige persoon terechtkwam.

Kunnen deze problemen aan de democratie geweten worden? Niet
helemaal. Slecht beleid en slecht bestuur leiden tot mislukking, of ze
nu worden uitgevoerd door dictators of door democraten. Toch kun-

nen bepaalde aspecten van de democratie problematisch blijken te zijn, vooral in een land met wijdverbreide armoede, feodalisme en on- geletterdheid. In India betekent democratie maar al te vaak niet de wil van de meerderheid maar de wil van georganiseerde minderheden zo- als landeigenaren, machtige kasten, rijke boeren, ambtenarenbonden en plaatselijke maffia. (Bijna een op de vijf leden van het Indiase parle- ment is beschuldigd van misdaden als verduistering, verkrachting en moord.) Deze georganiseerde minderheden zijn rijker dan de meeste van hun landgenoten, en ze plunderen de schatkist van de staat om dit zo te houden. De Communistische Partij van India voert bijvoorbeeld geen campagne voor een economische groei die ten goede komt aan de allerarmsten, maar voor de instandhouding van de betrekkelijk be- voorrechte omstandigheden van georganiseerde arbeiders en partij- bonzen. In feite heeft de linkerzijde in India zich in hoofdzaak verzet tegen het beleid dat de massale armoede uiteindelijk heeft terugge- drongen. Bij al deze ideologische en politieke aanstellerij blijven de achthonderd miljoen Indiërs die minder dan twee dollar per dag ver- dienen vaak met hun belangen in de kou staan.

Maar de democratie kan ook dingen rechtzetten, zoals de Indiase democratie in één belangrijke kwestie heeft gedaan. In de jaren 1990 is het land geteisterd door een kwalijke golf van hindoeïstisch nationalis- me, die zich ook, via de Bharatiya Janata Partij, meester heeft gemaakt van de politiek. Deze beweging heeft de haat van hindoes tegen mos- lims aangewakkerd en ook misbruik gemaakt van het politieke gege- ven dat de moslimpopulatie van India, bijna per definitie, volstrekt krachteloos is. Aangezien de gebieden van Brits-Indië waar moslims in de meerderheid waren Pakistan en Bangladesh zijn geworden, zijn moslims bijna overal in India een zwakke minderheid. Maar in de loop van de tijd heeft de oproep van de BJP tot haat en geweld een tegenbe- weging doen ontstaan. In 2004 kwam er een volledig wereldlijke rege- ring aan de macht, onder leiding van Manmohan Singh, de voormali- ge minister van Financiën die de economie van India in de zomer van 1991 had opengesteld. Sonia Gandhi, die de regerende coalitie bij de verkiezingen naar een overwinning had geleid, toonde wijsheid en terughoudendheid door Singh als minister-president aan te wijzen in plaats van deze functie zelf op zich te nemen. Zo leverde het chaotische en vaak corrupte democratische systeem volledig onverwacht als regeringsleider een man op met een ontzaglijke intelligentie, een smetteloze integriteit en grote ervaring. Singh, die in Oxford gepromoveerd was, had al eerder leiding gegeven aan de centrale bank van het land, het ministerie van Planning en het ministerie van Financiën. Zijn breedte, diepte en persoonlijk fatsoen zijn door geen enkele minister-president sinds Nehru geëvenaard.

Maar de uitzonderlijke kwalificaties en het voorbeeldige karakter van Singh hebben het land niet veel geholpen. Al degenen die India een goed hart toedragen zijn teleurgesteld over het tempo van de hervormingen. Na de aanvankelijke golf van hervormingen in de jaren 1990 zijn de regeringen in New Delhi en in de deelstaten voorzichtig geworden met het afschaffen van subsidies en beschermende maatregelen. Evenmin hebben ze de stoot gegeven tot nieuwe, op groei gerichte initiatieven zoals het scheppen van grote economische zones of infrastructurele projecten. Soms hebben ze nieuwe programma's voorgesteld die verdacht veel lijken op programma's die in het verleden weinig succes boekten. Maar deze verlamming kan niet volledig op rekening van de regering-Singh worden geschreven. Een verandering in de regerende partij zal geen hervormingen in Chinese stijl teweegbrengen. Economische hervormingen leiden tot groei maar ook tot ontwrichting, en degenen die door verandering getroffen worden laten zich altijd luider horen dan degenen die ervan profiteren. Voeg hier nog bij de onordelijke politiek van coalities, waarbij altijd iemand op een bepaald moment een voorgenomen hervorming kan blokkeren, en je hebt een recept voor langzame beweging: drie stappen vooruit en twee stappen achteruit. Dat is de prijs van de democratie.

Ondanks het gebrek aan visionair nieuw beleid is zowel de publieke als de private sector in stilte vastbesloten om vooruitgang te boeken. Buiten de kakofonie van de Indiase politiek is er bij de voornaamste

spelers een brede consensus over het beleid. De belangrijkste oppositiepartij, de BJP, kritiseert de regering-Singh op twee fronten: economische hervormingen en een pro-Amerikaanse gezindheid. In feite
heeft deze partij toen zij aan de macht was precies dezelfde standpunten ingenomen als Singh. De veranderingen verlopen in een langzaam
tempo, maar wel in de juiste richting. In India lees je elke week over
een nieuw stel regelingen die versoepeld worden of over vergunningen
die worden ingetrokken. Deze 'stiekeme' hervormingen, die te klein
zijn om krachtig verzet op te roepen bij de nog niet vernieuwde linkerzijde, hebben met elkaar een reëel effect. En het deel van het electoraat
in India dat zich achter de hervorming stelt neemt toe. De middenklasse omvat al driehonderd miljoen mensen. Bovendien biedt de vitaliteit van de Indiase particuliere sector een zeker tegenwicht tegen de
stagnatie in de staatssector.

In ieder geval is er geen andere weg. India is voorbestemd tot democratie. Een land met zoveel verscheidenheid en complexiteit kan op
geen enkele andere manier bestuurd worden. De taak waar een wakke-
re Indiase politicus voor staat is de democratie te gebruiken ten gunste
van het land. Op sommige gebieden gebeurt dit al. De regering heeft
kortgeleden een begin gemaakt met investeringen in onderwijs en gezondheidszorg op het platteland, en richt zich op de verbetering van
de agrarische productiviteit. Goede economie kan soms goede politiek
opleveren – dit is in ieder geval iets waar India op hoopt. Sinds 1993 is
de democratie ook uitgebreid om de dorpen een grotere stem in hun
eigen zaken te geven. Gemeenteraden van dorpen moeten 33 procent
van hun zetels voor vrouwen reserveren, en er zijn nu in dorpen door
het hele land heen een miljoen gekozen vrouwen, wat hun een plat-
form geeft om eisen te stellen op het punt van beter onderwijs en betere gezondheidszorg. Ook de vrijheid van informatie wordt uitgebreid
in de hoop dat mensen zullen aandringen op beter bestuur van hun
plaatselijke leiders en overheidsdienaren. Dit is ontwikkeling van on-
deraf, waarbij de samenleving de staat impulsen geeft.

Zal de staat reageren? De Indiase staat is opgebouwd tijdens de Britse overheersing, sterk uitgebouwd in het socialistische tijdperk, en wordt bemand door bureaucraten die gehecht zijn aan hun kleine bevoegdheden en voorrechten. Ze spelen onder één hoedje met politici die steunen op patronage. Weer anderen hebben zich verbonden met ideeën over socialisme en solidariteit in de derde wereld. Deze ideeën worden gedeeld door veel intellectuelen en journalisten, die allemaal goed geschoold zijn in de laatste radicale ideeën, rond 1968, toen ze student waren. Nu India verandert worden deze oude elites bedreigd en verdubbelen ze hun inspanningen. Veel mensen in de heersende klasse van India voelen zich niet op hun gemak in de moderne, open, commerciële samenleving die ze om zich heen tot ontwikkeling zien komen.

In laatste instantie maakt landsbestuur iets uit. Zelfs de particuliere ondernemingen, het grote succesnummer van India, zouden niet tot bloei kunnen komen zonder een goed geregelde aandelenmarkt en een financieel systeem dat doorzichtig is, arbitrage toepast en regels kan afdwingen, kenmerken waarin de regering voorziet. De bloeiende telecommunicatie-industrie is geschapen door intelligente deregulering en herregulering van de kant van de regering. De Indiase technische hogescholen worden allemaal door de regering bestuurd. De particuliere sector kan geen oplossing brengen voor de aidscrisis of de onderwijsachterstanden op het platteland of de milieuproblemen. De meeste Indiërs, en vooral de armen, kennen alleen maar ontmoedigende contacten met de regering. Ze vinden haar ondoelmatig en corrupt, en vaak beide. Dit is misschien de reden waarom de animositeit tegen ambtsdragers in de laatste dertig jaar de sterkste kracht is geweest bij Indiase verkiezingen: de Indiërs zijn alsmaar bezig de schurken eruit te gooien, in de hoop dat de regering daar beter van zal worden. En de kiezers hebben geen ongelijk. Als het landsbestuur van India niet verbetert zal het land zijn mogelijkheden nooit volledig verwezenlijken.

Misschien is dit wel de centrale paradox van het huidige India. De samenleving is open, gretig en zelfverzekerd, klaar om de wereld tegemoet te treden. Maar de staat – de heersende klasse – is aarzelend en

voorzichtig en staat argwanend tegenover de veranderende werkelijkheid.

    Nergens komt deze spanning duidelijker voor de dag dan op het ge-
bied van de buitenlandse politiek, de steeds grotere en belangrijkere
taak om vast te stellen hoe India zich in de nieuwe wereld moet invoegen.

Blind en tandeloos

Na het bereiken van zijn onafhankelijkheid was India erop gebrand een
grote rol op het wereldtoneel te spelen. Het had deze ambitie geërfd van
Engeland, dat een groot deel van zijn imperium vanuit New Delhi had
bestuurd. In de decennia na de Eerste Wereldoorlog voerde Engeland
het bewind over Irak vanuit India. De imperiale kruistochten van Engeland in het Midden-Oosten en elders werden ondernomen door Indiase soldaten. Het India Office was een centrum van wereldmacht, de belangrijkste buitenpost van het Britse rijk, en Indiërs keken toe bij dit
grote machtsspel en leerden het van de supermacht van die tijd.

    De eerste minister-president van India, Nehru, paste naadloos in
deze traditie. Hij was gevormd als een Engelse gentleman, in Harrow
en Cambridge, was bereisd en belezen, en had veel geschreven over internationale politiek. Zijn historische kennis was uitzonderlijk. Tijdens een van zijn vele periodes in de gevangenissen van Brits-Indië,
deze keer van 1930 tot 1933, schreef hij een reeks brieven aan zijn dochter waarin hij een overzicht gaf van het gehele verloop van de menselijke geschiedenis, van 6000 v.C. tot de huidige dag, met bijzonderheden
over opkomst en verval van grote rijken, uitleg over oorlogen en revoluties, en portretten van koningen en democraten, en dit alles zonder
toegang tot een bibliotheek. In 1934 werden deze brieven gebundeld en
in boekvorm uitgegeven onder de titel *Glimpses of World History*, een
boek dat wereldwijd lof oogstte. De *New York Times* beschreef het als
'een van de opmerkelijkste boeken die ooit zijn verschenen'.

Het was niet verrassend dat Nehru in de buitenlandse politiek van India ieder ander in de schaduw stelde. Gedurende zijn hele ambtsperiode als minister-president van 1947 tot 1964 was hij zijn eigen minister van Buitenlandse Zaken. Een van de eerste *foreign secretaries** van India, K.P.S. Menon, verklaart in zijn autobiografie: 'We hadden geen precedenten om op terug te vallen, omdat India geen eigen buitenlandse politiek had tot het onafhankelijk werd. We hadden niet eens een afdeling voor historisch onderzoek voordat die door mij werd ingesteld. Daarom berustte ons beleid noodzakelijk op de intuïtie van één enkele man, de minister van Buitenlandse Zaken, Jawaharlal Nehru.' Dit betekende dat de vroege buitenlandse politiek van India werd bepaald door de principes en vooroordelen van Nehru, die duidelijk een persoonlijk karakter droegen. Nehru was een idealist, zelfs een moralist. Hij was voor niet-gebondenheid en tegen de Koude Oorlog. Zijn mentor, Mahatma Gandhi, was een onwrikbare pacifist. 'Oog om oog, tand om tand,' placht Gandhi te zeggen, 'dan zal de wereld al snel blind en tandeloos zijn.' De Mahatma werd in India bijna als een god vereerd, en zijn strategie van geweldloosheid had een koloniale overheersing ten grave gedragen. Net als veel van zijn volgelingen was Nehru vastbesloten in de buitenlandse betrekkingen een nieuwe koers uit te zetten die aan deze idealen beantwoordde.

Nehru baseerde de buitenlandse politiek van India op abstracte ideeën in plaats van een strategische benadering van nationale belangen. Hij haalde zijn neus op voor bondgenootschappen, pacten en verdragen omdat hij deze als onderdeel zag van de oude realpolitik, en had geen belangstelling voor militaire zaken. Hij vroeg zijn vriend Lord Mountbatten, de laatste Britse onderkoning (die korte tijd als het eerste staatshoofd van India diende), om het militair apparaat te organiseren en kwam alleen tussenbeide om zich te verzetten tegen elke aanbeveling die te veel macht zou geven aan de militairen in uniform, die Nehru te sterk aan de Britse koloniale structuur deden denken.

* De *foreign secretary* is de hoogste ambtenaar in het ministerie.

Toen Mountbatten de suggestie deed een met veel macht bekleed hoofd van de defensiestaf aan te stellen weigerde Nehru dit, ten gunste van een burgerlijke minister als enige hoogstgeplaatste. Toen hij in zijn nieuwe regering een week in functie was, liep hij het ministerie van Defensie binnen en werd woedend toen hij daar officieren zag werken (zoals het geval is in alle ministeries van Defensie over de hele wereld). Sindsdien draagt al het gewapende personeel in het 'Zuidblok' van New Delhi burgerkleding. Gedurende het grootste deel van Nehru's ambtstermijn was zijn minister van Defensie een naaste politieke ver- trouweling, V.K. Krishna Menon, die nóg minder belangstelling had voor militaire zaken en verre de voorkeur gaf aan lange ideologische discussies in het parlement boven strategische planning.

In de eerste decennia had de Indiase buitenlandse politiek een ver- heven karakter, vol retoriek over vrede en goede wil. Veel westerse waarnemers geloofden dat deze vrome beschouwingen een rookgor- dijn vormden waarachter deze natie handig haar belangen nastreefde. Maar soms zie je echt wat je ziet. In veel van zijn handel en wandel stel- de Nehru hoop boven berekening.* Toen hij bijvoorbeeld gewaar- schuwd werd dat Communistisch China waarschijnlijk zou proberen Tibet te annexeren, betwijfelde hij dit, met als argument dat het een dwaas en onpraktisch avontuur zou zijn. En zelfs nadat Beijing Tibet in 1951 had geannexeerd, wilde Nehru de aard van de Chinese belangen langs de Indiase noordgrens niet in heroverweging nemen. In plaats van over de omstreden grens met China in onderhandeling te treden, kondigde hij eenzijdig het Indiase standpunt af, omdat hij ervan over- tuigd was dat dit het juiste was. En daarom was hij gebroken toen Chi- na India in 1962 binnenviel en het dispuut beslissend in zijn eigen voordeel beslechtte. 'We verloren het contact met de werkelijkheid in

---

* In een recent verschenen boek, *Nehru: The Inventor of India*, schrijft de VN-di- plomaat en historicus Shastri Tharoor dat Nehru in 1952 een voorstel van de VS afwees om de permanente zetel in de VN-Veiligheidsraad van Taiwan over te nemen. Hij deed de suggestie de zetel aan China te geven.

de moderne wereld en leefden in een kunstmatige sfeer die we zelf geschapen hadden,' zei Nehru in een toespraak tot de natie. Hij was
nooit meer dezelfde en stierf twee jaar later tijdens de uitoefening van
zijn ambt.

Hoewel de zalvende retoriek nog niet geheel en al is verdwenen, is
het beleid van India in de loop van de jaren realistischer geworden.
Het is een ironisch gegeven dat dit beleid vooral onsentimenteel en
scherpzinnig is geweest tijdens de regering van Nehru's dochter, Indira
Gandhi. De elite die vormgaf aan de buitenlandse politiek van het land
werd stilaan volwassen. En toch was New Delhi nog steeds niet in staat
een grotere rol in de wereld te spelen. Nehru en Indira Gandhi waren
internationale figuren, maar het optreden van India was onderhevig
aan grote beperkingen. Conflicten in de omgeving met Pakistan, China en Sri Lanka hielden het aan handen en voeten gebonden en beperkten zijn speelruimte. In de Koude Oorlog bleef India losjes verbonden met de Sovjet-Unie en kwam daarmee aan de verliezende kant
van die lange strijd. En ten slotte, en als belangrijkste punt, ging het
met de economische prestaties van India van kwaad tot erger, wat sterke grenzen stelde aan de hulpmiddelen, de aantrekkelijkheid, de status
en de invloed van dit land.

De politicoloog C. Raja Mohan heeft erop gewezen dat de meeste
van deze omstandigheden in de laatste tien jaar veranderd zijn.[7] Na
het einde van de Koude Oorlog begon India tot bloei te komen en
verbeterden de betrekkingen met zijn buren, van China tot Pakistan
tot het kleine Bhutan, opmerkelijk. Het gevolg is dat India wereldwijd
een veel grotere rol is gaan spelen. Het staat nu op het punt ten slotte
toch een grote macht te worden. Bovendien ligt in de kern van zijn
nieuwe rol een veel nauwere betrekking met de Verenigde Staten van
Amerika.

De adelaar en de koe

De meeste Amerikanen zouden zich waarschijnlijk verbazen als ze te horen kregen dat India, ten minste aan de hand van één meting, het meest pro-Amerikaanse land ter wereld is. Het Pew Global Attitudes Survey dat is vrijgegeven in juni 2005 vroeg mensen in zestien landen of zij een gunstige indruk hadden van de Verenigde Staten. Een verbluffende 71 procent van de Indiërs beantwoordde deze vraag bevestigend. Alleen de Amerikanen hadden een gunstiger indruk van Amerika (83 procent). In andere peilingen zijn de cijfers iets lager, maar de hoofduitkomst blijft van kracht: Indiërs voelen zich uitstekend op hun gemak met Amerika en zijn het goedgezind.

Eén reden voor dit feit is dat de Indiase regering tientallen jaren lang geprobeerd heeft een anti-Amerikaanse gezindheid aan de bevolking op te dringen. (Wanneer politici in de jaren 1970 de ellende in India wegwimpelden spraken ze zo vaak van de 'verborgen hand' – waarmee ze de CIA of Amerikaanse bemoeienis in het algemeen bedoelden –, dat de cartoonist R.K. Laxman een echte hand ging tekenen die van bovenaf neerdalend allerlei onheil stichtte.) Maar een belangrijker punt is dat Indiërs Amerika begrijpen. Amerika is een luidruchtige, open samenleving met een chaotisch democratisch systeem, net als hun eigen land. Het kapitalisme in India lijkt als twee druppels water op het vrij worstelen in Amerika. Veel stedelijke Indiërs zijn vertrouwd met Amerika, spreken de taal en kennen wel iemand die daar woont, misschien zelfs een familielid.

De Indiase gemeenschap in de Verenigde Staten heeft tussen de twee culturen een brug geslagen. De term die vaak wordt gebruikt voor Indiërs die hun land verlaten is 'braindrain'. Maar er is voor beide partijen eerder sprake geweest van *braingain*. Indiërs in het buitenland hebben een cruciale rol gespeeld bij de ontsluiting van het moederland. Ze keren terug naar India met geld, ideeën over investering, internationale maatstaven en, wat het belangrijkst is, een gevoel dat Indiërs op elk gebied kunnen presteren. Ooit stelde een

Indiaas parlementslid aan de toenmalige minister-president Indira Gandhi de beroemde vraag: 'Hoe komt het dat Indiërs overal lijken te slagen behalve in hun eigen land?' Verhalen over Indiërs die in Amerika de hoogste regionen bereikt hebben, hebben in India trots en drang tot navolging opgewekt. Van hun kant hebben de Amerikanen India omhelsd omdat zij positieve ervaringen hadden met Indiërs in Amerika.

Net zoals de Indiërs Amerika begrijpen, hebben de Amerikanen ook begrip voor India. Ze staan verbaasd en maken zich zorgen over ondoordringbare besluitvormingselites zoals het Chinese Polibureau of de Iraanse Raad van Wachters. Maar een twistzieke democratie die voortdurend alle kanten opgaat, die begrijpen ze. Bij de onderhandelingen over kernkwesties keken de Amerikanen naar hoe het toeging in New Delhi: hoe mensen die tegen het akkoord waren negatieve verhalen van binnen de regering lieten uitlekken, en hoe politieke tegenstanders de kwestie gebruikten om in andere zaken punten te scoren. Dit kwam hun allemaal heel vertrouwd voor. Dergelijke dingen gebeuren dagelijks in Washington.

De meeste landen onderhouden betrekkingen die zich bijna uitsluitend op regeringsniveau afspelen. We kunnen bijvoorbeeld denken aan de betrekkingen tussen de Verenigde Staten en Saudi-Arabië, die bijna alleen bestaan tussen een paar dozijn hoge functionarissen. Maar soms ontwikkelen banden zich niet alleen tussen staten, maar ook tussen samenlevingen. De Verenigde Staten hebben in twee andere gevallen betrekkingen ontwikkeld die veel verder gaan dan de behartiging van strategische belangen: met Engeland en later met Israël. In beide gevallen waren de banden breed en diepgaand en strekten ze zich veel verder uit dan de sfeer van overheidsdienaren en diplomatieke onderhandelingen. De twee landen kenden elkaar en begrepen elkaar – en werden als gevolg daarvan natuurlijke en bijna permanente partners.

Een dergelijke relatie tussen de Verenigde Staten en India is, op een bepaald niveau, bijna onvermijdelijk. Ongeacht of de twee staten nieuwe verdragen sluiten, raken de twee samenlevingen steeds sterker met elkaar verweven. Een gemeenschappelijke taal, een vertrouwde kijk op de wereld en een toenemende fascinatie voor elkaar brengen zakenlieden, niet-gouvernementele activisten en schrijvers bij elkaar. Dit betekent niet dat de Verenigde Staten en India het over elke politieke kwestie eens zullen zijn. Roosevelt en Churchill verschilden tijdens hun bondgenootschap in oorlogstijd immers ook over verscheidene kwesties van mening, met name over de onafhankelijkheid van India, en Amerika brak met Engeland als gevolg van de Suez-crisis in 1956. Ronald Reagan, een trouwe supporter van Israël, veroordeelde de Israëlische inval in Libanon in 1978. Washington en New Delhi zijn grote mogendheden met complexe buitenlandse verplichtingen en aandachtspunten. Ze hebben verschillende belangen en zullen dus onvermijdelijk van inzicht verschillen over het beleid. Ook hebben ze, in tegenstelling tot Engeland en Amerika, een verschillende kijk op de wereld. De geschiedenis, de religie en de cultuur van India zullen dit land verwijderd houden van een zuiver Amerikaanse kijk op de wereld.

De hindoeïstische wereldopvatting

Ondanks een toenemend gevoel van concurrentie komt India in één opzicht dichter in de buurt van China, een punt dat te maken heeft met de manier waarop de twee landen het wereldtoneel betreden hebben. India heeft zowel afstand genomen van de eigendunk van de Nehru-periode als van de strijdbaarheid van de jaren van Indira Gandhi. Op dit moment maakt India ontwikkeling tot zijn hoogste nationale prioriteit en brengt het deze prioriteit niet alleen in het binnenland maar ook in zijn buitenlandse betrekkingen tot gelding. Minister-president Manmohan Singh heeft herhaaldelijk voor de Indiase buitenlandse politiek een doel gesteld – vrede en stabiliteit ten gunste van ontwikkeling – dat sterk doet denken aan het doel dat in Beijing is geformuleerd. Indiase politici zijn zich veel sterker dan ooit tevoren bewust geworden van de grote problemen die verbonden zijn met de ontwikkeling van een enorme samenle-

ving, vooral een democratische samenleving waarin binnenlandse spanningen snel en diep voelbaar zijn, en richten zich daarom bijna uitsluitend op binnenlandse kwesties. Deze spanning, een land dat een wereldmacht is en tegelijkertijd heel arm, zal de daadkracht van India in het
buitenland beperkingen opleggen. Zij zal vooral met zich meebrengen
dat India niet beschouwd wil worden als mogelijke betrokkene in een
machtsstrijd met China, het land dat nu de belangrijkste handelspartner
van India is.

Dan is er ook nog de Indiase cultuur, met haar eigen fundamentele
uitgangspunten en wereldbeeld. Evenmin als confucianen geloven hindoes in God. Ze geloven in honderdduizenden goden. Elke sekte en sub-
sekte van het hindoeïsme vereert zijn eigen god, godin of heilig wezen.
Elke familie stelt haar eigen bijzondere versie van het hindoeïsme samen. Je kunt bepaalde overtuigingen onderschrijven en andere niet. En
je kunt er ook geen enkele van onderschrijven. Je kunt vegetariër zijn of
vlees eten. Je kunt bidden of niet bidden. Geen enkele van deze keuzen
maakt uit of je een hindoe bent. Er bestaat geen ketterij of afvalligheid
omdat er geen centrale verzameling overtuigingen bestaat, geen leer, en
geen geboden. Niets is vereist en niets is verboden.

Sir Monier Monier-Williams, van 1860 tot 1899 Boden hoogleraar
aan de universiteit van Oxford, was misschien wel de eerste westerling
die het hindoeïsme uitvoerig heeft bestudeerd. Hij werd geboren in
Bombay en was de stichter van het Indian Institute in Oxford, dat een
leerschool werd voor toekomstige Britse bestuurders van India. Zijn
boek *Hinduism*, dat voor het eerst verscheen in 1877, was gebaseerd op
oude Sanskrietteksten en op praktische kennis van het hedendaagse
hindoeïsme. Hij schreef:

[Het hindoeïsme] staat verdraagzaam tegenover alles. Het heeft zijn
spirituele en zijn materiële aspect, zijn esoterische en exoterische, zijn
subjectieve en objectieve, zijn rationele en irrationele, zijn zuivere en
onzuivere. Het kan vergeleken worden met een enorme veelhoek; het
heeft één zijde voor het praktische, één zijde voor het streng morele,

een andere voor het vrome en fantasievolle, een andere voor het zin-
tuiglijke en sensuele, en weer een andere voor het filosofische en be-
schouwelijke. Degenen die zich bepalen tot ceremoniële verplichtingen vinden het volledig toereikend; degenen die het effect van goede
werken ontkennen en geloof als de enige vereiste beschouwen, hoeven
hun heil niet elders te zoeken; degenen die verslaafd zijn aan sensuele
objecten kunnen hun verlangens bevredigd krijgen; degenen die behagen scheppen in meditatie over de aard van God en mens, de relatie
tussen stof en geest, het mysterie van het afzonderlijke bestaan en de
oorsprong van het kwaad, kunnen hier toegeven aan hun liefde voor
bespiegeling. En dit vermogen tot bijna eindeloze uitbreiding leidt tot
bijna eindeloze sektarische verdelingen, zelfs bij de volgelingen van
een bepaalde stroming.

Het opmerkelijkste voorbeeld van het absorptievermogen van het hindoeïsme is de manier waarop het het boeddhisme heeft geïncorporeerd.
Boeddha was een Indiër en het boeddhisme is in India gesticht, maar er
zijn op dit moment praktisch geen boeddhisten in dit land. Dat is niet
een gevolg van vervolging of bekering. In feite is precies het omgekeerde het geval. Het hindoeïsme heeft de boodschap van het boeddhisme
zo volledig in zich opgenomen dat het dit geloof heeft ingekapseld. Als
je tegenwoordig boeddhisten wilt vinden, moet je je duizenden kilome-
ters begeven van de plaats waar hun geloof zijn oorsprong had, naar
Korea, Indonesië en Japan.

De Bengaalse schrijver Nirad Chaudhuri werd bijna tot razernij gebracht door de complexiteit van het hindoeïsme. 'Hoe meer je je verdiept in de bijzonderheden van deze religie, hoe verwarrender zij lijkt,'
schreef hij. 'Het is niet alleen dat je je van dit hele complex geen helde-
re intellectuele voorstelling kunt maken, het is zelfs niet mogelijk met
een samenhangende emotionele reactie weg te komen.'[8] Het hindoeïsme is eigenlijk geen 'religie' in de abrahamische zin van het woord,
maar een losse filosofie, die geen antwoorden heeft maar alleen vragen.
Het enige duidelijke leidende beginsel is ambiguïteit. Als er al een cen-

trale passage is in de belangrijkste tekst van het hindoeïsme, de *Rig Veda*, is het de Scheppingshymne. Deze luidt gedeeltelijk:

Wie weet werkelijk, en wie kan zweren,
Hoe de schepping plaatsvond, wanneer of waar!
Zelfs de goden kwamen naar de scheppingsdag,
Wie weet werkelijk, wie kan naar waarheid zeggen
Wanneer en hoe de schepping begon?
Deed Hij het? Of deed Hij het niet?
Alleen Hij, daarboven, weet het misschien;
Of misschien zelfs Hij niet.

Vergelijk dat met de zekerheden van het boek Genesis.

Maar wat betekent dit alles voor de echte wereld? Hindoes zijn door en door praktisch. Ze kunnen zich gemakkelijk aan de werkelijkheid van de buitenwereld aanpassen. Indiase zakenlieden, die nog steeds voor het merendeel hindoes zijn, kunnen in bijna elke omgeving aarden die handel mogelijk maakt. Of het nu in Amerika, in Afrika of in Oost-Azië is, Indiase kooplieden floreren in elk land waar ze wonen. Zolang ze ergens in hun huis een klein figuurtje kunnen plaatsen om te vereren of bij te mediteren, is hun eigen gevoel van hindoeïsme tevredengesteld. Net zoals het geval was bij het boeddhisme, bevordert het hindoeïsme verdraagzaamheid tegenover verschillen maar ook het absorberen daarvan. De islam is in India van karakter veranderd vanwege zijn contacten met het hindoeïsme: hij is minder abrahamisch en spiritueler geworden. Indiase moslims vereren heiligen en huisaltaren, houden van muziek en beeldende kunst, en hebben een praktischer kijk op het leven dan veel van hun geloofsgenoten in andere landen. Hoewel de opkomst van het islamitisch fundamentalisme in de afgelopen tientallen jaren de islam in India, net als elders, achteruit heeft gezet, zijn er nog steeds bredere maatschappelijke krachten die de islam in de hoofdstroom van de Indiase cultuur meetrekken. Dit verklaart misschien het opmerkelijke gegeven (dat een overdrijving kan blijken) dat er, hoewel er in India honderdvijftig miljoen moslims zijn die de opkomst van de Taliban en Al-Qaeda in het naburige Afghanistan en Pakistan hebben meegemaakt, nooit een Indiase moslim gevonden is die contacten onderhield met Al-Qaeda.

Hoe staat het met de buitenlandse politiek? Het is duidelijk dat Indiërs zich veel beter kunnen vinden in dubbelzinnigheid en onzekerheid dan vele westerlingen, en zeker beter dan Anglo-Amerikanen. Indiërs zullen buitenlandse politiek niet snel opvatten als een kruistocht en evenmin beschouwen ze de bekering van anderen tot de democratie als een belangrijk nationaal streven. De instelling van hindoes is leven en laten leven. Daarom hebben ze er ook bezwaar tegen dat hun land zich openbaar en bindend vastlegt op een bepaalde fundamentele oriëntatie. India zou zich ongemakkelijk voelen als het bestempeld werd als de 'voornaamste bondgenoot' van Amerika in Azië of als onderdeel van een nieuwe 'bijzondere betrekking'. Dit ongemak over ondubbelzinnige en expliciete aanduidingen van vrienden en vijanden is misschien wel een Aziatische karaktertrek. De NAVO is misschien wel het volmaakte bondgenootschap geweest voor een groep westerse landen: een formeel bondgenootschap tegen de expansiedrift van de Sovjet-Unie, met instellingen en militaire oefeningen. In Azië zullen de meeste naties zich tegen zulke uitgesproken evenwichtsmechanismen verzetten. Het is mogelijk dat ze zich allemaal tegen China indekken, maar geen ervan zal dit ooit toegeven. Ongeacht of dit een kwestie is van cultuur of van omstandigheden, zal machtspolitiek in Azië nooit deze naam mogen dragen.

Maar net als in China is het culturele DNA in India overdekt met een laag recentere geschiedenis. In feite heeft India een unieke westerse ervaring doorgemaakt als onderdeel van het Britse rijk – door Engels te leren, Britse politieke en wettelijke instellingen over te nemen, en beleid van het Britse rijk uit te voeren. Het Indiase denken is nu zo doordrongen van liberale ideeën dat deze op vele manieren zijn ingeburgerd. Het wereldbeeld en de buitenlandse politiek van Nehru werden gevormd door invloeden die overwegend westers, liberaal en socialistisch waren. Het debat dat op dit moment overal in het Westen wordt gevoerd over mensenrechten en democratie vindt gemakkelijk onderdak in New Delhi, Mumbai en Chennai. Indiase kranten en ngo's dragen dezelfde aandachtspunten en waarschuwingen aan als westerse. Ze uiten dezelfde kritiek op regeringsbeleid als die in Londen, Parijs en Washington. Maar deze houdingen zijn het kenmerkendst voor de Engelssprekende elite van India, nog steeds een minderheid in het land, die zich in sommige opzichten beter thuisvoelt in het Westen dan in eigen land. (Vraag eens aan een Indiase zakenman, wetenschapper of functionaris wat het laatste boek is dat hij in een andere taal dan Engels gelezen heeft.) Mahatma Gandhi was een meer uitgesproken Indische figuur. Zijn ideeën over buitenlands beleid waren een mengeling van hindoeïstische geweldloosheid en westers radicalisme, met daaroverheen een slimme praktische instelling die hij waarschijnlijk had meegekregen uit zijn achtergrond in het handelsmilieu. Toen Nehru zichzelf de 'laatste' Engelsman noemde die over India regeerde besefte hij dat de eigen culturele wortels van dit land, naarmate het zich ontwikkelde, duidelijker zichtbaar zouden worden en dat het door meer 'authentieke' Indiërs bestuurd zou worden. Deze met elkaar verweven westerse en Indiase invloeden doen zich nu gelden op een zeer modern en snel veranderend wereldtoneel, waar economie en politiek een land als India soms in verschillende richtingen trekken.

Nucleaire macht

De voorgenomen nucleaire overeenkomst tussen Amerika en India is een fascinerend voorbeeld van de spanning tussen een zuiver economische visie op globalisering aan de ene kant en machtspolitiek aan de andere. In 2007 bracht Washington zijn betrekkingen met India op een hoger niveau van samenwerking door onderhandelingen over een nucleaire overeenkomst. Dit zou kunnen lijken op een kwestie voor beleidsvorsers, maar de nucleaire overeenkomst is in feite een belangrijke zaak. Als zij doorzet zal zij het strategische landschap wijzigen door India stevig en onherroepelijk als een belangrijke speler op het wereldtoneel te zetten, de heimelijke nucleaire status van dit land te normaliseren en zijn partnerschap met de Verenigde Staten te consolideren. Deze overeenkomst stelt India op één lijn met de andere leden van de nucleaire club: Amerika, Engeland, Frankrijk, Rusland en China.

Volgens het non-proliferatieverdrag is een land dat in 1968 kernwapens bezat een legitieme kernmogendheid en elk land dat ze later ontwikkelde een bandiet. (Dit was de moeder van alle uitzonderingsclausules.) India, dat in 1971 een kernexplosie tot stand bracht, is het belangrijkste land dat en de enige potentiële wereldmacht die buiten het non-proliferatiestelsel ligt. De regering-Bush heeft betoogd dat de opname van India van cruciaal belang is voor het voortbestaan van het stelsel. Om soortgelijke redenen heeft Mohamed El Baradei, het hoofd van het Internationaal Atoomenergie Agentschap (dat belast is met het toezicht op en de naleving van non-proliferatie), zich een trouwe supporter getoond van de overeenkomst tussen India en de vs.[9] Het nucleaire non-proliferatiestelsel heeft idealisme altijd getemperd met een gezonde dosis realisme. De Verenigde Staten trekken immers de wereld rond met de boodschap dat een paar kernkoppen meer gevaarlijk en immoreel zijn, terwijl ze zichzelf vastklampen aan duizenden kernwapens.

Voor India komt de kernovereenkomst neer op iets heel eenvoudigs: lijkt India meer op China of meer op Noord-Korea? New Delhi redeneert dat de wereld moet accepteren dat India een kernmacht is, terwijl India als tegenprestatie de bereidheid moet tonen zijn programma zo veilig mogelijk te maken. Tot de komst van de regering-Bush probeerde de Amerikaanse politiek tientallen jaren lang het wapenprogramma van India terug te draaien, wat een vruchteloze onderneming bleek te zijn. India is 33 jaar onder Amerikaanse sancties gebukt gegaan zonder een duimbreed te wijken, zelfs toen het nog een veel armer land was, en iedereen die het land begrijpt weet dat het gaarne bereid zou zijn nog eens 33 jaar voort te gaan voor het er zelfs maar over zou denken zijn kernwapens op te geven.

Vanuit een economisch gezichtspunt is de kernovereenkomst voor India niet eens zo essentieel. Zij zou het land een grotere toegang geven tot burgerlijke nucleaire technologieën, wat van belang is voor de voorziening in energiebehoeften. Maar dit maakt slechts een klein deel uit van het algehele ontwikkelingsperspectief. De prikkels van de globalisering zouden New Delhi er eigenlijk toe moeten aanzetten geen tijd meer aan deze kwestie te verspillen, zich te concentreren op ontwikkeling en deze aangelegenheden tot een later moment uit te stellen. Er zijn vele vormen van alternatieve energie en zowel Duitsland als Japan is erin geslaagd de status van een grootmacht te verwerven zonder kernwapens.

De nucleaire aspiraties van India hebben echter te maken met nationale trots en geopolitieke strategie. Veel Indiase politici en diplomaten betreuren het dat India altijd een tweederangsstatus zal houden in vergelijking met China, Rusland en de andere grote kernmachten. In al die landen wordt geen enkele reactor aan inspectie onderworpen, maar India zou ten minste twee derde van zijn programma onder toezicht van het Internationaal Atoomenergie Agentschap moeten stellen. New Delhi stoort zich vooral aan de ongelijke behandeling in vergelijking met China. Indiase functionarissen wijzen er zakelijk op dat China een lange geschiedenis heeft van medeplichtigheid aan nucleaire proliferatie, het duidelijkst via Pakistan. En toch hebben de Verenigde Staten een overeenkomst met Beijing voor de uitwisseling van civiele nucleaire technologie. Dezelfde ambtenaren brengen naar voren dat India een democratisch, transparant land is met een smetteloze staat van dienst op het punt van non-proliferatie. Maar toch heeft men het een dergelijke samenwerking in de afgelopen 33 jaar geweigerd.

In deze kwestie zijn globalisering en geopolitiek werkzaam op verschillende niveaus. Veel Amerikaanse voorstanders van nucleaire ontwapening, die door de Indiërs 'non-proliferatie ayatollahs' worden genoemd, verzetten zich tegen de overeenkomst of zouden er alleen in toestemmen als India zijn productie van kernmateriaal zou beperken. Maar dan zegt New Delhi: kijk naar de kaart, India wordt begrensd door China en Pakistan, allebei kernmogendheden, die geen van beide hebben toegestemd in een opgelegde beperking. (China lijkt net als de andere grote machten gestopt te zijn met de productie van plutonium, maar dit is een vrijwillige beslissing die vooral is genomen omdat China al een overvloed aan splijtstof bezit.) India beschouwt een opgelegde beperking als een eenzijdige nucleaire bevriezing. Dit strategische gegeven speelt ook in de Amerikaanse berekeningen een rol. De Verenigde Staten verzetten zich al lang tegen één enkele leider die Europa of Azië overheerst. Als India gedwongen zou worden zijn nucleaire potentieel te beperken, zonder overeenkomstige beperkingen voor China, zou dit leiden tot een grote en groeiende machtsongelijkheid ten gunste van China. Een voormalige ambassadeur van de vs in India, Robert Blackwill, heeft gevraagd: Waarom is het op de lange termijn in het nationale belang van de Verenigde Staten een regeling te begunstigen waardoor China de dominante en onbetwiste kernmacht in Azië zou worden?[10]

Het bizarre feit is dat het werkelijke struikelblok voor de overeenkomst niet in Washington maar in New Delhi ligt. Toen hun dit aanbod, een aanbod dat je maar één keer in je leven krijgt, werd overhandigd, hebben enkele vooraanstaande Indiase politici en intellectuelen het geweigerd. 'Het lijkt wel of we niet weten hoe we "ja graag" moeten zeggen,' zei Pranoy Roy, de hoofdredacteur van de Indiase nieuwszender NDTV. Terwijl de Indiase minister-president en enkele anderen aan de top van de Indiase regering de onmetelijke kansen zagen die de overeenkomst voor India zou inhouden, werden anderen door oude kwakzalverij en vooroordelen verblind. Veel Indiase elites zijn de wereld door de bril van Nehru blijven zien – India als een arm, deugdzaam derdewereldland, met een neutrale en afstandelijke (en, kun je toevoegen, mislukte) buitenlandse politiek. Ze weten hoe ze in die wereld te werk moeten gaan, bij wie ze moeten bedelen en tegen wie ze zich strijdbaar moeten opstellen. Maar een wereld waarin India een

grote mogendheid is en zich zelfverzekerd op het wereldtoneel be-
weegt, zelf regels stelt en zich niet alleen de wet laat voorschrijven en
waarin het een partner is van het machtigste land in de geschiedenis,
dat is een volstrekt nieuwe en verwarrende suggestie. 'Waarom zijn de
Verenigde Staten nu zo aardig tegen ons?' hebben enkele van deze
commentatoren mij gevraagd. In 2007 zochten ze nog steeds naar de
verborgen hand.

In China is de mandarijnenklasse in staat geweest de nieuwe rol van
het land als een wereldmacht adequaat en effectief te doordenken. Tot
nog toe hebben de elites van India zich niet de gelijken van hun buren
getoond. Ongeacht hoe het de nucleaire overeenkomst verder zal vergaan, werpt de moeilijke ontvangst ervan in New Delhi een helder licht
op de grootste belemmering voor de machtsuitoefening van India in de
komende jaren. India is een sterke samenleving met een zwakke staat.
Het kan zijn nationale macht niet voor een nationaal doel inzetten.

Een aardrijkskundige term

Je kunt niet alleen vaststellen dat India een vreemd land is door naar
slangenbezweerders te kijken, maar ook door te kijken naar zijn ver-
kiezingsuitslagen: In welk ander land zou een explosieve economische
groei je onpopulair maken? In 2004 ging de regerende BJP-coalitie
naar de stembus met de economische wind in de rug, het land groeide
met 9 procent. Maar de BJP verloor de verkiezingen. Huisvlijt van intellectuelen, de meesten met een socialistische oriëntatie, bracht snel
naar voren dat de welvaart hol was geweest, dat de groei was verminderd en dat de BJP het echte India uit het oog had verloren. Maar deze
verklaring houdt bij nader onderzoek geen stand. De armoedecijfers in
India waren in de jaren 1990 snel gedaald en wel met een dergelijke
omvang dat iedereen het kon merken. In elk geval bleef het raadsel na
2004 bestaan. De Congres-coalitie (die op dit moment aan de macht
is) heeft drie jaar lang een groei van boven de 8 procent in stand weten

te houden, maar heeft het er slecht afgebracht in elke regionale verkiezing sinds het moment dat zij in functie is getreden. Zelfs bij legitieme zorgen over ongelijkheid en de verdeling van welvaart, is er in bijna elk land in de wereld een verband tussen groei en regeringspopulariteit. Waarom niet in India?

India is het droomland van Thomas 'Tip' O'Neill. Een beroemde uitspraak van de voormalige voorzitter van het Huis van Afgevaardigden was: 'Alle politiek is plaatselijk.' In India kan dit principe in steen worden gehouwen. De verkiezingen in India zijn eigenlijk helemaal geen nationale verkiezingen. Het zijn gelijktijdige regionale en plaatselijke verkiezingen die geen gemeenschappelijk thema hebben.

De verscheidenheid van India is vierduizend jaar oud en diepgeworteld in cultuur, taal en traditie. Dit is een land met 17 talen en 22 000 dialecten dat eeuwenlang een verzameling was van honderden afzonderlijke vorstendommen, koninkrijken en staten. Toen de Engelsen India in 1947 verlieten, moest de nieuwe regering met meer dan vijfhonderd heersers onderhandelen over hun afzonderlijke toetredingsovereenkomsten, door hen om te kopen, te bedreigen en in sommige gevallen met militair geweld te dwingen zich bij de Indiase unie aan te sluiten. Sinds het verval van het Indiase Nationale Congres in de jaren 1970 heeft geen enkele partij in India een nationaal stempel gedragen. Elke regering die in de afgelopen twintig jaar gevormd is, is een coalitie geweest van een verzameling regionale partijen die onderling weinig gemeen hebben. Ruchir Sharma, die bij Morgan Stanley de portefeuille opkomende markten beheert ter waarde van 35 miljard dollar, wijst erop dat een meerderheid van de 28 staten van het land voor een leidende regionale partij heeft gestemd ten koste van een zogenaamde nationale partij.

Uttar Pradesh in 2007 is een uitstekend voorbeeld. U.P., zoals het in India wordt genoemd, is de grootste deelstaat van het land. (Als het onafhankelijk was, zou het qua inwonertal de zesde plaats krijgen op de wereldranglijst.) Tijdens de campagne van 2007 probeerden de twee nationale partijen kiezers te trekken met wat zij als de grote nationale kwesties beschouwden. De BJP deed zijn uiterste best het hindoe-nationalisme weer tot leven te wekken, en de Congrespartij legde de nadruk op zijn wereldlijke achtergrond en beroemde zich op het groeitempo van het land. Deze twee partijen eindigden met afstand op een derde en vierde plaats, achter plaatselijke partijen die zuiver plaatselijke kwesties benadrukten, in dit geval het mondiger maken van de lagere kasten. Maar wat werkte in U.P. hoeft niet te werken in het zuiden, of zelfs in Mumbai. De scheiding tussen hindoes en moslims kan van cruciaal belang zijn in de ene groep staten, maar is in andere staten afwezig. Politieke leiders die sterk zijn in Tamil Nadu hebben geen enkele aanhang in het noorden. Punjab heeft zijn eigen kenmerkende politieke cultuur die te maken heeft met sikh-kwesties en de geschiedenis van de betrekkingen tussen hindoes en sikhs. Politici uit Rajasthan trekken geen kiezers in Karnataka. Ze kunnen – letterlijk – elkaars taal niet spreken. Het zou net zoiets zijn als je in heel Europa verkiezingen zou houden en over dezelfde kwesties zou proberen te praten met kiezers in Polen, Griekenland, Frankrijk en Ierland. Winston Churchill heeft ooit gezegd dat India niet meer was 'dan een aardrijkskundige term, met net zo weinig politieke persoonlijkheid als Europa'. Churchill had het met betrekking tot India meestal aan het verkeerde eind, maar hier sloeg hij de spijker op de kop.

Deze verscheidenheid en verdeeldheid heeft veel voordelen. Zij draagt bij aan de variatie en de maatschappelijke vitaliteit in India en voorkomt dat het land ten prooi valt aan een dictatuur. Toen Indira Gandhi in de jaren 1970 probeerde de regering op een autoritaire en gecentraliseerde manier te laten functioneren, werkte dit domweg niet en leidde het tot heftige opstanden in zes verschillende regio's. In de laatste twintig jaar heeft het regionalisme in India gefloreerd en heeft het land zijn natuurlijke orde gevonden. Zelfs hypernationalisme wordt lastig in een land met een grote verscheidenheid. Wanneer de BJP het hindoe-chauvinisme probeert te ontketenen als een politiek wapen tegen de moslim-minderheid in India, merkt zij vaak dat hindoes uit lagere kasten en Indiërs uit het zuiden worden afgeschrikt en verontrust door de retoriek, die hun exclusief en elitair in de oren klinkt.

Maar deze verscheidenheid en verdeeldheid compliceren ook het werk van de Indiase staat. De beperkende omstandigheden van de afgelopen tien jaar zijn geen voorbijgaande verschijnselen die vanzelf zullen verdwijnen; ze zijn de uitdrukking van een structurele werkelijkheid in de Indiase politiek. Ze maken het moeilijk voor New Delhi om een nationaal belang te omschrijven, het land daarachter te krijgen en vervolgens een stel beleidsmaatregelen uit te voeren om zijn doel te bereiken, ongeacht of dit betrekking heeft op economische hervorming of buitenlandse politiek. De minister-president kan niet beschikken over nationale macht op de manier van Nehru, en waarschijnlijk zal geen enkele minister-president hiertoe in de toekomst ooit nog in staat zijn. Terwijl de minister-president ooit de opperbevelhebber was is hij nu de bestuursvoorzitter, en de heersende partij is nu de eerste onder haar gelijken geworden in een coalitie. De centrale regering geeft vaak toe aan de voorrechten en de macht van de regionale regeringen, die steeds assertiever en onafhankelijker worden. In economische termen betekent dit dat er in de toekomst zal worden doorgemodderd, met kleinschalige hervormingen, en met bezieling en experimenten op het niveau van de afzonderlijke staten. Voor het buitenlands beleid betekent het geen grote verschuivingen in benadering, weinig grote verbintenissen, en een minder actieve en energieke rol op het wereldtoneel. India zal in internationale zaken een grotere rol gaan spelen dan ooit tevoren. Het zal Zuid-Azië domineren. Maar het zal misschien niet de wereldmacht worden waarop sommigen hopen en die anderen vrezen. Tenminste, voorlopig niet.

Als er ooit al een wedstrijd tussen India en China geweest is, is deze voorbij. De economie van China is driemaal zo groot als die van India en groeit nog steeds in een hoger tempo. De wet van alle beetjes helpen zegt ons dat India China op economisch gebied alleen kan inhalen als er in de ontwikkeling van beide landen drastische en langdurige verschuivingen optreden die tientallen jaren voortduren. Het meer voor de hand liggende scenario is dat China ruimschoots op India voor zal blijven. Maar India kan nog steeds munt slaan uit zijn voordelen: een enorme, groeiende economie, een aantrekkelijke politieke democratie, een levenskrachtig model van secularisme en verdraagzaamheid, een uitstekende kennis van zowel Oost als West, en een bijzondere betrekking met Amerika. Als het deze krachten kan mobiliseren en tot zijn voordeel kan aanwenden, zal India nog steeds afstevenen op een macht van betekenis, ongeacht of het formeel gesproken de nummer twee, drie of vier van de wereld is.

Een situatie die voor het huidige India relevant is, is de situatie van de Verenigde Staten van Amerika aan het einde van de negentiende eeuw. De politieke ontwikkeling van Amerika tot een wereldmacht werd aanzienlijk vertraagd door binnenlandse omstandigheden. Tegen het jaar 1890 had Amerika Engeland als de grootste economie ter wereld ingehaald, maar in diplomatieke en militaire termen was het een tweederangsmogendheid. Het leger van de vs kwam op de veertiende plaats, na dat van Bulgarije. De marine was achtmaal zo klein als die van Italië, ook al was de industriële kracht van de vs op dat moment dertien maal groter. De vs namen weinig deel aan internationale ontmoetingen of congressen en de Amerikaanse diplomaten waren in mondiale zaken onbelangrijke spelers. Washington was een kleine, provinciale stad, de federale regering had beperkte bevoegdheden en het presidentschap werd niet overal als een sleutelpositie beschouwd. Amerika was aan het eind van de negentiende eeuw onmiskenbaar een zwakke staat, en er waren tientallen jaren, grote binnenlandse veranderingen en diepe internationale crises voor nodig om hierin verandering te brengen. Tijdens de nasleep van depressies en wereldoorlogen groeide de Amerikaanse staat (Washington), werd hij gecentraliseerd en verwierf hij een onbetwiste leiderspositie ten opzichte van andere staten. En te beginnen bij Theodore Roosevelt en Woodrow Wilson begonnen Amerikaanse presidenten Amerika als een wereldmacht te karakteriseren.

Alles welbeschouwd was de basis van de Amerikaanse macht – een vitale Amerikaanse samenleving – de grootste kracht en de grootste zwakte van de vs. Deze samenleving heeft de gigantische economie en de ondernemingsgeest van Amerika voortgebracht. Maar ze heeft de opkomst van de vs ook met horten en stoten en langs kronkelpaden doen verlopen, en de vs altijd onzeker gemaakt over hun rol op het wereldtoneel. Misschien zal India in een dergelijke situatie komen te verkeren: het zal dan een samenleving hebben die voortreffelijk reageert op de kansen van een geglobaliseerde wereld, een samenleving die zal groeien en bloeien in de mondiale economie en de mondiale samenleving. Maar het politieke systeem van India is zwak en poreus en daarom niet goed toegerust om zijn rechtmatige rol in deze nieuwe wereld te vervullen. Een reeks van crises zou dit alles kunnen veranderen, maar bij ontstentenis van een ernstige schok zal de Indiase samenleving in het nieuwe mondiale spel op de Indiase staat vooruit blijven lopen.

Deze spanning tussen samenleving en staat is tot op de huidige dag ook aanwezig in Amerika. Het is de moeite waard dit in gedachten te houden wanneer we onze aandacht vestigen op de belangrijkste speler in de eenentwintigste eeuw en ons afvragen hoe Amerika zelf op een post-Amerikaanse wereld zal reageren.

6

De Amerikaanse macht

Op 22 juni 1897 kregen ongeveer vierhonderd miljoen mensen over de hele wereld, een vierde deel van de mensheid, een vrije dag. Het was de zestigste verjaardag van de troonsbestijging van koningin Victoria. Dit diamanten jubileum strekte zich te land en ter zee over vijf dagen uit, maar het hoogtepunt werd gevormd door de parade en de dankdienst op 22 juni. De elf minister-presidenten van de Britse koloniën met zelfbestuur waren aanwezig, met vorsten, hertogen, ambassadeurs en gezanten uit de rest van de wereld. In een militaire stoet van vijftigduizend soldaten liepen huzaren uit Canada mee, cavaleristen uit Nieuw-Zuid-Wales, carabinieri uit Napels, troepen met kamelen uit Bikaner, Gurkha's uit Nepal en vele, vele anderen. Zoals een historicus het beschreef was het 'een Romeins moment'.

Het jubileum werd gemarkeerd door grote feestelijkheden in alle hoeken van het Britse rijk. 'In Hyderabad werd een op elke tien veroordeelden in vrijheid gesteld,' schreef James Morris. 'Er was een groot bal in Rangoon, een diner in het paleis van de sultan op Zanzibar, een saluut van kanonneerboten in de Tafelbaai, een "grootscheeps onthaal in de zondagsschool" in Freetown, een optreden van het Hallelujah Chorus in Happy Valley in Hongkong.' In Bangalore werd een standbeeld van de koningin opgericht en Vishakapattnam kreeg een nieuw stadhuis. In Singapore werd een standbeeld van Sir Stamford Raffles in het centrum van Padang geplaatst, en er werd een fontein aangelegd in het midden van de openbare tuinen in Shanghai (niet eens een kolonie). Tienduizend schoolkinderen marcheerden door de straten van Ottawa en zwaaiden met Engelse vlaggen. Enzovoort.[1]

In het moederland, in Londen, zat de jonge Arnold Toynbee, een jongen van acht jaar, op de schouders van zijn oom met grote aandacht naar de parade te kijken. Toynbee, die de beroemdste historicus van zijn tijd zou worden, herinnerde zich dat de aanblik van de pracht van die dag de indruk maakte alsof de zon 'midden in de hemel bleef stilstaan, zoals hij ooit had stilgestaan op verzoek van Jozua.' 'Ik herinner me de sfeer,' schreef hij. 'Die sfeer hield in: we staan op het topje van de wereld en we zullen daar voor altijd blijven. Er is natuurlijk zoiets als geschiedenis, maar geschiedenis is iets vervelends wat andere mensen overkomt. Ik ben er zeker van dat we daarvan verschoond zullen blijven.'[2]

Maar natuurlijk heeft de geschiedenis Engeland niet met rust gelaten. En de vraag voor de supermacht van onze eigen tijd is: zal Amerika ook met de geschiedenis te maken krijgen? (Heeft het er al mee te maken?) Geen enkele analogie klopt helemaal, maar Engeland op het hoogtepunt van zijn macht is de natie die ooit het dichtst genaderd is tot de positie die Amerika op dit moment inneemt. Wanneer we erover nadenken of en hoe de krachten van verandering Amerika zullen beïnvloeden, is het de moeite waard zorgvuldige aandacht te schenken aan de ervaring van Groot-Brittannië.

Veel van de dilemma's waarvoor Engeland heeft gestaan echoën nog na. De recente militaire interventies van Amerika in Somalië, Afghanistan en Irak zijn allemaal voorafgegaan door Engelse militaire interventies in diezelfde landen tientallen jaren geleden. De fundamentele strategische problematiek die voortkomt uit het feit dat je de enige werkelijk mondiale speler bent is vrijwel dezelfde. Maar er zijn ook diepgaande verschillen tussen het Engeland van toen en het Amerika van nu. Bij zijn pogingen om de status van supermacht te behouden was het grootste probleem voor Engeland niet politiek maar economisch. In het geval van Amerika ligt deze verhouding andersom.

De reikwijdte van Engeland

In de wereld van tegenwoordig is het moeilijk je de omvang van het Britse rijk zelfs maar voor te stellen. Op zijn hoogtepunt bedekte het ongeveer een kwart van het landoppervlak van de aarde en omvatte het een kwart van de wereldbevolking. Het Engelse netwerk van koloniën, mandaatgebieden, bases en havens omspande de hele aardbol, en het rijk werd beschermd door de Royal Navy, de grootste zeemacht in de geschiedenis. Tijdens het Diamanten Jubileum was er in Portsmouth een vlootschouw van 165 schepen met veertigduizend manschappen en drieduizend kanonnen, de grootste vloot die ooit bij elkaar was gebracht.* In de kwarteeuw daarvoor waren de gebieden van het rijk met elkaar verbonden door 170 000 nautische mijlen aan onderzeese kabels en 662 000 mijlen aan boven- en ondergrondse kabels, en hadden Britse schepen bijgedragen aan de ontwikkeling van het eerste wereldomspannende communicatienetwerk via de telegraaf. De verbindingen tussen de rijksdelen werden verder versterkt door spoorwegen en kanalen (vooral het Suezkanaal). Met al deze voorzieningen creëerde het Britse rijk de eerste werkelijk mondiale markt.

Amerikanen spreken over de aantrekkingskracht van hun eigen cultuur en ideeën, maar de 'zachte macht' is feitelijk in de negentiende eeuw bij Engeland begonnen. Dankzij het Rijk verbreidde het Engels zich als een wereldtaal, die werd gesproken vanaf het Caribisch gebied tot Caïro en van Kaapstad tot Calcutta. De Engelse literatuur: Shakespeare, Sherlock Holmes, *Alice in Wonderland*, *Tom Brown's School Days*, raakte overal bekend. Verhalen en figuren uit Engeland gingen

---

* Het schouwspel werd met grote interesse gevolgd door waarnemers van veertien buitenlandse oorlogsvloten. Een van hen, de Duitse schout-bij-nacht prins Hendrik van Pruisen, keek met jaloerse blikken toe vanaf het dek van zijn in Engeland gebouwde slagschip, dat kortgeleden tot kruiser was gedegradeerd. Hij en zijn broer, keizer Wilhelm ii, verlangden er vurig naar de Britten in maritieme macht naar de kroon te steken. Deze geschiedenis liep slecht af.

sterker dan die uit enig ander land deel uitmaken van de internationale cultuur.

Hetzelfde gold voor veel Engelse waarden. De historicus Claudio Véliz wijst erop dat de twee grootmachten van de zeventiende eeuw, Engeland en Spanje, beide probeerden hun ideeën en gebruiken naar hun westelijke koloniën over te brengen. Spanje wilde de contrareformatie wortelen in de Nieuwe Wereld; Engeland wilde daar religieus pluralisme en kapitalisme tot bloei brengen. Het bleek dat de ideeën van Engeland algemener ingang vonden dan die van Spanje. In feite zijn de gewoontes in de moderne samenleving doordrongen van de waarden van de eerste industriële natie ter wereld. Engeland is misschien wel de succesvolste exporteur van de eigen cultuur geweest in de menselijke geschiedenis. We spreken tegenwoordig over de Amerikaanse droom, maar daarvóór was er sprake van een 'Engelse levensstijl', die over de hele wereld werd afgekeken, bewonderd en nagevolgd. Zo zijn de ideeën over eerlijk spel, atletiek en amateurisme die verkondigd werden door de beroemde Engelse pedagoog dr. Thomas Arnold, het schoolhoofd van Rugby (waar *Tom Brown's Schooldays* zich afspeelde) sterk van invloed geweest op de Franse baron de Coubertin, toen deze in 1896 de moderne Olympische Spelen instelde. De schrijver Ian Buruma heeft de olympiade treffend omschreven als 'een arcadische fantasie van de Engelsen'.

In juni 1897 besefte men dit niet allemaal, maar veel ervan wel. De Engelsen waren bij lange na niet de enigen die vergelijkingen maakten tussen hun rijk en Rome. *Le Figaro* in Parijs verklaarde dat Rome 'geëvenaard was, zo niet overtroffen, door de macht die in Canada, Australië, India, in de Chinese zeeën, in Egypte, Centraal- en Zuidelijk-Afrika, op de Atlantische Oceaan en in de Middellandse Zee de volkeren regeert en hun belangen behartigt.' De *Kreuz-Zeitung* in Berlijn, die doorgaans de opvattingen van de anti-Engelse Junker-elite weerspiegelde, beschreef het Britse rijk als 'praktisch onaantastbaar'. En aan de andere kant van de Atlantische Oceaan jubelde de *New York Times*: 'Wij maken deel uit, en een groot deel, van het Gro-

tere Brittannië dat zo duidelijk voorbeschikt lijkt deze planeet te overheersen.'

De neergang van Engeland

De verheven positie van Engeland was kwetsbaarder dan zij leek. Nog
maar twee jaar na het Diamanten Jubileum begon het Verenigd Koninkrijk de Boerenoorlog, een conflict dat door vele historici wordt aangemerkt als het ogenblik waarop de wereldmacht van het Britse rijk begon
te tanen. Londen was er zeker van dat het deze strijd zonder veel moeite
kon winnen. Het Britse leger had tenslotte juist een soortgelijke slag tegen de derwisjen in Sudan gewonnen, ondanks het feit dat de tegenstander over meer dan tweemaal zoveel manschappen beschikte. In de Slag
van Omdurman sneuvelden er in slechts vijf uur 48 000 derwisjen, terwijl het Britse leger zelf maar 48 soldaten verloor.[3] Velen in Engeland
dachten dat een overwinning op de Boeren nog veel gemakkelijker te behalen zou zijn. Tenslotte, zoals een parlementslid het uitdrukte, ging het
om 'het Britse rijk tegen 30 000 boeren'.

De oorlog werd met ogenschijnlijk deugdelijke argumenten gemotiveerd: het ging om de rechten van de Engelssprekende bevolking van
Zuid-Afrika, die als tweederangsburgers werden behandeld door de
heersende Nederlandse emigranten, de Boeren. Maar Londen verloor
ook niet uit het oog dat Zuid-Afrika, na de ontdekking van goud in dit
gebied in 1886, een kwart van de wereldproductie van goud voort-
bracht. Daar kwam nog bij dat de Afrikaners een preventieve aanval
lanceerden, en zo begon de oorlog in 1899.

Van meet af aan had de oorlog voor Engeland een slecht verloop.
Engeland had meer manschappen en betere wapens en bracht zijn
beste generaals in het veld (onder wie Lord Kitchener, de held van
Omdurman). Maar de Boeren verdedigden zich fanatiek, kenden het
land, hadden de steun van een groot deel van de blanke bevolking en
gebruikten succesvolle guerrillatactieken, waarbij ze onverwachts en

snel toesloegen. In het veld had het enorme militaire overwicht van
Engeland weinig betekenis en de Britse bevelhebbers namen hun toe-
vlucht tot wreedheden – het in de as leggen van dorpen, het bijeen-
drijven van burgers in concentratiekampen (de eerste ter wereld), en
tot het zenden van steeds meer troepen. Uiteindelijk had Engeland
450 000 manschappen in zuidelijk Afrika, tegenover een militie van
45 000.

De Boeren konden Engeland niet voor eeuwig tegenhouden en in
1902 gaven ze zich over. Maar vanuit een breder gezichtspunt verloor
Engeland de oorlog. Het had 45 000 mannen opgeofferd, een half miljard pond uitgegeven, het uiterste van zijn leger gevergd en een enorme incompetentie en corruptie in zijn oorlogsinspanning laten zien.
Bovendien hadden de gevolgde strijdmethoden Engeland in het oog
van de wereld zwartgemaakt. In het binnenland veroorzaakte of ont-
hulde dit alles een diepe verdeeldheid over de rol van Engeland in de
wereld. In het buitenland tekenden alle andere grootmachten – Frankrijk, Duitsland en de Verenigde Staten – verzet aan tegen het optreden
van Londen. 'Ze hadden geen vrienden,' schreef de historicus Lawrence James over de Engelsen in 1902.[4]

Nu snel doorspoelen naar vandaag. Een andere almachtige en in militair opzicht onoverwinnelijke supermacht behaalt een gemakkelijke
overwinning in Afghanistan en onderneemt dan een volgende, op het
oog eenvoudige operatie, ditmaal tegen het geïsoleerde regime van
Saddam Hoessein in Irak. Het resultaat: een snelle aanvankelijke militaire overwinning die gevolgd wordt door een lange, moeizame strijd,
met een reeks politieke en militaire blunders onder de streng veroor-
delende blik van de wereld. De analogie is duidelijk: de Verenigde Staten is Engeland, de oorlog in Irak is de Boerenoorlog, en als verdere
stap: de toekomst van Amerika ziet er somber uit. Ongeacht de uitkomst van de oorlog in Irak zijn de kosten ervan tot nu toe duizeling-
wekkend. De Verenigde Staten hebben zich aan deze oorlog vertild en
zijn erdoor van de wijs gebracht, het leger heeft onder te grote druk gestaan, het imago van de vs is bezoedeld geraakt. Schurkenstaten als

Iran en Venezuela en grootmachten als Rusland en China trekken voordeel uit de onoplettendheid en tegenspoed van Washington. Het bekende thema van het verval van een groot rijk wordt opnieuw ten tonele gevoerd. De geschiedenis herhaalt zich.

Maar ongeacht de ogenschijnlijke overeenkomsten zijn de omstandigheden niet werkelijk identiek. Engeland was een vreemdsoortige supermacht. Historici hebben honderden boeken geschreven om uit te leggen hoe Londen door een bepaald buitenlands beleid te voeren zijn lot had kunnen veranderen. Als het de Boerenoorlog maar vermeden had, zeggen sommigen. Als het maar uit Afrika was weggebleven, zeggen anderen. Niall Ferguson doet de provocerende suggestie dat Engeland, wanneer het buiten de Eerste Wereldoorlog was gebleven (en zonder de Engelse deelneming was er misschien geen wereldoorlog geweest), zijn positie als grootmacht had kunnen behouden. Er zit enige waarheid in deze redenering (door de Eerste Wereldoorlog ging Engeland failliet), maar om de zaken op de juiste wijze in de historische context te plaatsen moet deze geschiedenis ook vanuit een ander gezichtspunt bekeken worden. Het kolossale Britse rijk was het product van unieke omstandigheden. Het wonderlijke is niet dat Engeland in verval raakte, maar dat de Britse overheersing zo lang standhield als het geval was.[5] Een inzicht in de manier waarop Engeland zijn kaarten uitspeelde, kaarten die in de loop van de tijd slechter werden, kan licht werpen op hoe Amerika zijn toekomst moet uitstippelen.

De vreemde ontstaansgeschiedenis van de Engelse macht

Engeland is al eeuwenlang een rijk land (en was voor het grootste deel van die tijd ook een grote macht), maar het was maar weinig langer dan een generatie een economische supermacht. We begaan vaak de vergissing dat we de hoogtijdagen van Engeland dateren aan de hand van grote evenementen zoals het Diamanten Jubileum, die op dat moment als blijken van macht werden beschouwd. Maar in feite waren de beste jaren van Engeland in 1897 al voorbij. Het bereikte zijn hoogtepunt een generatie eerder, van 1845 tot 1870. Op dat moment produceerde Engeland meer dan 30 procent van het mondiale bbp. Zijn energieverbruik was vijfmaal groter dan dat van de Verenigde Staten en Pruisen en 155 maal dat van Rusland. Het was verantwoordelijk voor een vijfde deel van de wereldhandel en twee vijfde van de industriële productie van de wereld.[6] En dit alles met slechts 2 procent van de wereldbevolking!

In 1820, toen bevolking en landbouw de belangrijkste factoren van het bbp waren, was de Franse economie groter dan die van Engeland. Aan het eind van de jaren 1870 hadden de Verenigde Staten Engeland op de meeste industriële criteria geëvenaard en het kort na 1880 zelfs voorbijgestreefd, zoals Duitsland ongeveer vijftien jaar later eveneens zou doen. Ten tijde van de Eerste Wereldoorlog was de Amerikaanse economie tweemaal zo groot als die van Engeland, en bij elkaar opgeteld waren die van Frankrijk en Rusland ook groter. In 1860 produceerde Engeland 53 procent van het ijzer van de wereld (toen een teken van de grootste industriële kracht); in 1914 produceerde het minder dan 10 procent.

Er zijn natuurlijk veel manieren om macht te meten. Politiek gesproken was Londen tijdens de Eerste Wereldoorlog nog steeds de hoofdstad van de wereld. In de wereld buiten Europa was het gezag van Londen ongeëvenaard en grotendeels onbetwist. Engeland had een koloniaal imperium verworven in een periode vóór de aanzet van het nationalisme en daarom waren er weinig belemmeringen voor het vestigen en handhaven van gezag op ver verwijderde plaatsen. De maritieme macht van Engeland was langer dan een eeuw zonder gelijke. Engeland had zich ook buitengewoon bekwaam getoond in het besturen van een groot rijk. Als gevolg van dit rijk bleef Engeland de boventoon voeren in het bankwezen, de scheepvaart, het verzekeringswezen en de beleggingswereld. Londen was nog steeds het centrum van de internationale financiën en het pond was nog steeds de reservevaluta van de hele wereld. Zelfs in 1914 investeerde Engeland tweemaal zoveel kapitaal in het buitenland als zijn naaste concurrent Frankrijk, en vijfmaal zoveel als de Verenigde Staten. De economische revenuen van deze investeringen en andere vormen van 'onzichtbare handel' maskeerden in sommige opzichten de teruggang van Engeland.

In werkelijkheid bevond de Engelse economie zich echter op een hellend vlak. In die tijd bestond een nationale economie nog in hoofdzaak uit industriële productie, en de goederen die Engeland produceerde vertegenwoordigden eerder het verleden dan de toekomst. In 1907 produceerde Engeland vier keer zoveel rijwielen als de Verenigde Staten, maar de Verenigde Staten produceerden twaalf keer zoveel auto's. De kloof was zichtbaar in de chemische industrie, de productie van wetenschappelijke instrumenten en op vele andere gebieden. De algemene tendens was duidelijk: de Engelse groeicijfers daalden van 2,6 procent op het hoogtepunt naar 1,9 procent vanaf 1885, en bleven dalen. De Verenigde Staten en Duitsland groeiden in dezelfde periode met rond vijf procent. Terwijl Engeland bij de eerste industriële revolutie het voortouw had genomen, was het er niet in geslaagd de overgang naar de tweede zonder kleerscheuren door te komen.

Al kort nadat de teruggang van Engeland was ingezet, zijn wetenschappers in discussie geraakt over de oorzaken ervan. Sommigen hebben hun aandacht gericht op de geopolitiek; anderen op economische factoren zoals lage investeringen in nieuwe fabrieken en outillage, slechte arbeidsverhoudingen en een verlies van handelskennis. Het Britse kapitalisme was ouderwets en onbuigzaam gebleven. Britse industrieën werden eerder opgezet als kleinschalige ondernemingen met geschoolde ambachtslieden dan als de rationeel georganiseerde massafabrieken die van de grond kwamen in Duitsland en de Verenigde Staten. Er waren ook aanwijzingen voor bredere culturele problemen. Naarmate Engeland rijker werd, verloor het onderwijs zijn praktische oriëntatie. Natuurwetenschap en aardrijkskunde werden ondergeschikt gemaakt aan literatuur en filosofie. De Britse samenleving behield een feodaal karakter, dat de landadel daaraan verleend had. Deze elite trok zijn neus op

voor industrie en technologie, zelfs zozeer dat succesvolle ondernemers
zich het air gaven van aristocraten, met landhuizen en paarden, en alle
sporen van de herkomst van hun geld probeerden uit te wissen. In plaats
van scheikunde of elektrotechniek te studeren sleten hun zonen hun dagen in Oxbridge met het tot zich nemen van de geschiedenis en literatuur van het oude Griekenland en Rome.[7]

Misschien was geen van deze tekortkomingen doorslaggevend. Paul
Kennedy wijst erop dat de Engelse overheersing in de negentiende
eeuw het product was van een reeks van zeer ongebruikelijke omstandigheden. Op grond van zijn pakket aan machtsmiddelen – geografie,
bevolking en rijkdommen – kon Engeland redelijkerwijs 3 tot 4 procent van het mondiale bbp verwachten, maar het aandeel van Engeland steeg tot rond tien keer dat cijfer. Naarmate deze ongebruikelijke
omstandigheden verdwenen, omdat ook andere westerse landen zich
industrialiseerden, Duitsland een eenheid werd en de Verenigde Staten hun scheiding tussen Noord en Zuid ophieven, was Engeland
voorbestemd om in verval te raken. De Engelse staatsman Leo Amery
zag dit in 1905 duidelijk in. 'Hoe kunnen deze kleine eilanden op den
duur standhouden tegenover zulke grote en rijke landen als de Verenigde Staten en Duitsland op korte termijn zullen worden?' vroeg hij.
'Hoe kunnen wij met veertig miljoen mensen concurreren met staten
die bijna twee keer zo groot zijn?' Dit is een vraag die veel Amerikanen
nu over de Verenigde Staten stellen bij de aanblik van de opkomst van
China.

Goede politiek, slechte economie

Nadat het zijn economische suprematie had verloren, wist Engeland
zijn positie als de leidende wereldmacht nog tientallen jaren te handhaven dankzij een combinatie van strategische scherpzinnigheid en
goede diplomatie. Toen Londen het machtsevenwicht zag verschuiven
nam het al snel een cruciale beslissing die zijn invloed nog tientallen

jaren zou rekken: het besloot zich aan te passen aan de opkomst van Amerika in plaats van deze te bestrijden. In de decennia na 1880 gaf Londen in de ene na de andere kwestie toe aan een groeiend en zelfbewust Washington. Het was niet gemakkelijk voor Londen om gezag af te staan aan zijn voormalige kolonie, een land waarmee het twee oorlogen had gevoerd (de Onafhankelijkheidsoorlog en de oorlog van 1812) en waar het in de recente Burgeroorlog met de afscheidingsbeweging had gesympathiseerd. Niettemin stond Engeland het westelijk halfrond uiteindelijk af aan zijn voormalige kolonie, hoewel het daar zelf ook enorme eigen belangen had.*

Dit was een strategische meesterzet. Als Engeland naast al zijn andere verplichtingen geprobeerd had de opkomst van de Verenigde Staten te weerstaan, zou het zijn doodgebloed. Bij alle fouten van de volgende halve eeuw betekende de strategie van Londen jegens Washington, die sinds de jaren 1890 door alle Engelse regeringen is gevolgd, dat Engeland zijn aandacht op andere probleemsituaties kon richten. Als gevolg hiervan bleef het oppermachtig op zee door alle scheepvaartroutes onder controle te houden met 'vijf sleutels' waarvan men zei dat deze de wereld op slot hielden: Singapore, de Kaap van Afrika, Alexandrië, Gibraltar en Dover.

Gedurende vele tientallen jaren handhaafde Engeland zijn gezag over het Rijk en zijn wereldwijde invloed met betrekkelijk weinig tegenstand. Bij de afwikkeling van de Eerste Wereldoorlog verkreeg het bijna vijf miljoen vierkante kilometer aan grondgebied en dertien miljoen nieuwe onderdanen, in hoofdzaak in het Midden-Oosten. Niettemin werd de kloof tussen zijn politieke rol en zijn economische capaci-

---

* Tijdens een van de crises waarbij Engeland zich uiteindelijk gewonnen gaf, over een grens tussen Venezuela en Brits Guyana in 1895, merkte Joseph Chamberlain, de minister van Koloniën, boos op: 'Engeland is een Amerikaanse mogendheid met een groter grondgebied dan de Verenigde Staten zelf en met rechten die zijn verkregen vóór de onafhankelijkheid van de Verenigde Staten.' (Hij doelde hiermee op Canada.)

teit groter. Hoewel het Rijk misschien oorspronkelijk winstgevend was geweest, legde het in de twintigste eeuw een zware druk op de Britse schatkist. Dit was geen tijd voor dure gewoontes. De Britse economie wankelde. De Eerste Wereldoorlog kostte meer dan veertig miljard dollar, en Engeland, dat ooit de grootste crediteur van de wereld was geweest, had na het einde van de oorlog schulden ten bedrage van 136 procent van de binnenlandse productie.[8] De tienvoudige stijging van het financieringstekort betekende dat rond 1925 alleen al de rentelasten de helft van de regeringsbegroting beliepen. Engeland wilde zijn militaire macht behouden en kocht na de Eerste Wereldoorlog voor een prikje de Duitse vloot, zodat het voorlopig zijn status als de grootste zeemacht kon handhaven. Maar in 1936 waren de defensie-uitgaven van Duitsland driemaal zo hoog als die van Engeland.[9] In hetzelfde jaar waarin Italië Abessinië binnenviel bracht Mussolini ook vijftigduizend manschappen naar Libië, tienmaal zoveel als de Britse troepen die het Suezkanaal bewaakten.[10] Dit waren de omstandigheden – met de herinnering aan een recente wereldoorlog waarin meer dan zevenhonderdduizend jonge Britten gesneuveld waren – die de Engelse regeringen van de jaren 1930 ertoe brachten tegenover de krachten van het fascisme de voorkeur te geven aan wensdenken en concessiepolitiek boven confrontatie.

De strategie werd nu gedicteerd door financiële zorgen. De beslissing om van Singapore een 'grote marinebasis' te maken is hiervan een uitstekend voorbeeld. Engeland zag dit 'oostelijke Gibraltar' als een strategische flessenhals tussen de Indische en de Grote Oceaan die de expansie van Japan naar het Westen kon tegenhouden. (Engeland had de mogelijkheid zijn bondgenootschap met Tokio in stand te houden – alweer verzoeningspolitiek – maar de Verenigde Staten en Australië hadden daartegen bezwaar gemaakt.) De strategie was verstandig. Maar in het licht van de precaire financiële situatie van Engeland was er niet genoeg geld om deze basis te bekostigen. De marinewerven waren te klein voor een vloot die het tegen de Japanners kon opnemen, er was onvoldoende brandstof en de fortificaties waren ontoereikend.

Toen de Japanners in 1942 hun aanval deden, viel Singapore binnen een week.

De Tweede Wereldoorlog was de laatste nagel aan de doodkist van de Engelse economische macht. (In 1945 was het Amerikaanse bbp tienmaal zo groot als dat van Engeland.) Maar zelfs tijdens deze oorlog bleef Engeland een opmerkelijk grote invloed behouden, ten minste voor een deel vanwege de bijna bovenmenselijke energie en ambitie van Winston Churchill. Als je bedenkt dat de Verenigde Staten het grootste deel van de economische kosten van de geallieerden betaalden en dat Rusland de grootste verliezen aan mensenlevens leed, moest Engeland over een buitengewone wilskracht beschikken om een van de drie grote machten te blijven die over het lot van de naoorlogse wereld beslisten. De foto's van Roosevelt, Stalin en Churchill op de conferentie van Jalta in februari 1945 zijn enigszins misleidend. Er was geen 'grote drie' in Jalta. Er was een 'grote twee', aangevuld met een briljante politieke ondernemer die zichzelf en zijn land in het spel wist te houden, zodat Engeland tot ver in de twintigste eeuw een groot aantal kenmerken van een grote mogendheid kon handhaven.

Natuurlijk stond hier een prijs op. Als tegenprestatie voor hun leningen aan Londen namen de Verenigde Staten tientallen Britse bases in het Caribisch gebied, Canada, de Indische Oceaan en de Grote Oceaan over. 'Het Britse rijk wordt overgedragen aan de Amerikaanse pandjesbaas, onze enige hoop,' zei een parlementslid. De econoom John Maynard Keynes wond zich hier sterker over op en beschreef de Leen- en Pachtwet als een poging 'de ogen van het Britse rijk uit te pikken'. Minder emotionele waarnemers zagen in dat het onvermijdelijk was. Arnold Toynbee, tegen die tijd een vooraanstaand historicus, troostte de Engelsen met de opmerking dat 'de hand van Amerika heel wat lichter zal zijn dan die van Rusland, Duitsland of Japan, en ik neem aan dat dit de alternatieven zijn'.

De crux is dat Engeland niet op grond van een slechte politiek zijn wereldmacht verloor, maar vanwege een slechte economie. Het had een grote invloed in de wereld, maar zijn economie was structureel zwak. Bovendien bracht Engeland zijn zaak verdere schade toe door ondoordachte maatregelen: eerst loslaten van de gouden standaard en daar later weer naar terugkeren, het optrekken van tariefmuren rond het Rijk en het aangaan van enorme oorlogsschulden. Na de Tweede Wereldoorlog nam Engeland een socialistisch economisch programma aan, het Beveridge-plan, dat grote delen van de economie nationaliseerde en strak reguleerde. Dit plan was misschien begrijpelijk als reactie op de gehavende toestand van het land, maar in de jaren 1960 en 1970 had het de Engelse economie doen stagneren, totdat Margaret Thatcher deze in de jaren 1980 weer tot leven bracht.

Ondanks zeventig jaar achteruitgang in zijn relatieve economische positie speelde Londen zijn steeds minder sterke kaarten met een indrukwekkende politieke bedrevenheid uit. De geschiedenis van Engeland houdt enkele belangrijke lessen in voor de Verenigde Staten.

De voortdurende vitaliteit van Amerika

Eerst is het echter van wezenlijk belang op te merken dat de centrale factor in de teruggang van Engeland, een onomkeerbare economische achteruitgang, niet op de huidige Verenigde Staten van toepassing is. De economische toppositie van Engeland hield enkele tientallen jaren stand; die van Amerika duurt al langer dan honderddertig jaar. De economie van de vs is al de grootste van de wereld sinds het midden van de jaren 1880 en is dat nog steeds. In feite heeft Amerika vanaf het bereiken van de toppositie onafgebroken een opmerkelijk constant aandeel gehad in het mondiale bbp. Met de korte uitzondering van de periode van kort vóór 1950 tot 1960 – toen de rest van de geïndustrialiseerde wereld vernietigd was en het aandeel van Amerika steeg tot 50 procent! – nemen de Verenigde Staten al langer dan honderd jaar ruwweg een kwart van de wereldproductie voor hun rekening (32 procent in 1913, 26 procent in 1960, 22 procent in 1980, 27 procent in 2000 en 26 procent in 2007).* In de komende twintig jaar zal dit aandeel waarschijnlijk licht teruglopen. De meeste schattingen gaan ervan uit dat de economie van de vs in 2025 in termen van het nominale bbp nog steeds tweemaal zo groot zal zijn als die van China (hoewel het verschil in koopkracht kleiner zal zijn).[11]

Dit verschil tussen Amerika en Engeland kan worden afgelezen uit de druk van hun militaire begroting. Engeland heerste over de zeeën, maar niet op het vasteland. Het Britse leger was zo klein dat de Duitse kanselier Otto von Bismarck ooit gekscherend opmerkte dat hij de Britten bij een inval in Duitsland door de plaatselijke politie zou laten arresteren. Tegelijkertijd legde het overwicht van Londen op de wereldzeeën – de Britse marine had een grotere tonnage dan de twee daaropvolgende oorlogsvloten bij elkaar – een rampzalig beslag op de schatkist. De Amerikaanse strijdkrachten hebben daarentegen op elk niveau de suprematie: te land, ter zee en in de lucht. Hun begroting, die bijna 50 procent van de defensiebegrotingen van de wereld uitmaakt, is groter dan die van de eerstvolgende veertien landen bij elkaar. Sommige mensen beweren dat dit cijfer de militaire voorsprong van de vs op de rest van de wereld nog te zwak tot uitdrukking brengt omdat het geen rekening houdt met de wetenschappelijke en technologische voorsprong van de vs. De Verenigde Staten besteden meer geld aan onderzoek en ontwikkeling op het gebied van defensie dan alle andere landen bij elkaar. En wat nog het belangrijkste is: ze gaan er niet door failliet. Als percentage van het bbp bedragen de defensie-uitgaven nu 4,1 procent, een lager percentage dan tijdens het grootste deel van de Koude Oorlog. (Onder Eisenhower steeg het tot 10 procent van het bbp.) Het geheim ligt in de noemer. Doordat het bbp van de vs steeds groter wordt, worden bestedingen die het land vroeger de nek

---

*   Deze cijfers zijn gebaseerd op wisselkoersen en niet aangepast aan levensstandaarden. Uitgedrukt in kkp-dollars zouden de cijfers zijn: 19 procent in 1913, 27 procent in 1950, 22 procent in 1973, 22 procent in 1998 en 19 procent in 2007. De kkp-cijfers vertonen ook hetzelfde patroon: dat de Amerikaanse productiviteit betrekkelijk stabiel is gebleven op rond 20 procent van het mondiale bbp.

zouden breken betaalbaar. Afhankelijk van het ingenomen gezichtspunt kan de oorlog in Irak als een tragedie of als een lovenswaardige
onderneming worden beschouwd. Maar in geen van beide gevallen zal
deze oorlog voor de Verenigde Staten leiden tot een bankroet. De oorlog is kostbaar geweest, maar het prijskaartje van Irak en Afghanistan
bij elkaar, 125 miljard dollar per jaar, vertegenwoordigt minder dan 1
procent van het bbp. Hiermee vergeleken kostte Vietnam in 1970 1,6
procent van het Amerikaanse bbp en tienduizenden meer levens van
soldaten.

De capaciteit van de Amerikaanse defensie is niet de oorzaak van de
sterkte van de vs, maar het gevolg daarvan. De brandstof ervoor wordt
geleverd door de economische en technologische basis van Amerika,
die buitengewoon sterk blijft. De Verenigde Staten zien zich geconfronteerd met grotere, diepere en bredere uitdagingen dan ooit tevoren in hun geschiedenis, en de opkomst van de anderen betekent dat
het aandeel van de vs in het mondiale bbp enigermate zal teruglopen.
Maar dit proces is niet te vergelijken met de terugval van Engeland in
de twintigste eeuw, toen dit land zijn leidende positie op het gebied
van innovatie, vitaliteit en ondernemingsgeest verloor. Amerika zal
een vitale, bruisende economie blijven, in de voorhoede van de komende revoluties in wetenschap, technologie en industrie – zolang het
de uitdagingen waar het voor staat kan accepteren en zich daaraan kan
aanpassen.

De toekomst is al begonnen

Als ik wil uitleggen hoe het Amerika in de nieuwe wereld zal vergaan
zeg ik soms: 'Kijk om je heen.' De toekomst is al begonnen. In de afgelopen twintig jaar heeft de globalisering aan breedte en diepte gewonnen. Meer landen brengen producten op de markt, de commu-
nicatietechnologie heeft het speelveld geëgaliseerd, kapitaal kan zich
nu vrijelijk over de hele wereld verplaatsen. Amerika heeft van deze

tendensen kolossaal geprofiteerd. De economie heeft honderden miljarden dollars aan investeringen binnengekregen – een zeldzaamheid voor een land met zoveel eigen kapitaal. Amerikaanse ondernemingen zijn met veel succes in nieuwe landen en sectoren doorgedrongen en hebben nieuwe technologieën en processen gebruikt, dit alles om hun productiviteit te versterken. Hoewel de dollar twintig jaar lang erg duur is geweest, is de Amerikaanse export op peil gebleven.

De groei van het bbp, het cruciale cijfer, ligt al 25 jaar lang gemiddeld net boven de 3 procent, aanmerkelijk hoger dan in Europa. (Japan haalde in dezelfde periode een gemiddelde van 2,3 procent.) De groei van de productiviteit, het wondermiddel van de moderne economie, is al tien jaar hoger dan 2,5 procent, opnieuw een vol procentpunt hoger dan het Europese gemiddelde. In de rangschikking van het Wereld Economisch Forum zijn de Verenigde Staten op dit moment de meest concurrerende economie van de wereld. Deze rangorde wordt vanaf 1979 elk jaar vastgesteld, en de toppositie van de vs is redelijk constant gebleven, hoewel in de afgelopen jaren soms overgenomen door kleine Noord-Europese landen als Zweden, Denemarken en Finland (die met elkaar een bevolking hebben van twintig miljoen, minder dan de staat Texas). De superieure groeicurve van Amerika zal misschien niet standhouden en misschien zal er in de komende jaren sprake zijn van een groei die voor een hoogontwikkeld industrieland 'normaler' is. Maar het belangrijkste punt – dat Amerika ondanks zijn enorme omvang een zeer dynamische en baanbrekende economie is – blijft van kracht.

Kijk naar de industrieën van de toekomst. Nanotechnologie (toegepaste wetenschap voor de beheersing van materie op atomair of moleculair niveau) zal in de komende vijftig jaar waarschijnlijk tot fundamentele doorbraken leiden. Men vertelt mij dat huishoudens ergens in de toekomst producten uit grondstoffen zullen samenstellen en dat ondernemingen eenvoudigweg de formules zullen ontwikkelen die atomen in goederen omzetten. Ongeacht of dit een loze fantasie is of een betrouwbare voorspelling verdient het aandacht dat de Verenigde Staten aan de hand van elk denkbaar criterium dit gebied domineren. Zij hebben meer toepassingsgerichte nanocentra dan de eerstvolgende drie naties (Duitsland, Engeland en China) bij elkaar, en veel van de nieuwe centra richten zich op specifieke thema's met een hoog potentieel voor praktische, verkoopbare toepassingen, zoals het Emory-Georgia Tech Nanotechnology Center for Personalized and Predictive Oncology. De overheidsinvesteringen van de Verenigde Staten in nanotechnologie bedragen bijna het dubbele van die van de naaste mededinger Japan. En terwijl China, Japan en Duitsland aardig wat tijdschriftartikelen over nanowetenschap en -technologie bijdragen, hebben de Verenigde Staten meer patenten op nanotechnologie verstrekt dan de rest van de wereld, wat een helder licht werpt op het uitzonderlijke vermogen van Amerika om abstracte theorie in praktische producten om te zetten.

De firma Lux, onder leiding van dr. Michael Holman, heeft een rekenmodel ontwikkeld om de algemene concurrentiepositie van landen met betrekking tot nanotechnologie vast te stellen. Hun analyse kijkt niet alleen naar activiteiten op het gebied van nanotechnologie, maar ook naar het vermogen om 'groei te genereren uit wetenschappelijke innovatie'.[12] Ze hebben vastgesteld dat bepaalde landen die veel geld uitgeven aan onderzoek, hun wetenschap niet zakelijk kunnen exploiteren. Deze landen, met het karakter van ivoren torens, hebben een indrukwekkende onderzoeksbegroting, tijdschriftartikelen en zelfs patenten, maar weten dit om een bepaalde reden niet om te zetten in verkoopbare goederen en ideeën. China, Frankrijk en zelfs Engeland behoren tot deze categorie. Maar liefst 85 procent van het risicodragend kapitaal dat geïnvesteerd is in nanotechnologie is bij Amerikaanse ondernemingen terechtgekomen.

Biotechnologie, een brede categorie die betrekking heeft op het gebruik van biologische systemen ten behoeve van medische, agrarische en industriële producten, is nu al een miljardenindustrie. Ook deze industrie wordt gedomineerd door de Verenigde Staten. In 2005 is meer dan 3,3 miljard dollar aan risicodragend kapitaal aan biotechnologie-ondernemingen in de vs verstrekt, terwijl Europese ondernemingen met de helft van dit bedrag genoegen moesten nemen. Latere aandelenuitgiftes (na beursintroductie) waren in de Verenigde Staten meer dan zevenmaal hoger dan in Europa. En hoewel Europese beursintroducties in 2005 meer geld aantrokken is deze activiteit sterk fluctuerend – in 2004 was de waarde van beursintroducties in de vs meer dan viermaal die van Europa. Net als in het geval van nanotechnologie blinken Amerikaanse ondernemingen uit in het vertalen van ideeën in verkoopbare en winstgevende producten. De Amerikaanse inkomsten uit biotechnologie benaderden in 2005 de vijftig miljard dollar, vijfmaal zoveel als die van Europa, en bedroegen 76 procent van de wereldwijde inkomsten.*

Het is algemeen bekend dat de industriële productie bezig is de Verenigde Staten te verlaten, zich te verplaatsen naar de ontwikkelingslanden en Amerika te veranderen in een diensteneconomie. Veel Amerikanen en Europeanen maken zich zorgen over deze overgang en vragen zich af wat hun land nog zal produceren wanneer alles in China wordt gemaakt. Maar de industriële productie in Azië moet bekeken worden binnen de context van een mondiale economie waarin landen als China een belangrijk deel zijn gaan uitmaken van de toevoerketen – maar niettemin slechts een deel.

James Fallows, die voor de *Atlantic Monthly* schrijft, heeft een jaar in China doorgebracht om deze industriële gigant van dichtbij gade te slaan, en presenteert een overtuigende verklaring – die door Chi-

---

* Natuurlijk maakt informatie van publieke ondernemingen maar een deel uit van het totale beeld, omdat meer dan driekwart van de 4203 biotech-ondernemingen van de wereld private ondernemingen zijn. Europa heeft een groter aandeel in de private biotech-ondernemingen van de wereld, 42 procent van het totaal (vergeleken bij 31 procent in Amerika). Van de publieke biotech-ondernemingen is echter een groter deel in de Verenigde Staten gevestigd (50 procent tegenover 18 procent in Europa), wat misschien wijst op een volwassener Amerikaanse markt.

nese zakenlieden goed begrepen wordt – van de manier waarop outsourcing de Amerikaanse concurrentiepositie heeft versterkt. De
meeste Amerikanen, zelfs deskundigen op het gebied van management, hebben nog nooit gehoord van de *smiley curve*. Maar Chinese
industriëlen kennen die heel goed. Deze curve, die zijn naam ontleent aan de U-vormige glimlach op het emoticon van een blij gezicht uit de jaren zeventig, ☺, illustreert de ontwikkeling van een
product, van conceptie tot consumptie. Links bovenaan de curve begin je met het idee en het industriële ontwerp op hoog niveau: hoe
het product er zal uitzien en hoe het zal werken. Meer naar onderen
langs de curve komt het gedetailleerde productieplan. Onderaan de
curve vindt de feitelijke productie, assemblage en verzending plaats.
Daarna volgen opwaarts aan de rechterkant van de curve distributie,
marketing, verkoop, onderhoudscontracten en de verkoop van onderdelen en accessoires. Fallows signaleert dat China in bijna alle gevallen de onderkant van de curve behartigt en Amerika de bovenkant
– de twee uiteinden van de U, waar het geld ligt. 'De eenvoudigste
manier om dit te zeggen – dat het echte geld zit in de merknaam en
in de verkoop – kan vanzelfsprekend lijken,' schrijft hij, 'maar de implicaties zijn verhelderend.'[13] Een treffend voorbeeld hiervan is de
iPod: deze wordt meestal buiten de Verenigde Staten geproduceerd,
maar het grootste deel van de toegevoegde waarde komt terecht bij
Apple in Californië. Deze onderneming maakte een brutowinst van
80 dollar op een 30-gigabyte video-iPod die (eind 2007) voor 299
dollar over de toonbank ging. De winst bedroeg 36 procent van de
geschatte groothandelsprijs van 224 dollar. (En hier kun je de winst
uit verkoop nog bijvoegen wanneer de iPod in een Apple-winkel
werd verkocht.) De totale kosten van de onderdelen waren 144 dollar.[14] Daarentegen hebben Chinese industriëlen maar een marge van
enkele procenten op hun producten.

De beste industrie van Amerika

'Jawel,' zeggen de mensen die zich nog meer zorgen maken, 'maar dan kijk je naar het plaatje van vandaag. Naarmate Amerika zijn wetenschappelijke en technologische basis verliest, wordt zijn voorsprong snel uitgehold.' In de ogen van sommigen is wetenschappelijke achteruitgang symptomatisch voor een breder cultureel verval. Het land dat ooit heeft vastgehouden aan een puriteinse ethiek van uitgestelde behoeftebevrediging is een land geworden dat verslaafd is geraakt aan vluchtige pleziertjes. We verliezen onze belangstelling voor fundamentele zaken als wiskunde, industriële productie, hard werken en sparen, en we zijn bezig een postindustriële samenleving te worden die zich specialiseert in consumptie en ontspanning. 'Er zullen in 2006 in de Verenigde Staten meer mensen afstuderen met een sportdiploma dan met een diploma in elektronica,' zei de algemeen directeur van General Electric, Jeffrey Immelt. 'Dus als we de massage-hoofdstad van de wereld willen worden, zijn we al aardig op weg.'[15]

Geen enkele statistiek kan deze bezorgdheid beter weergeven dan de daling van het aantal technisch geschoolde mensen. In 2005 publiceerde de National Academy of Sciences een rapport met de waarschuwing dat de Verenigde Staten hun leidende positie in de natuurwetenschappen snel zouden kunnen verliezen. Het rapport vermeldde dat er in 2004 in China 600000 ingenieurs afstudeerden, in India 350000 en in de Verenigde Staten 70000. Deze aantallen werden overgenomen in honderden artikelen, boeken en blogs, waaronder een omslagartikel in *Fortune*, het succesboek van Thomas Friedman *The World Is Flat*, de *Congressional Record* en toespraken van technologiegiganten als Bill Gates. Deze cijfers lijken inderdaad aanleiding te geven tot wanhoop. Wat mogen de Verenigde Staten nog verwachten als er voor elke gediplomeerde Amerikaanse ingenieur elf ingenieurs uit China en India klaarstaan? Het rapport wees erop dat een onderneming voor de prijs van één scheikundige of ingenieur in de Verenigde Staten vijf goed opgeleide en gretige scheikundigen in China zou kunnen inhuren of elf ingenieurs in India.

Het enige probleem is dat deze cijfers er heel ver naast zitten. Een journalist, Carl Bialik van de *Wall Street Journal*, en verscheidene academici hebben deze zaak onderzocht. Zij kwamen er al snel achter dat er in de Aziatische cijfers ook afgestudeerden van twee- en drie-jarige opleidingen waren opgenomen, mensen die gekwalificeerd zijn voor eenvoudige technische taken. Een groep hoogleraren van de Pratt School of Engineering aan Duke University heeft China en India bezocht om gegevens te verzamelen uit gouvernementele en niet-gouvernementele bronnen, en zakenlieden en academici te interviewen. Zij zijn tot de conclusie gekomen dat het Chinese cijfer bij weglating van de afgestudeerden van twee- en driejarige opleidingen wordt gehalveerd tot ongeveer 350 000 afgestudeerden, en dat dit getal waarschijnlijk nog aanzienlijk wordt opgeblazen door verschillende definities van het begrip 'engineer', dat in het Engels vaak ook automonteurs en industriële reparateurs omvat. Bialik noteert dat de National Science Foundation, die deze cijfers in de Verenigde Staten en andere landen bijhoudt, het Chinese cijfer op ongeveer 200 000 diploma's per jaar stelt. Ron Hira, een hoogleraar in openbaar beleid aan het Rochester Institute of Technology, stelt het aantal Indiase afgestudeerden op 120 000 à 130 000 per jaar. Dit betekent dat de Verenigde Staten in feite per hoofd meer ingenieurs opleiden dan India of China.[16]

De cijfers zeggen niets over kwaliteit. Als iemand die in India is opgegroeid heb ik een heilig respect voor de deugden van de beroemde technische hogescholen daar, de Indian Institutes of Technology (ITT). Hun voornaamste kracht is dat zij een van de onbarmhartigste selectieve toelatingsexamens hebben. Driehonderdduizend mensen leggen het examen af en vijfduizend mensen worden toegelaten, dus een percentage van 1,7 procent (vergeleken bij 9 tot 10 procent voor Harvard, Yale en Princeton). De mensen die ervoor slagen zijn de beste en intelligentste uit één miljard. Zij zullen het er in elk willekeurig onderwijssysteem goed afbrengen. Maar zelfs veel van de ITT's zijn beslist tweederangs, met een middelmatige uitrusting, onverschillige docenten en fantasieloze opdrachten. Rajiv Sahney, die aan een ITT studeerde en daarna bij Caltech ging werken, zegt: 'Het belangrijkste pluspunt van een ITT is het toelatingsexamen, dat zich er uitstekend voor leent om buitengewoon intelligente studenten te selecteren. Op het punt van onderwijs en faciliteiten kunnen de ITT's de vergelijking met een behoorlijk Amerikaans technisch instituut niet doorstaan.' En wanneer je verder kijkt dan de ITT's en dergelijke elitaire instituten – die minder dan tienduizend studenten per jaar laten slagen – is de kwaliteit van het hoger onderwijs in China en India nog steeds buitengewoon pover, waardoor zoveel studenten deze landen verlaten om elders een opleiding te volgen.

Deze losse indrukken worden door harde gegevens ondersteund. In 2005 deed het McKinsey Global Institute onderzoek naar de 'opkomende mondiale arbeidsmarkt' en stelde daarbij vast dat een steekproef van 28 lagelonenlanden bij benadering 33 miljoen jonge hoger opgeleiden* ter beschikking had, vergeleken bij slechts 15 miljoen in een steekproef van acht landen met hogere lonen (de Verenigde Staten, het Verenigd Koninkrijk, Duitsland, Japan, Australië, Canada, Ierland en Zuid-Korea).[17] Maar hoeveel van deze jonge deskundigen in lagelonenlanden hadden de vereiste vaardigheden om op een mondiale arbeidsmarkt te concurreren? 'Slechts een fractie van de potentiële applicanten zou met succes in een buitenlandse onderneming kunnen werken,' rapporteerde het onderzoek, en het gaf hiervoor enkele verklaringen, met als belangrijkste de lage kwaliteit van de opleiding. Zowel in India als in China zijn de kwaliteit en de kwantiteit van het onderwijs, buiten het kleine aantal elitescholen, volgens het rapport laag. Slechts 10 procent van de Indiërs ontvangt een vorm van postsecundair onderwijs. Ondanks de enorme vraag naar ingenieurs zijn er dus maar betrekkelijk weinigen

---

* Het cijfer van McKinsey omvat hoger geschoolden die een opleiding hebben gevolgd in techniek, financiën of onderzoek binnen levenswetenschappen, en 'professionele generalisten' zoals medewerkers in callcenters. Jonge hoger opgeleiden worden omschreven als gediplomeerden met maximaal zeven jaar ervaring.

die goed opgeleid zijn. Het salaris van geschoolde ingenieurs stijgt in beide landen met 15 procent per jaar, een duidelijk teken dat de vraag het aanbod overtreft. (Wanneer je als werkgever kon beschikken over een jaarlijks aanbod van tienduizenden goed opgeleide ingenieurs zou je je werknemers niet jaar na jaar een salarisverhoging van 15 procent hoeven te geven.)

Hoger onderwijs is de beste bedrijfstak van Amerika. Er is tweemaal een rangorde opgesteld van universiteiten over de hele wereld. In één daarvan, een zuiver kwantitatief onderzoek dat in China is uitgevoerd, liggen acht van de top tien universiteiten van de wereld in de Verenigde Staten. In het andere, meer kwalitatieve onderzoek van het Londense *Times Higher Education Supplement* zijn het er zeven. Na de eerste tien komen de aantallen wat dichter bij elkaar. Van de top twintig liggen er 17 respectievelijk 11 in Amerika; van de top vijftig 38 respectievelijk 21. Maar in hoofdzaak is het hetzelfde verhaal. Met vijf procent van de wereldbevolking zijn de Verenigde Staten de absolute leider op het gebied van hoger onderwijs, met 42 respectievelijk 68 procent van de top 50 universiteiten van de wereld (afhankelijk van het onderzoek waarop je je baseert). Op geen ander gebied is de voorsprong van Amerika zo overweldigend.*

Een rapport uit 2006 van het in Londen gevestigde Centre for European Reform, 'The Future of European Universities', wijst erop dat de Verenigde Staten 2,6 procent van hun bbp in hoger onderwijs investeren, vergeleken bij 1,2 procent in Europa en 1,1 procent in Japan. Vooral de situatie in de natuurwetenschappen is opmerkelijk. Een lijst van de plekken waar de duizend beste computerwetenschappers zijn opgeleid laat zien dat de tien meest voorkomende scholen allemaal in Amerika liggen. De uitgaven van de vs voor onderzoek en ontwikkeling blijven hoger dan die van Europa, en de Amerikaanse samenwerking

---

* De rechtse aanval op de Amerikaanse universiteiten, als zouden deze wereldvreemde ivoren torens zijn, heeft me altijd verbaasd. In een sterk concurrerende mondiale omgeving nemen deze instellingen een leidende positie in.

tussen het zakenleven en onderwijsinstellingen vindt nergens ter wereld zijn gelijke. Amerika is nog steeds veruit de aantrekkelijkste bestemming voor studenten en ontvangt 30 procent van het totale aantal buitenlandse studenten in de wereld. Al deze voordelen zullen niet gemakkelijk teniet worden gedaan omdat de structuur van Europese en Japanse universiteiten, meestal door de staat bestuurde bureaucratieën, waarschijnlijk niet zal veranderen. En hoewel China en India nieuwe instellingen openen, is het niet zo gemakkelijk om in enkele tientallen jaren een universiteit van wereldklasse uit de grond te stampen. Dan is er ten slotte nog een cijfer over ingenieurs dat u misschien nog niet vernomen had. Aan de Indiase universiteiten promoveren elk jaar tussen de vijfendertig en vijftig mensen in de computerwetenschap. In Amerika is dit getal duizend.

Leren denken

Hoewel de Amerikaanse universiteiten op een hoog niveau staan, geloven maar weinig mensen dat hetzelfde over de Amerikaanse scholen gezegd kan worden. Iedereen weet dat het Amerikaanse schoolsysteem in een crisis verkeert en dat de leerlingen bij een internationale vergelijking ieder jaar opnieuw slecht presteren in natuurwetenschappen en wiskunde. Maar hoewel deze cijfers niet onjuist zijn laten ze eigenlijk iets anders zien. Het werkelijke probleem van Amerika is niet dat er geen goede leerlingen zijn, maar dat ze onvoldoende tot het onderwijs worden toegelaten. Vanaf zijn start in 1995 is de Trends in International Mathematics and Science Study (TIMSS) de standaard geworden voor een internationale vergelijking van onderwijsprogramma's. De recentste resultaten, uit 2003, plaatsen de Verenigde Staten midden in de populatie. De Verenigde Staten lagen boven de gemiddelde score van de 24 landen die in het onderzoek waren opgenomen, maar veel van de lager geklasseerde landen waren ontwikkelingslanden als Marokko, Tunesië en Armenië. Tweedeklassers in het voortgezet onderwijs deden het in de vergelijking beter dan zesdegroepers in het basisonderwijs, maar bleven toch nog achter bij hun leeftijdgenoten in landen als Nederland, Japan en Singapore. De media brachten het nieuws voorspelbaar als een onheilsboodschap: 'Economische tijdbom; tieners in de vs behoren tot de slechtste in wiskunde,' verklaarde de *Wall Street Journal.*

Maar zelfs als de gecombineerde scores van de vs voor wiskunde en natuurwetenschap ver achterblijven bij die van koplopers als Singapore en Hongkong, verhullen deze scores een grote regionale, raciale en sociaal-economische verscheidenheid. Arme leerlingen en leerlingen uit minderheidsgroepen scoren ver beneden het Amerikaanse gemiddelde terwijl, zoals een onderzoek signaleerde, 'leerlingen in rijke schooldistricten van de vs bijna even goed scoren als leerlingen in Singapore, met afstand de koploper bij de TIMSS-scores voor wiskunde.'[18] Dit zijn de studenten die vervolgens met elkaar gaan wedijveren voor de schaarse posities aan Amerikaanse topuniversiteiten. Het verschil tussen de gemiddelde scores in natuurwetenschappen in arme en rijke schooldistricten *binnen* de Verenigde Staten is bijvoorbeeld vier- tot vijfmaal groter dan het verschil tussen de nationale gemiddelden van de Verenigde Staten en Singapore. Met andere woorden: Amerika is een groot land met grote verschillen en een reëel ongelijkheidsprobleem. Dit probleem zal zich in de loop van de tijd omzetten in een probleem met betrekking tot de concurrentiepositie van de vs, want als we niet in staat zijn een derde deel van de werkende bevolking zodanig te scholen en op te leiden dat zij in een kenniseconomie kunnen meedraaien, zal dit het land achteropbrengen. Maar we weten heel goed hoe we het moeten aanpakken. Het grote cohort van leerlingen in de bovenste 20 procent van de Amerikaanse scholen kan wedijveren met de besten van de wereld. Ze werken hard en leiden een gedisciplineerd schools en buitenschools leven, zoals iedereen die recentelijk de campus van een dergelijke school bezocht heeft kan getuigen.

Ik heb in Mumbai mijn schooljaren doorgebracht op een uitstekende onderwijsinstelling, de Cathedral and John Connon School. De benadering van deze school weerspiegelde (dertig jaar geleden) de onderwijsmethoden die vaak als 'Aziatisch' worden aangeduid en waarbij de nadruk ligt op memoriseren en voortdurend toetsen. Dit is in feite de oude Engelse en Europese didactische methode, die nu als 'Aziatisch' bestempeld wordt. Ik herinner me hoe ik mij grote hoeveelheden leerstof heb ingeprent, deze bij examens weer heb opgehoest en daarna direct ben vergeten. Toen ik in de Verenigde Staten naar de universiteit ging, kwam ik in een andere wereld terecht. Hoewel het Amerikaanse systeem zwak is op het punt van memoriseren, of het nu gaat om wiskunde of om poëzie, is het veel beter in staat mensen kritisch te leren denken, iets wat je nodig hebt om in het leven te slagen. In andere onderwijssystemen leer je toetsen maken; in het Amerikaanse systeem leer je denken.

Dit vermogen om kritisch te denken verklaart zeker voor een deel waarom Amerika zoveel ondernemers, uitvinders en durfallen voortbrengt. In Amerika mogen mensen stoutmoedig zijn, tegen gezag in opstand komen, mislukken en weer opkrabbelen. Het is Amerika, niet Japan, dat tientallen Nobelprijswinnaars voortbrengt. Tharman Shanmugaratnam, tot voor kort de minister van Onderwijs van Singapore, geeft uitleg over het verschil tussen het systeem van zijn land en dat van Amerika. 'We hebben allebei een meritocratie,' zegt Shanmugaratnam. 'Die van jullie is een meritocratie van talenten, die van ons een meritocratie van examens. Wij weten hoe we mensen voor examens moeten opleiden. Jullie weten hoe je de talenten van mensen optimaal kunt gebruiken. Beide zaken zijn belangrijk, maar er zijn bepaalde delen van het intellect die we niet goed kunnen toetsen, zoals creativiteit, nieuwsgierigheid, avontuurlijkheid en ambitie. En het belangrijkste punt is dat Amerika een intellectuele cultuur heeft waarin conventionele wijsheid kritisch tegemoet wordt getreden, zelfs wanneer dit betekent dat men tegen gezag in opstand komt. Dit zijn gebieden waarop Singapore van Amerika moet leren.'

Dit is een van de redenen waarom functionarissen uit Singapore kortgeleden scholen in de vs hebben bezocht om te zien hoe ze een systeem kunnen ontwikkelen dat een broedplaats is voor inventiviteit,

snel denken en problemen oplossen, en dat deze eigenschappen beloont. Zoals de *Washington Post* in maart 2007 berichtte, kwamen er
onderzoekers uit de beste scholen in Singapore naar de Academy of
Science, een openbare magneetschool* in Virginia, om de onderwijsmethoden van de vs te bekijken.[19] Terwijl de leerlingen 'kortgeleden
op een middag kleine, genetisch gemodificeerde plantjes bestudeerden
en gegevens in hun logboek noteerden', registreerden de bezoekers uit
Singapore 'hoelang de docent wachtte wanneer leerlingen een vraag
moesten beantwoorden, hoe vaak deze tieners het woord namen en
hoe sterk ze vasthielden aan hun mening.' Van Har Hui Peng, een be-
zoekster uit het Hwa Chong Institution in Singapore, noteerde de *Post*
dat zij onder de indruk was. 'Als je alleen maar zit te kijken, zie je al dat
de leerlingen meer betrokken zijn in plaats van dat ze de hele dag met
de paplepel gevoerd worden,' zei Har. Het artikel in de *Post* vervolgde:
'In Singapore, zei ze, zijn de laboratoria van alles voorzien maar van alle sfeer ontbloot, en zijn de leerlingen intelligent maar niet snel bereid
met een antwoord voor de dag te komen. Om hun spontaniteit te stimuleren baseert Hwa Chong nu 10 procent van het cijfer van elke leer-
ling op zijn mondelinge deelname.'

Terwijl Amerika zich vergaapt aan de bedrevenheid van Aziatische
leerlingen om zich door toetsen heen te slaan, komen Aziatische landen naar Amerika om erachter te komen hoe ze hun kinderen moeten
leren denken. Toonaangevende scholen voor voortgezet onderwijs in
Beijing en Shanghai leggen nadruk op zelfstandig onderzoek, competi-
ties op het gebied van natuurwetenschappen en ondernemersclubjes.
'Ik vind dat jullie kinderen goed kunnen communiceren,' zei Rosalind
Chia, een andere lerares uit Singapore op bezoek in de Verenigde Staten. 'Misschien zouden wij dat meer moeten cultiveren, een conversa-
tie tussen leerlingen en docenten.' Een dergelijke verandering komt
niet gemakkelijk tot stand. Japan heeft kortgeleden geprobeerd de

---

* Noot van de vertaler: school met een specialisme op een bepaald vormingsge-
  bied dat gebruikt wordt om leerlingen aan te trekken.

flexibiliteit van zijn nationale onderwijssysteem te verbeteren door verplichte lessen op zaterdag af te schaffen en meer tijd in te ruimen voor keuze-uren, waarbij leerlingen en leerkrachten hun eigen interesses kunnen volgen. 'Maar de verschuiving in Japan naar *yutori kyoiku*, oftewel versoepeld onderwijs,' zegt de *Post*, 'heeft verzet opgeroepen bij ouders die bezorgd zijn dat hun kinderen niet genoeg leren en dat de toetsuitslagen minder worden.' Met andere woorden, het van bovenaf wijzigen van onderwijsprogramma's leidt misschien alleen maar tot verzet. De Amerikaanse cultuur verheerlijkt en ondersteunt het oplossen van problemen, een kritische houding tegenover het gezag en ketters denken. Het biedt mensen de mogelijkheid om te falen en biedt hun daarna een tweede en een derde kans. Het beloont mensen die zich op eigen kracht ontwikkelen en mensen die hun eigen weg zoeken. Dit zijn allemaal wenselijke zaken die van onderop tot stand zijn gekomen en niet door een overheidsbeslissing kunnen worden ingesteld.

Amerika's geheime wapen

De pluspunten van Amerika kunnen vanzelfsprekend lijken in vergelijking met Azië, dat nog steeds een werelddeel is waarin de meeste landen in ontwikkeling zijn. Maar de voorsprong op Europa is kleiner dan veel Amerikanen denken. De Europese Unie is indrukwekkend gegroeid, sinds 2000 ongeveer met dezelfde snelheid per hoofd als de Verenigde Staten. Zij ontvangt de helft van de mondiale buitenlandse investeringen, kan zich beroemen op een arbeidsproductiviteit die even hoog is als die van de Verenigde Staten, en meldde voor de eerste drie maanden van 2007 een handelsoverschot van 30 miljard dollar. Op de Competitiveness Index van het Wereld Economisch Forum nemen Europese landen zeven van de tien hoogste plaatsen in. Europa heeft zijn problemen – een hoge werkloosheid en rigide arbeidsmarkten – maar heeft ook pluspunten zoals een doelmatiger en betaalbaarder gezondheidszorg en pensioenstelsel. Al met al komt de belangrijkste uitdaging aan de Verenigde Staten op economisch gebied van de kant van Europa.

Maar Europa heeft een zwaarwegend nadeel. Of, om het nauwkeuriger te stellen: de Verenigde Staten hebben een cruciaal voordeel boven Europa en het grootste deel van de ontwikkelde wereld. De Verenigde Staten zijn demografisch gesproken vitaal. Nicholas Eberstadt, een deskundige van het American Enterprise Institute, schat dat de bevolking van de vs in 2030 met 65 miljoen zal zijn toegenomen, terwijl de Europese bevolking 'praktisch stagneert'. 'Tegen die tijd,' signaleert Eberstadt, 'zal Europa meer dan tweemaal zoveel 65-plussers hebben als kinderen onder de vijftien jaar, met ingrijpende consequenties (minder kinderen betekent op een later moment minder arbeidskrachten). In de Verenigde Staten zal het aantal kinderen daarentegen het aantal bejaarden blijven overtreffen. De Population Division van de vn schat dat de verhouding tussen werkenden en bejaarden in West-Europa zal dalen van 3,8 op 1 nu naar 2,4 op 1 in 2030. In de vs zal dit cijfer dalen van 5,4 op 1 naar 3,1 op 1. Sommige van deze demografische problemen zouden verlicht kunnen worden als oudere Europeanen zouden willen blijven werken, maar tot nog toe willen ze dat niet en in dergelijke tendensen komt maar zelden verandering.[20] De enige reële manier waarop Europa deze demografische teruggang kan afwenden is meer immigranten op te nemen. Autochtone Europeanen zijn al vanaf dit jaar niet langer in staat hun aantal op peil te houden, zodat zelfs het instandhouden van de huidige bevolking enige immigratie vereist. Groei zal een veel sterkere immigratie vereisen. Maar Europese samenlevingen lijken er niet toe in staat te zijn mensen uit vreemde en onbekende culturen op te nemen en te integreren, vooral uit landelijke en achtergestelde gebieden in de islamitische wereld. De vraag bij wie de schuld ligt, bij de immigrant of bij de samenleving, is irrelevant. De politieke werkelijkheid is dat het beleid van Europa erop gericht is minder immigranten op te nemen op een moment waarop zijn economische toekomst juist afhankelijk is van het vermogen veel meer immigranten op te nemen. Daarentegen is Amerika bezig de eerste universele natie te ontwikkelen, opgebouwd uit alle kleuren, rassen en religies, die in een opmerkelijke harmonie samenleven en samenwerken.

Het is verrassend dat veel Aziatische landen, met uitzondering van India, in een even slechte of nog slechtere demografische situatie verkeren als Europa. De geboortecijfers in Japan, Taiwan, Korea, Hongkong en China* liggen ruim beneden het vervangingsniveau van 2,1 geboorten per vrouw, en de schattingen wijzen erop dat grote Oost-Aziatische naties in de komende vijftig jaar een aanmerkelijke inkrimping van hun werkende bevolking tegemoet zullen zien. De leeftijdsgroep van werkenden is in Japan al over zijn hoogtepunt heen; in 2010 zal Japan drie miljoen minder werkenden hebben dan in 2005. Ook in China en Korea zal de werkende bevolking binnen de komende tien jaar waarschijnlijk zijn hoogtepunt bereiken. Goldman Sachs voorspelt dat de mediane leeftijd in China zal oplopen van 33 in 2005 tot 44 in 2050, een opmerkelijke vergrijzing van de bevolking. In 2030 heeft China misschien bijna net zoveel 65-plussers als kinderen onder de vijftien jaar. En Aziatische landen hebben het net zo moeilijk met immigranten als Europese. Japan ziet een groot tekort aan arbeidskrachten tegemoet omdat het niet genoeg immigranten kan opnemen en evenmin zijn vrouwen kan toestaan volledig aan het arbeidsproces deel te nemen.

De effecten van een vergrijzende bevolking zijn aanzienlijk. Ten eerste zijn daar de pensioenlasten, omdat minder werkenden meer bejaarden onderhouden. Ten tweede heeft de econoom Benjamin Jones aangetoond dat de meeste vernieuwende uitvinders – en de overweldigende meerderheid van Nobelprijswinnaars – hun belangrijkste werk verrichten tussen hun dertigste en vierenveertigste. Een kleinere werkende bevolking leidt dus tot minder vooruitgang op het gebied van

---

* De geboortecijfers van China kunnen te laag opgegeven zijn vanwege de éénkindpolitiek van de regering. Maar volgens alle demografische gegevens ligt het vruchtbaarheidscijfer in China al minstens vijftien jaar beneden het vervangingsniveau.

technologie, wetenschap en management. Ten derde veranderen werkenden, met de leeftijd, van per saldo spaarders in per saldo consumenten, met onrustbarende consequenties voor de landelijke cijfers op het punt van sparen en beleggen. Voor hoogontwikkelde industriële landen, die al welvarend en tevreden zijn en minder bereid om hard te werken, is een slechte demografie een dodelijke ziekte.

De autochtone, blanke Amerikaanse bevolking heeft hetzelfde lage geboortecijfer als de bevolking van Europa. Zonder immigratie zou de groei van het bbp in de vs in de laatste kwarteeuw gelijk geweest zijn aan die in Europa. De Amerikaanse voorsprong op het punt van innovatie is in hoge mate het resultaat van immigratie. Buitenlandse studenten en immigranten maken 50 procent uit van de wetenschappelijke onderzoekers in het land en hebben in 2006 40 procent van de doctorstitels in natuurwetenschappen en techniek en 65 procent van de doctorstitels in computerwetenschap behaald. In 2010 zullen buitenlandse studenten meer dan 50 procent van alle doctorstitels behalen die in de gezamenlijke studierichtingen in de Verenigde Staten worden toegekend. In de natuurwetenschappen zal dit cijfer dichter bij 75 procent liggen. De helft van alle nieuwe ICT-ondernemingen heeft een oprichter die immigrant is of een Amerikaan van de eerste generatie. De nieuwe golf van productiviteit in Amerika, zijn voorsprong in nanotechnologie en biotechnologie en zijn vermogen om de toekomst uit te vinden, berusten allemaal op zijn immigratiebeleid. Als Amerika de mensen die het opleidt in het land kan houden, zal de innovatie hier plaatsvinden. Als ze teruggaan naar huis, zullen ze de innovatie met zich meenemen.

Aan immigratie ontleent Amerika ook eigenschappen die voor een rijk land zeldzaam zijn: honger en energie. Naarmate landen rijk worden, verzwakt de drang om hogerop te komen en te slagen. Maar Amerika heeft een manier gevonden om zichzelf voortdurend nieuwe levenskracht toe te dienen via de stromen mensen die in een nieuwe wereld een nieuw leven willen opzetten. Dit zijn de mensen die in de verstikkende hitte lange uren maken met het plukken van fruit, die

borden wassen, huizen bouwen, in de nachtdienst werken en stort-
plaatsen schoonhouden. Ze komen onder verschrikkelijke omstandigheden naar de Verenigde Staten, met achterlating van huis en haard,
alleen omdat ze willen werken en in het leven vooruit willen komen.
Amerikanen hebben zich altijd zorgen gemaakt over zulke immigranten, of ze nu uit Ierland kwamen of uit Italië, China of Mexico. Maar
deze immigranten zijn de ruggengraat van de Amerikaanse werkende
klasse geworden en hun kinderen of kleinkinderen zijn in de Amerikaanse hoofdstroom opgenomen. Amerika is in staat gebleken om deze energie te benutten, diversiteit te hanteren, nieuwkomers te integreren en op economisch gebied vooruitgang te boeken. Uiteindelijk is dit
het gegeven dat Amerika onderscheidt van Engeland en van alle andere historische voorbeelden van grote economische mogendheden die
lui en vadsig worden en achteropraken wanneer ze geconfronteerd
worden met de opkomst van minder welgedane en hongeriger naties.

Het macroplaatje

Veel deskundigen, geleerden en zelfs enkele politici maken zich zorgen
over een reeks statistische gegevens die voor de Verenigde Staten niet
veel goeds voorspellen. Het spaarcijfer staat op nul, het tekort op de lopende rekening, het handelstekort en het begrotingstekort zijn hoog,
het mediane inkomen is vlak en verplichtingen in verband met verworven rechten zijn niet houdbaar. Dit zijn allemaal reële zorgen waar
politici aandacht aan moeten schenken. Het economische systeem van
Amerika mag dan zijn voornaamste kracht uitmaken, het politieke
systeem is zijn zwakste stee. Maar deze cijfers zeggen ons misschien
niet alles wat we zouden moeten weten. De economische cijfers waarop we ons baseren geven slechts een globaal, verouderd beeld van een
economie. Veel van deze cijfers zijn aan het eind van de negentiende
eeuw ontwikkeld voor de beschrijving van een industriële economie
met een beperkte activiteit buiten de landsgrenzen. We leven nu in een

mondiale markt, met revolutionaire veranderingen op het gebied van financiële instrumenten, technologie en handel. Het is mogelijk dat we de zaken niet correct in kaart brengen.

Het was bijvoorbeeld een macro-economische wet dat er in een hoogontwikkelde industriële economie zoiets bestaat als de NAIRU (Non-Accelerating Inflation Rate of Unemployment, het niet-versnellende inflatiecijfer voor werkloosheid). In de kern betekende dit dat werkloosheid niet kon dalen onder een bepaald niveau, dat doorgaans werd vastgesteld op zes procent, zonder de inflatie op te drijven. Maar in de afgelopen twintig jaar hebben veel westerse landen, vooral de Verenigde Staten, werkloosheidscijfers gekend die ver onder het niveau lagen dat economen voor mogelijk hielden. Of bedenk dat men ervan uitging dat het tekort op de lopende rekening van Amerika – dat in 2007 opliep tot achthonderd miljard dollar, of zeven procent van het bbp – al bij vier procent van het bbp als onhoudbaar werd beschouwd. Het tekort op de lopende rekening is een probleem dat aandacht verdient, maar we moeten ook in gedachten houden dat de omvang ervan voor een deel verklaard wordt uit het feit dat er wereldwijd een overschot aan spaartegoeden bestaat en dat de Verenigde Staten een uitzonderlijk stabiele en aantrekkelijke plaats zijn om in te investeren.

Richard Cooper van Harvard University betoogt zelfs dat het Amerikaanse spaarcijfer verkeerd berekend is en een onjuist beeld geeft vanwege de nadruk op gigantische schulden op creditcards en onbetaalbare hypotheken. Hoewel veel huishoudens boven hun stand leven, ziet het totale plaatje er volgens Cooper gezonder uit. De particuliere besparingen in de vs, die zowel besparingen van huishoudens omvatten (het 'vaak geciteerde' lage cijfer van ongeveer twee procent van het persoonlijk inkomen) als besparingen van ondernemingen, bedroegen in 2005 15 procent. De teruggang in persoonlijk sparen is dus grotendeels gecompenseerd door een toename van sparen door ondernemingen. Nog belangrijker is dat het hele idee van 'nationale besparingen' misschien achterhaald is omdat het niet aansluit bij nieuwe vormen van produceren. In de nieuwe economie komt groei voort uit 'teams van mensen die nieuwe goederen en diensten creëren, en niet uit de accumulatie van kapitaal', die belangrijker was in de eerste helft van de twintigste eeuw. Niettemin concentreren we ons nog steeds op het meten van kapitaal. De nationale rekeningen, die het bbp en traditionele cijfers voor nationale besparingen omvatten, zijn volgens Cooper 'geformuleerd in Engeland en de Verenigde Staten in de jaren 1930, op het hoogtepunt van het industriële tijdperk'.[21]

Economen omschrijven besparing als het inkomen dat niet aan consumptie wordt besteed, maar geïnvesteerd wordt om consumptie in de toekomst mogelijk te maken. De huidige maatstaven voor investeringen richten zich vooral op fysiek kapitaal en onroerend goed. Cooper betoogt dat deze meetmethode misleidend is. Uitgaven voor scholing worden tot 'consumptie' gerekend, maar in een kenniseconomie vervult scholing eerder de functie van sparen, doordat men afziet van directe besteding teneinde het menselijk kapitaal te vergroten en inkomen en koopkracht in de toekomst te versterken. Particulier *Research & Development* (R&D) wordt helemaal niet in de nationale rekeningen opgenomen en eerder als een tussentijdse zakelijke uitgave beschouwd, hoewel de meeste analyses naar voren brengen dat R&D gemiddeld een hoog rendement heeft, veel hoger dan het investeren in onroerend goed, dat volgens de huidige meetmethoden als sparen wordt beschouwd. Cooper zou dus ook uitgaven aan duurzame gebruiksartikelen, scholing en R&D als besparingen opvatten, iets wat de Verenigde Staten een aanmerkelijk hogere spaarquote zou bezorgen. Wanneer de nieuwe methode wereldwijd zou worden toegepast, zou dit cijfer ook voor andere landen hoger uitkomen, maar de bijdrage van scholing, R&D en van duurzame gebruiksartikelen aan de totale besparingen 'ligt hoger in de Verenigde Staten dan in de meeste andere landen, misschien met uitzondering van een paar Noord-Europese landen'.*

* Duurzame gebruiksartikelen, onderwijs en R&D bedragen respectievelijk 8,6 procent, 7,3 procent en 2,8 procent van het bbp. Aangevuld met de 15 procent die met traditionelere middelen bespaard wordt, levert dit net boven de 33 procent van het bbp aan nationale besparingen op.

Deze opmerkingen zijn niet bedoeld om weg te wimpelen dat de Verenigde Staten voor ernstige problemen staan. Veel tendensen in verband met het macro-economische plaatje zijn zorgwekkend. Ongeacht de hoogte van de spaarquote is dit cijfer in de afgelopen twintig jaar snel gedaald. Volgens alle berekeningen dreigt de zorgverzekering Medicare de federale begroting op te blazen. De omslag van overschotten naar tekorten tussen 2000 en 2008 heeft ernstige implicaties. Bovendien blijft het inkomen van de meeste gezinnen op hetzelfde niveau of stijgt het maar heel langzaam. Toenemende ongelijkheid is het onderscheidende kenmerk van de nieuwe tijd die door een drievoudige kracht wordt aangedreven: kenniseconomie, informatietechnologie en globalisering. Misschien nog het zorgwekkendste is dat Amerikanen 80 procent van de spaaroverschotten van de wereld lenen en dit bedrag voor consumptie aanwenden. Met andere woorden: we verkopen ons bezit aan buitenlanders om elke dag nog iets meer café lattes te kunnen kopen. Deze problemen hebben zich op een slecht moment opgestapeld omdat de Amerikaanse economie, ondanks al haar sterke punten, zich nu geplaatst ziet tegenover de grootste uitdaging in de geschiedenis.

Iedereen speelt mee

Laat ik beginnen met een analogie uit mijn lievelingssport, tennis. Amerikaanse tennisenthousiasten hebben sinds kort een zorgwekkende tendens gesignaleerd: de terugval van Amerika bij de tenniskampioenschappen. Aron Pilhofer van de *New York Times* heeft de cijfers op een rijtje gezet. Dertig jaar geleden maakten Amerikanen de helft van de spelers uit die waren toegelaten tot de U.S. Open. In 1982, bijvoorbeeld, waren 78 van de 128 geselecteerde spelers Amerikanen. In 2007 werden er maar 20 Amerikanen geselecteerd, een cijfer dat de terugval in 25 jaar tijd nauwkeurig weerspiegelt. Er zijn miljoenen pixels besteed aan de vraag hoe Amerika zo snel zo diep kon zinken. Het antwoord ligt besloten in een andere reeks cijfers. In de jaren 1970 stuurden ongeveer 25 landen spelers naar de U.S. Open. Op dit moment zijn dat er 35, een toename van 40 procent. Landen als Rusland, Zuid-Korea, Servië en Oostenrijk brengen nu aan de lopende band spelers van wereldklasse voort, en Duitsland, Frankrijk en Spanje leiden veel meer spelers op dan ooit tevoren. In de jaren 1970 werd het tennis volledig gedomineerd door drie Angelsaksische naties: Amerika, Engeland en Australië. In 2007 kwamen de spelers bij de laatste zestien uit tien verschillende landen. Met andere woorden: het is niet zo dat de Verenigde Staten het in de afgelopen twintig jaar slecht gedaan hebben. Het geval wil dat iedereen nu plotseling is gaan meespelen.

Als tennis minder belangrijk lijkt, kunnen we ook een spel met hogere inzetten bekijken. In 2005 werd New York opgeschrikt door een alarmerend bericht. Vierentwintig van de vijfentwintig grootste beursintroducties van de wereld vonden in dat jaar plaats in andere landen dan de Verenigde Staten. Dit was verbijsterend. De Amerikaanse kapitaalmarkten waren sinds lang de grootste, diepste en meest liquide ter wereld. Zij financierden de omslag in de industriële productie in de jaren 1980, de technologische revolutie van de jaren 1990 en de ontwikkelingen in de biowetenschap. De flexibiliteit van deze markten heeft het Amerikaanse zakenleven in beweging gehouden. Als Amerika dit kenmerkende voordeel zou gaan verliezen, zou dit heel slecht nieuws zijn. De bezorgdheid was zo groot dat burgemeester Michael Bloomberg en senator Chuck Schumer van New York aan McKinsey de opdracht gaven over de financiële concurrentiepositie van New York een rapport op te stellen, dat aan het eind van 2006 het licht zag.[22]

Een groot deel van de discussie over dit probleem richtte zich op overmatige regulering in Amerika, vooral door wetten als de Sarbanes-Oxley-wet die na het Enron-debacle werden uitgevaardigd, en op de voortdurende dreiging van rechtszaken waaraan het zakenleven in de Verenigde Staten is blootgesteld. Deze factoren waren op zich relevant, maar hadden geen betrekking op wat er over de grens in het zakenleven veranderd was. Amerika deed zijn zaken net als

vroeger. Maar er waren nieuwe spelers in het veld gekomen. Sarba-
nes-Oxley en soortgelijke regulerende maatregelen zouden lang niet
zoveel invloed hebben gehad als er geen alternatieven beschikbaar
waren gekomen. Wat hier in werkelijkheid aan de hand is, net als op
andere gebieden, is heel eenvoudig: de opkomst van de anderen. Het
totaal van de Amerikaanse aandelen, obligaties, deposito's, leningen
en andere instrumenten – met andere woorden, de financiële voorraad – overtreft nog steeds die van elke andere regio, maar andere regio's zien hun financiële voorraad steeds sneller groeien. Dit geldt
vooral voor de opkomende landen van Azië, met 15,5 procent jaarlijks tussen 2001 en 2005, maar zelfs de Eurozone is bezig Amerika,
dat met een groei van 6,5 procent voortstrompelt, voorbij te streven.
In 2005 zijn de totale inkomsten uit bankwezen en handel in Europa,
ten bedrage van 98 miljard dollar, bijna op gelijk niveau gekomen
met de inkomsten van de vs, die 109 miljard dollar bedragen. In 2001
vond 57 procent van de hoogwaardige beursintroducties plaats op
Amerikaanse aandelenbeurzen; in 2005 slechts 16 procent. In 2006
haalden de Verenigde Staten nog maar een derde van het totale aantal beursintroducties in het jaar 2001 binnen, terwijl Europese beurzen hun aantal beursintroducties met 30 procent vergrootten, en het
aantal in Azië (zonder Japan) verdubbelde. Beursintroducties zijn
belangrijk omdat zij 'aanmerkelijke terugkerende inkomsten voor de
gastheermarkt' opleveren en bijdragen aan het beeld van de vitaliteit
van een markt.

Beursintroducties en buitenlandse beursnoteringen zijn maar een
deel van het verhaal. Nieuwe derivaten op basis van onderliggende financiële instrumenten als aandelen of rentebetalingen worden steeds
belangrijker voor hedgefondsen, banken en verzekeraars en voor de algehele liquiditeit van internationale markten. De dominante speler op
de internationale derivatenmarkt (geschat op een nominale waarde
van driehonderd biljoen dollar) is Londen. Londen neemt 49 procent
van de derivatenmarkt voor deviezen en 34 procent van deze markt
voor rentebetalingen voor zijn rekening. (Voor de Verenigde Staten

zijn deze cijfers respectievelijk 16 procent en 4 procent.) Europese beurzen vertegenwoordigen in totaal meer dan 60 procent van de derivaten op het punt van rentebetaling, deviezen, aandelenvermogen en fondsen. De interviews van McKinsey met topondernemers van over de hele wereld wijzen erop dat Europa niet alleen de hoofdrol speelt bij bestaande derivaatproducten maar ook bij de ontwikkeling van nieuwe. Het enige derivaatproduct waarbij Europa achterloopt op Amerika zijn termijncontracten, die van de belangrijkste soorten derivaten de laagste inkomsten opleveren.

Er waren enkele specifieke redenen voor de terugval. Veel van de grote beursintroducties in 2005 en 2006 waren privatiseringen van overheidsbedrijven in Europa en China. De Chinese introducties gingen natuurlijk naar Hongkong, en de Russische en Oost-Europese naar Londen. In 2006 kwamen de drie grootste beursintroducties uit opkomende markten. Maar dit alles maakt deel uit van een bredere tendens. Landen en ondernemingen beschikken nu over keuzemogelijkheden die vroeger niet bestonden. Kapitaalmarkten buiten Amerika, in hoofdzaak Hongkong en Londen, zijn goed geregeld en liquide, wat ondernemingen in de gelegenheid stelt rekening te houden met andere factoren zoals tijdzones, diversificatie en politiek.

De Verenigde Staten doen het niet slechter dan gebruikelijk. Zij functioneren net als voorheen, misschien vanuit de onbewuste veronderstelling dat ze nog steeds mijlenver vooroplopen. Amerikaanse wetgevers denken maar zelden aan de rest van de wereld wanneer ze wetten, regelingen en beleidsmaatregelen opstellen. Amerikaanse functionarissen verwijzen maar zelden naar internationale maatstaven. De Verenigde Staten waren immers zo lang zelf de internationale maatstaf, en steeds als ze besloten iets te veranderen waren ze voldoende belangrijk om te verwachten dat de rest van de wereld daarin mee zou gaan. Amerika is, naast Liberia en Myanmar, het enige land ter wereld dat het metrieke stelsel niet heeft ingevoerd. Behalve Somalië is Amerika het enige land dat de internationale Conventie over de Rechten van het Kind niet ratificeert. In het zakenleven hoefde Amerika zich niet aan een standaard te houden; het was immers het land dat de hele wereld leerde hoe je een kapitalist moest worden. Maar nu speelt iedereen het Amerikaanse spel mee, en speelt iedereen mee om te winnen.

In de afgelopen dertig jaar heeft Amerika de laagste vennootschapsbelasting geheven van alle grote geïndustrialiseerde landen. Op dit moment heeft het de op één na hoogste. De Amerikaanse tarieven zijn niet gestegen: die van anderen zijn gedaald. Duitsland bijvoorbeeld, dat lang een heilig geloof heeft gehecht aan zijn stelsel van hoge belastingen, heeft (vanaf 2008) zijn tarieven verlaagd in reactie op stappen in oostelijker landen als Slowakije en Oostenrijk. Dit soort wedijver tussen geïndustrialiseerde landen is nu wijdverbreid. Het gaat er niet om de belastingen zo ver mogelijk terug te schroeven – Scandinavische landen hebben hoge belastingen, een goede dienstverlening en een sterke groei – maar het gaat om een streven naar groei. De Amerikaanse regelingen plachten flexibeler en marktvriendelijker te zijn dan die van alle anderen. Dat is veranderd. Het financiële stelsel van Londen heeft in 2001 een opknapbeurt gehad, met als gevolg dat er nu één enkele instantie in de plaats is gekomen voor een verwarrend allegaartje van regelaars. Dit is een van de redenen waarom de financiële sector van Londen die van New York nu op enkele punten de loef afsteekt. De hele Britse regering voert een agressief beleid om van Londen een wereldcentrum te maken. Washington besteedt zijn tijd en energie daarentegen aan het bedenken van manieren om belastingen aan New York op te leggen, zodat het de opbrengsten naar de rest van het land kan doorsluizen. Van Polen tot Shanghai en Mumbai zijn toezichthouders elke dag in de weer om hun systemen voor investeerders en industriëlen van over de hele wereld aantrekkelijker te maken. Zelfs op het punt van immigratie voert de Europese Unie een 'blauwe kaart' in om hoog opgeleide arbeidskrachten uit ontwikkelingslanden aan te trekken.

Als je zolang koploper bent geweest, heeft dat zijn schaduwzijden. De Amerikaanse markt was zo groot dat Amerikanen altijd geweten hebben dat de rest van de wereld zich moeite zou geven om hun markt en henzelf te begrijpen. We hebben geen tegenprestatie hoeven te leveren door vreemde talen, culturen en markten te bestuderen. Dit kan voor de Amerikaanse concurrentiepositie nadelig zijn. Neem de wereldwijde verbreiding van het Engels. Amerikanen hebben deze verbreiding toegejuicht omdat die het voor hen zoveel gemakkelijker maakte om in het buitenland te reizen en zaken te doen. Maar voor de plaatselijke bevolking elders betekent het dat ze twee markten en culturen kunnen begrijpen en toegang tot beide hebben. Ze kunnen Engels spreken maar ook Mandarijn of Hindi of Portugees. Ze kunnen opereren op de Amerikaanse markt maar ook op de binnenlandse Chinese, Indiase of Braziliaanse markt. (En in al deze landen blijven de niet-Engelssprekende markten de grootste.) Amerikanen kunnen daarentegen maar in één soort water zwemmen. Ze hebben nooit het vermogen ontwikkeld om zich in de wereld van anderen te verplaatsen.

Het is ons domweg ontgaan hoe snel de anderen zijn opgekomen. Het grootste deel van de geïndustrialiseerde wereld, en een behoorlijk deel van de niet-geïndustrialiseerde wereld, heeft betere voorzieningen voor mobiel telefoonverkeer dan de Verenigde Staten. Breedband is overal in de geïndustrialiseerde wereld, van Canada en Frankrijk tot Japan, sneller en goedkoper, en de Verenigde Staten staan nu op de zestiende plaats van de wereld wat betreft breedbandaansluitingen per hoofd. Amerikanen krijgen van hun politici voortdurend te horen dat het enige wat ze van de gezondheidszorg in andere landen kunnen leren is dat we dankbaar mogen zijn voor ons eigen zorgstelsel. De meeste Amerikanen zijn blind voor het feit dat een derde van de openbare scholen van hun land volstrekt niet functioneert (omdat hun kinderen naar de andere twee derde gaan). De Amerikaanse rechtspraktijk wordt nu algemeen als een obstakel voor het zakenleven aangemerkt, maar niemand durft een voorstel te doen om die te hervormen. Onze hypotheekrenteaftrek voor woningen kost een verbijsterende tachtig miljard dollar per jaar en toch houdt men ons voor dat het van cruciaal belang is het eigenwoningbezit te steunen. Maar Margaret Thatcher schafte deze aftrek in Engeland af en niettemin heeft dit land evenveel eigenwoningbezit als de Verenigde Staten. We kijken maar zelden om ons heen om deze andere keuzemogelijkheden en alternatieven op te merken, omdat we ervan overtuigd zijn dat we 'nummer één' zijn. Maar van de anderen leren is niet langer een kwestie van moraal of politiek. Het gaat steeds vaker om concurrentie.

Neem als voorbeeld de auto-industrie. Vanaf 1894 kwamen een eeuw lang de meeste auto's die in Noord-Amerika gemaakt werden uit Michigan. Sinds 2004 heeft Ontario, in Canada, de plaats van Michigan overgenomen. De reden is eenvoudig: gezondheidszorg. In Amerika moeten autofabrikanten voor elke werknemer 6500 dollar aan medische en verzekeringskosten betalen. Als ze een fabriek verplaatsen naar Canada, dat een openbaar zorgstelsel heeft, liggen de kosten voor de werkgever op rond achthonderd dollar per werknemer. In 2006 betaalde General Motors 5,2 miljard dollar aan medische en verzekeringskosten voor zijn actieve en gepensioneerde medewerkers. Dit maakt elke verkochte auto van GM 1500 dollar duurder. Voor Toyota, dat minder Amerikaanse gepensioneerden heeft en veel meer buitenlandse medewerkers, zijn die kosten 186 dollar per auto. Dit houdt niet noodzakelijk in dat het Canadese zorgstelsel beter is, maar het maakt wel duidelijk dat de kosten van het Amerikaanse stelsel zo hoog zijn opgelopen dat het inhuren van Amerikaanse werkkrachten aanmerkelijke schade toebrengt aan de concurrentiepositie. De banen gaan niet naar landen als Mexico, maar naar plaatsen waar goed opgeleide en geschoolde arbeidskrachten te vinden zijn: werkgevers zijn niet uit op lage lonen, maar op slimme belastingvoordelen. Het koppelen van gezondheidszorg aan werk heeft nog een andere negatieve consequentie. In tegenstelling tot de situatie overal elders in de geïndustrialiseerde wereld verliezen Amerikanen hun gezondheidszorg als ze hun baan verliezen, wat hun veel angstiger maakt over buitenlandse concurrentie, handel en globalisering. Misschien was dit de reden waarom de Pew Survey bij

Amerikanen een grotere angst voor deze krachten vaststelde dan bij Duitse en Franse werknemers.

Tientallen jaren lang hebben Amerikaanse werknemers, ongeacht of ze in dienst waren bij autobedrijven, staalfabrieken of banken, een enorm voordeel gehad boven alle andere werknemers: een bevoorrechte toegang tot Amerikaans kapitaal. Ze konden die toegang gebruiken om technologie en opleiding te kopen die voor niemand anders beschikbaar was – en daardoor producten leveren die niemand anders kon leveren, en voor concurrerende prijzen. Deze bijzondere toegang is verdwenen. De wereld zwemt in het kapitaal, en plotseling moeten Amerikaanse werknemers zich afvragen wat ze beter kunnen dan anderen. Dit is niet alleen een dilemma voor werknemers maar ook voor ondernemingen. Waar het om gaat is niet hoe een onderneming zich verhoudt tot haar eigen verleden (doen we het beter dan vroeger?), maar hoe zij zich verhoudt tot andere plaatsen op dit moment (hoe doen we het in vergelijking met anderen?). De vergelijking loopt niet langer langs een verticale tijdsdimensie, maar langs een horizontale ruimtelijke dimensie.

Wanneer Amerikaanse ondernemingen naar het buitenland gingen, plachten ze kapitaal en kennis mee te brengen. Maar wanneer ze nu naar het buitenland gaan ontdekken ze dat de plaatselijke bevolking al over geld en kennis beschikt. Er bestaat eigenlijk geen derde wereld meer. Dus wat moeten Amerikaanse ondernemingen naar India of Brazilië brengen? Waarin bestaat de concurrentiekracht van Amerika? Dit is een vraag waarvan maar weinig Amerikaanse zakenlieden dachten dat ze hem ooit zouden moeten beantwoorden. Het antwoord ligt in iets dat de econoom Martin Wolf heeft gesignaleerd. In zijn beschrijving van de veranderende wereld schreef hij dat economen vroeger twee kernbegrippen hanteerden, kapitaal en arbeid. Maar dit zijn nu zaken die voor iedereen gemakkelijk beschikbaar zijn. Wat economieën tegenwoordig van elkaar onderscheidt zijn ideeën en energie. Een land moet ofwel een bron van ideeën zijn, ofwel van energie. De Verenigde Staten zijn tot nog toe de belangrijkste en voortdurende

bron geweest van nieuwe ideeën, grote en kleine, technische en creatieve, economische en politieke, en kunnen die bron in de toekomst
blijven. Maar dan zullen ze enkele ingrijpende veranderingen moeten
doorvoeren.

Een politiek van nietsdoen

De Verenigde Staten zijn altijd al ongerust geweest dat zij hun voorsprong zouden verliezen. De zorgen van dit moment markeren de
vierde golf van die bezorgdheid sinds 1945. De eerste golf manifesteer-
de zich aan het eind van de jaren 1950, als gevolg van de lancering van
de Spoetnik-satelliet door de Sovjet-Unie. De tweede kwam op aan het
begin van de jaren 1970, toen hoge olieprijzen en een langzame groei in
de Verenigde Staten de Amerikanen ervan overtuigden dat West-Europa en Saudi-Arabië de machten van de toekomst waren, en president Nixon de komst van een multipolaire wereld aankondigde. De
meeste recente golf sloeg toe in het midden van de jaren 1980, toen de
meeste deskundigen geloofden dat Japan in technologisch en economisch opzicht de overheersende supermacht van de toekomst zou
worden. In elk van deze gevallen was de bezorgdheid gegrond en waren de voorspellingen realistisch. Maar geen enkele van deze scenario's
is uitgekomen. De reden is dat het Amerikaanse systeem flexibel, in-
ventief en veerkrachtig bleek te zijn, in staat zijn fouten te herstellen en
zijn aandacht te verleggen. De gerichtheid op een Amerikaanse teruggang wist deze uiteindelijk te voorkomen. Het probleem van dit moment is dat het Amerikaanse politieke systeem niet langer in staat lijkt
te zijn een brede coalitie te vormen om gecompliceerde kwesties op te
lossen.

De economische gebreken van het huidige Amerika zijn reëel, maar
over het algemeen zijn ze niet het resultaat van ernstige ondoelmatigheden binnen de Amerikaanse economie en evenmin het gevolg van
cultureel verval. Ze zijn de consequenties van specifieke beleidsmaat-

regelen van de regering. Ander beleid zou de Verenigde Staten betrekkelijk gemakkelijk in een veel stabielere toestand kunnen brengen. Een aantal verstandige hervormingen zou direct kunnen worden ingevoerd om verspillende uitgaven en subsidies terug te dringen, meer te sparen, wetenschappelijke en technologische scholing uit te breiden, pensioenen zeker te stellen, een werkbaar immigratieproces tot stand te brengen en aanmerkelijk zuiniger om te gaan met energie.* Beleidsdeskundigen verschillen over de meeste van deze kwesties niet diepgaand van mening en geen van de voorgestelde maatregelen zou offers vragen op het niveau van ontberingen in oorlogstijd, maar alleen bescheiden aanpassingen van bestaande regelingen. En toch lijken deze hervormingen op grond van de politieke situatie onmogelijk. Het Amerikaanse politieke systeem heeft het vermogen verloren grootschalige compromissen tot stand te brengen, en het vermogen nu enige pijn te verdragen ten behoeve van grote verbeteringen op een later moment.

Aan het begin van deze eenentwintigste eeuw zijn de Verenigde Staten niet wezenlijk een zwakke economie of een decadente samenleving. Maar ze hebben een zeer slecht functionerend politiek systeem ontwikkeld. Dit systeem, dat – met zijn leeftijd van 225 jaar – al verouderd en overmatig rigide was, is gegijzeld door geld, bijzondere belangen, op sensatie beluste media en ideologische actiegroepen. Het resultaat is een onophoudelijk venijnig debat over trivialiteiten – politiek als theater – en heel weinig inhoud, compromis en daadkracht. Een daadkrachtig land is nu opgezadeld met een politiek van

---

* Ik wil het aanpakken van de gezondheidszorg niet in dit lijstje opnemen omdat dit geen gemakkelijk probleem is met een gemakkelijke oplossing. De meeste problemen hebben eenvoudige beleidsoplossingen, maar stuiten op een politieke verlamming. Gezondheidszorg is een kwestie die zowel uit een oogpunt van beleid als van politiek complex is. Dat betekent niet dat deze kwestie niet moet worden aangepakt, verre van dat. Maar de oplossing ervan zal onder alle omstandigheden en ook nu moeilijk zijn.

nietsdoen, een politiek die zich leent voor een machtsstrijd tussen belangengroepen maar niet voor het oplossen van problemen. Gemeten
naar alle maatstaven – de groei van bijzondere belangen, lobby's en
uitgaven om de gunst van kiezers te winnen – is het politieke proces
de laatste dertig jaar veel partijdiger en veel minder doeltreffend geworden.

Je wordt tegenwoordig als briljant tegendraads beschouwd als je je
uitspreekt voor scherpe partijpolitiek en tegen waardige oproepen tot
samenwerking en compromis. Sommige politicologen koesteren al
lang de wens dat de Amerikaanse politieke partijen meer zouden gaan
lijken op die van Europa, die ideologisch zuiver zijn en strak gedisciplineerd. Welnu, ze hebben hun zin gekregen – er zijn aan beide kanten steeds minder gematigden – en het resultaat is een patstelling. Europese parlementaire systemen werken heel goed met partijen die
uitsluitend op hun eigen belangen gericht zijn. In deze systemen heeft
de uitvoerende macht doorgaans de overhand op de wetgevende
macht en daarom kan een partij die aan de macht is zijn programma
gemakkelijk uitvoeren. De Engelse minister-president heeft van de oppositiepartij geen enkele steun nodig; hij heeft per definitie al een regerende meerderheid. Het Amerikaanse systeem is daarentegen een systeem van gedeelde macht, overlappende functies en voorzieningen om
het evenwicht te bewaren. Vooruitgang vereist brede coalities tussen
de twee partijen, en politici die bereid zijn over partijgrenzen heen te
stappen. Daarom wantrouwde James Madison politieke partijen,
bracht hij ze op één noemer met allerlei 'facties' en beschouwde hij ze
als een ernstig gevaar voor de jonge Amerikaanse republiek.

Ik ben me ervan bewust dat deze klachten hoogmoedig en sentimen-
teel klinken. En ik weet ook dat er in Amerika al lang sprake is van kwalijke vormen van partijdigheid, zelfs in de tijd van Madison zelf. Maar
er is, vooral in de laatste honderd jaar, ook veel compromisbereidheid
geweest. In reactie op de politieke verbittering van het einde van de negentiende eeuw (de laatste maal dat tweemaal achtereen een van de
twee partijen met de hakken over de sloot de overwinning behaalde)

hebben Amerikaanse leiders geprobeerd krachten te mobiliseren voor een goede regering, die problemen kon oplossen. Robert Brookings stichtte in 1916 in Washington de Brookings Institution omdat hij een organisatie wilde 'vrij van elk politiek of geldelijk belang om de fundamentele economische feiten te verzamelen, te interpreteren en ze in een samenhangende vorm aan het land voor te leggen.' Ook de Council on Foreign Relations, die vijf jaar later werd ingesteld, overschreed welbewust de partijgrenzen. De eerste redacteur van het tijdschrift van deze raad, *Foreign Affairs*, zei tegen zijn plaatsvervanger dat zodra een van hen in het openbaar als een Democraat bestempeld zou worden, de ander direct campagne moest gaan voeren voor de Republikeinen. Vergelijk dat met een recenter ingestelde denktank, de conservatieve Heritage Foundation, waarvan de voormalige senior vice-president Burton Pines heeft toegegeven: 'Onze rol is conservatieve beleidsmakers argumenten in handen te geven om onze zaak te bepleiten.'

De moeilijkheid is dat vooruitgang op elk belangrijk gebied – gezondheidszorg, sociale zekerheid en belastinghervorming – compromissen van beide kanten zal vereisen. Met betrekking tot het buitenlands beleid zal de formulering van een strategisch beleid voor Irak, of voor Iran, Noord-Korea of China, aanzienlijke steun van beide kanten nodig hebben. Dit vereist een langetermijnperspectief. En dat zit er waarschijnlijk niet in. De voorstanders van verstandige oplossingen en op compromissen gerichte wetgeving worden gemarginaliseerd door de leiding van hun partij, verliezen de financiële steun van groepen met bijzondere belangen en worden op televisie en radio voortdurend door hun eigen partijgenoten aangevallen. Het systeem biedt een sterkere stimulans om standvastig te zijn en tegen je medestanders te zeggen dat je weigert voor de vijand te buigen. Zo krijg je veel fondsen binnen, maar kun je niet meer regeren.

De werkelijke beproeving van de Verenigde Staten is, in zekere opzichten, het omgekeerde van wat Engeland in 1900 onder ogen moest zien. De economische macht van Engeland taande, terwijl het wereldwijd een kolossale politieke invloed wist te bewaren. Daarentegen zijn de Amerikaanse economie en de Amerikaanse samenleving bij machte om te reageren op de economische druk en concurrentie waarmee ze geconfronteerd worden. Ze kunnen zich aanpassen en standhouden. De echte beproeving van de Verenigde Staten is van politieke aard, en ligt niet bij Amerika als geheel, maar bij Washington. Kan Washington zich aanpassen aan een wereld waarin anderen zijn opgekomen? Kan het reageren op verschuivingen in economische en politieke macht? Deze uitdaging is zelfs nog belangrijker in de buitenlandse dan in de binnenlandse politiek. Kan Washington een wereld met een verscheidenheid aan stemmen en gezichtspunten werkelijk accepteren? Kan het floreren in een wereld die het niet kan overheersen?

7

Wat Amerika zich ten doel kan stellen

Wanneer historici de wereld aan het begin van de eenentwintigste eeuw proberen te begrijpen zouden ze aandacht moeten schenken aan de Peterseliecrisis. In juli 2002 stuurde de regering van Marokko twaalf soldaten naar een klein eilandje met de naam Leila, in de Straat van Gibraltar op een paar honderd meter van de kust van Marokko, en plantte daar de Marokkaanse vlag. Het eiland is op enkele geiten na onbewoond en het enige dat daar groeit en bloeit is wilde peterselie: vandaar de Spaanse naam van het eiland, Perejil. Maar de soevereiniteit over dit eiland werd al lang door Marokko en Spanje betwist, en de Spaanse regering reageerde krachtig op de Marokkaanse 'agressie'. Binnen enkele weken waren er 75 Spaanse soldaten door de lucht naar het eiland overgebracht. Ze haalden de Marokkaanse vlag neer, hesen twee Spaanse vlaggen en stuurden de Marokkanen naar huis. De Marokkaanse regering protesteerde tegen deze 'oorlogsdaad' en organiseerde bijeenkomsten waarop groepen jongeren spreekkoren aanhieven met 'Onze ziel en ons bloed zijn offers voor jou, Leila!' Spanje bleef het eiland met zijn helikopters onder toezicht houden en stationeerde oorlogsschepen langs de kust van Marokko. Van veraf leek de hele kwestie op een komische opera. Maar hoe absurd dit ook had kunnen lijken, iemand moest de twee landen tot rede brengen.

Deze rol viel niet toe aan de Verenigde Naties of de Europese Unie of aan een bevriend Europees land zoals Frankrijk, dat met beide partijen op goede voet stond. Hij viel toe aan de Verenigde Staten. 'Ik

dacht almaar: Wat heb ik hiermee te maken? Hoe zijn wij, de Verenigde Staten, hierin terechtgekomen?' herinnert de toenmalige minister
van Buitenlandse Zaken, Colin Powell, zich geamuseerd. Toen het
eenmaal duidelijk was dat dit de enige oplossing was, begon hij aan een
koortsachtige ronde van telefonische diplomatie en belde tot laat in de
avond van vrijdag en op zaterdagmorgen meer dan twaalf keer met de
koning van Marokko en de Marokkaanse minister van Buitenlandse
Zaken. 'Ik besloot dat ik snel op een compromis moest aansturen omdat de nationale trots het anders overneemt, de posities zich verharden
en de mensen zich ingraven,' zei Powell. 'Het begon avond te worden
op de Middellandse Zee. En mijn kleinkinderen zouden zo dadelijk
langskomen om te gaan zwemmen!' Daarom stelde Powell op zijn
huiscomputer het concept van een overeenkomst op, kreeg van beide
partijen gedaan dat ze deze accepteerden, tekende toen zelf voor beide
partijen en faxte het resultaat naar Spanje en Marokko. De landen ver-
klaarden zich akkoord om het eiland onbezet te laten en in Rabat gesprekken te beginnen over de toekomstige status van het eiland. De
twee regeringen deden verklaringen uitgaan waarin zij de Verenigde
Staten dankzegden voor hun bijdrage aan de oplossing van de crisis.
En daarna ging Colin Powell met zijn kleinkinderen zwemmen.

Dit is een klein, maar onthullend voorbeeld. De Verenigde Staten
hebben geen belangen in de Straat van Gibraltar. In tegenstelling tot de
Europese Unie kunnen ze geen bijzondere druk uitoefenen op Spanje
of Marokko. In tegenstelling tot de Verenigde Naties kunnen ze niet
spreken namens de internationale gemeenschap. Maar de VS waren
om een eenvoudige, fundamentele reden het enige land dat het conflict kon oplossen. In een unipolaire wereld zijn zij de enige supermacht.

De zomer van 2002 zal beschouwd worden als het hoogtepunt van
de unipolariteit, het Romeinse moment van Amerika. Het decennium
dat hieraan voorafging was een veelbewogen tijd. De economie floreerde, de productiviteit groeide sterker dan in tientallen jaren het geval was geweest, Washington meldde voortdurend enorme overschot-

ten, de dollar stond huizenhoog en Amerikaanse topondernemers waren wereldsterren. Toen was de wereld er getuige van hoe de Verenigde Staten in september 2001 een brute aanslag te verduren kregen, wat gevoelens van sympathie opwekte maar ook enig stilzwijgend leedvermaak over het feit dat zelfs een supermacht vernederd kon worden. Hoewel Amerika zich zwak en kwetsbaar voelde, was de wereld er ook getuige van dat het op deze aanslag reageerde op een schaal die voor elk ander land ondenkbaar was. Washington verhoogde onmiddellijk zijn defensiebegroting met vijftig miljard dollar, een bedrag dat hoger ligt dan de totale jaarlijkse defensiebegrotingen van Engeland of Duitsland. Het plaatste het terrorisme eigenmachtig als topprioriteit op de mondiale agenda, zodat alle landen gedwongen werden hun buitenlandse politiek hierop af te stemmen. Pakistan, dat zich jarenlang met de Taliban had verbonden, keerde zich binnen een week tegen deze groepering. Binnen een maand hadden de Verenigde Staten, bijna volledig vanuit de lucht, Afghanistan aangevallen, een land dat meer dan tienduizend kilometer van de vs verwijderd ligt, en het regime in korte tijd ten val gebracht.

Maar dat was toen. Amerika is nog steeds de supermacht van de wereld, maar een verzwakte wereldmacht. De economie heeft het moeilijk, de dollar valt terug en het land ziet op lange termijn problemen tegemoet met aangegane verplichtingen die de pan uitrijzen en met lage besparingen. Het anti-Amerikaanse sentiment is van Groot-Brittannië tot Maleisië nog nooit zo sterk geweest. Maar de opvallendste verschuiving tussen de jaren 1990 en nu heeft niets te maken met Amerika, maar met de wereld als geheel. In de jaren 1990 was Rusland volledig afhankelijk van Amerikaanse steun en leningen. Nu heeft het jaarlijkse begrotingsoverschotten ten bedrage van tientallen miljarden dollars. Toen moesten Oost-Aziatische naties een wanhopig beroep doen op het IMF om hen uit hun crisis te verlossen. Nu hebben ze gigantische reserves aan buitenlandse valuta, die ze gebruiken om de schuld van Amerika te bekostigen. Toen werd de economische groei van China bijna volledig aangestuurd door de Amerikaanse vraag. In

2007 heeft China meer aan de mondiale groei bijgedragen dan de Verenigde Staten, de eerste maal dat enig land dit gedaan heeft sinds ten minste de jaren 1930, en is het de Verenigde Staten in verscheidene belangrijke categorieën voorbijgestreefd als de grootste consumentenmarkt ter wereld.

Op den duur zal deze tendens, de opkomst van de anderen, alleen maar sterker worden, ongeacht de tijdelijke ups en downs. Op militair-politiek niveau is Amerika in de wereld nog steeds overheersend, maar de bredere structuur van de unipolariteit, economisch, financieel en cultureel, is aan het verzwakken. Washington heeft nog steeds geen echte mededinger en zal die binnen afzienbare tijd ook niet krijgen, maar het wordt geconfronteerd met een toenemend aantal beperkende omstandigheden. Polariteit verandert niet van de ene dag op de andere. De wereld zal niet tientallen jarenlang unipolair blijven en dan op een bepaalde dag plotseling omslaan en bipolair of multipolair worden. Het karakter van de internationale situatie zal langzaam veranderen. Hoewel unipolariteit voorlopig nog de internationale situatie bepaalt, wordt dit kenmerk ieder jaar zwakker en zullen andere naties en spelers in kracht toenemen.

Over het geheel genomen kan deze machtsverschuiving gunstig uitwerken. Zij is een product van positieve ontwikkelingen: wereldwijde stevige economische groei en stabiliteit. En als zij verstandig wordt opgevangen is zij ook goed voor Amerika. De wereld ontwikkelt zich naar ons voorbeeld. Landen worden opener, meer marktvriendelijk en democratischer. Zolang we de krachten van modernisering, mondiale interactie en handel kunnen laten groeien, zullen deze krachten goed bestuur, mensenrechten en democratie bevorderen. Die beweging zal niet altijd snel verlopen. Er zullen tegenslagen komen, maar de koers is duidelijk uitgestippeld. Kijk naar Afrika, dat vaak als het meest hopeloze werelddeel wordt beschouwd. Op dit moment is twee derde van dit werelddeel democratisch, met een groeiende economie.

Deze tendensen bieden de Verenigde Staten de mogelijkheid de centrale speler te blijven in een rijkere, dynamischer en opwindender wereld. Maar om van deze gelegenheid gebruik te maken zal Amerika zijn houding ten opzichte van de wereld aanzienlijk moeten herzien. Amerika heeft maar weinig in te brengen over zijn relatieve machtspositie. Naarmate andere spelers vanuit een zwak uitgangspunt hun positie versterken zal het relatieve gewicht van Amerika verminderen. Maar Washington kan heel veel doen om aan te geven wat Amerika in de wereld wil bereiken, en deze doelen handen en voeten geven.

De pluspunten van concurrentie

Hoe hebben de Verenigde Staten het verprutst? Ze hadden op het gebied van de internationale politiek een uitstekend spel kaarten in handen, het beste spel dat een land in de geschiedenis ooit heeft gehad. Maar volgens bijna alle maatstaven – opgeloste problemen, behaalde successen, gecreëerde instellingen en versterkte reputatie – heeft Washington deze kaarten slecht uitgespeeld. Amerika heeft een periode van ongeëvenaarde invloed doorgemaakt. Wat kan het aan resultaten laten zien?

Los van specifieke persoonlijkheden en beleidsbeslissingen, waarover al veel is geschreven, was de omstandigheid die deze fouten mogelijk maakte juist de onbeperkte macht van Amerika. Amerikanen geloven heilig in de wenselijkheid van concurrentie. We geloven dat individuen, groepen en ondernemingen in een competitieve omgeving beter presteren. Maar als het op de internationale arena aankomt zijn we dit feit vergeten. Sinds de ineenstorting van de Sovjet-Unie hebben de Verenigde Staten zich, onbetwist en door niemand een strobreed in de weg gelegd, als een kolos over het wereldtoneel bewogen. Dit heeft voordelen met zich meegebracht, maar heeft Washington ook arrogant, zorgeloos en lui gemaakt. De buitenlandse politiek van Washington heeft soms gelijkenis vertoond met de zakelijke strategie van General Motors in de jaren zeventig, een benadering die door interne factoren werd bepaald, met weinig aandacht voor de bredere omge-

ving waarin zij werkzaam zou moeten zijn. Dit heeft niet goed uitge-
pakt voor GM, en evenmin voor de Verenigde Staten.

We zijn niet zorgeloos begonnen. De meeste politici en beleidsdeskundigen, in Amerika en daarbuiten, hadden tijd nodig om zich van
de unipolaire situatie bewust te worden. In 1990, tijdens de ineenstorting van de Sovjet-Unie, verwoordde Margaret Thatcher een gemeenschappelijk gezichtspunt dat inhield dat de wereld zich ontwikkelde in
de richting van drie regionale sectoren, 'een op basis van de dollar, een
op basis van de yen en een op basis van de Duitse mark.'[1] George H.W.
Bush, die gepokt en gemazeld was in het bipolaire bestel, is nooit als
het hoofd van één enkele supermacht opgetreden. Hij benaderde de
historische veranderingen in het mondiale systeem met omzichtig-
heid. In plaats van triomfantelijk de overwinning in de Koude Oorlog
op te eisen consolideerde zijn regering zorgvuldig de winst van de ineenstorting van de Sovjet-Unie, in het voortdurende besef dat het proces ook een omslag zou kunnen doormaken of op geweld zou kunnen
uitlopen. Bij het aangaan van de eerste Golfoorlog besteedde Bush veel
aandacht aan het opbouwen van een internationale coalitie, het verkrijgen van goedkeuring door de Verenigde Naties, en het binnen het
mandaat blijven dat deze oorlog zijn legitimiteit verschafte. Terwijl de
Verenigde Staten gebukt gingen onder een recessie en oplopende tekorten stuurde Bush zijn minister van Buitenlandse Zaken, James Baker, met de hoed in de hand de wereld rond om voor de oorlog fondsen te werven. Zijn grote prestatie op het gebied van de buitenlandse
politiek, de Duitse hereniging, kwam niet tot stand door eenzijdige
machtsuitoefening maar door een op samenwerking gerichte diplomatie, ook al hadden de Verenigde Staten op dat moment alle troef-
kaarten in handen. Duitsland werd binnen het westerse bondgenootschap herenigd en 340 000 Russen trokken zich zonder ophef uit
Oost-Duitsland terug, dit alles zonder verzet van Moskou.

Sommige mensen beseften dat de Verenigde Staten, nu de Sovjet-
Unie in puin lag, nog maar de enige 'pool' waren die had standgehouden. Maar ze gingen ervan uit dat deze unipolariteit een voorbijgaan-

de fase was, niet meer dan een 'moment', zoals een columnist het verwoordde.[2] De presidentsverkiezingen van 1992 werden gedomineerd
door geluiden over de zwakte van Amerika. 'De Koude Oorlog is
voorbij: Japan en Duitsland hebben gewonnen' was het thema waarop Paul Tsongas gedurende zijn hele campagne voor de democratische nominatie bleef hameren. In zijn boek *Diplomacy* uit 1994 voorspelde Henry Kissinger de opkomst van een nieuwe multipolaire
wereld, een visie die door de meeste deskundigen werd gedeeld. Europeanen geloofden dat ze op weg waren naar eenheid en wereldmacht,
en Aziaten spraken zelfverzekerd over de opkomst van 'De Eeuw van
de Grote Oceaan'.

Ondanks deze beweringen leken buitenlandse problemen, hoe ver
ook van Amerika verwijderd, uiteindelijk altijd op het bordje van
Washington terecht te komen. Toen de crisis op de Balkan in 1991 uitbrak, verklaarde de president van de Europese Raad, Jacques Poos van
Luxemburg: 'Dit is het uur van Europa. Als er één probleem is dat
door de Europeanen kan worden opgelost is dit het probleem van Joegoslavië. Dat is een Europees land, en de Amerikanen hebben daar
niets te zoeken.' Dit was geen ongebruikelijke of anti-Amerikaanse
zienswijze; de meeste Europese leiders, met inbegrip van Thatcher en
Helmut Kohl, deelden haar. Maar enkele bloedige jaren later werd het
aan Amerika overgelaten om het vechten te beëindigen. En later in dit
decennium, toen het in Kosovo tot een uitbarsting kwam, liet Europa
Washington direct de leiding nemen. Hetzelfde patroon manifesteer-
de zich in de Oost-Aziatische economische crisis, de onafhankelijk-
heidsstrijd op Oost-Timor, in opeenvolgende conflicten in het Midden-Oosten en in de Latijns-Amerikaanse schuldencrisis. Vaak waren
er andere landen bij de oplossing betrokken, maar zolang Amerika
niet tussenbeide kwam duurde de crisis voort. En op hetzelfde moment beleefde de Amerikaanse economie zijn langste hausse sinds de
Tweede Wereldoorlog, waarbij Amerika zijn aandeel in de mondiale
productie zelfs vergrootte terwijl Europa en Japan stagneerden.

Toen Bill Clinton in 1993 het presidentschap aanvaardde beloofde hij dat zijn regering zich geen verdere zorgen zou maken over buitenlands beleid en zich 'als een laserstraal' op de economie zou richten. Maar de zuigkracht van de unipolariteit was sterk. In zijn tweede ambtsperiode was Clinton een president van de buitenlandse politiek geworden, die het merendeel van zijn tijd, energie en aandacht besteedde aan kwesties als de vrede in het Midden-Oosten en de Balkancrisis. En George W. Bush reageerde op wat hij als een patroon van overmatige betrokkenheid bij internationale zaken beschouwde, van economische reddingsoperaties tot natievorming, door tijdens zijn campagne te beloven dat hij de Amerikaanse betrokkenheid in het buitenland zou terugdringen. Toen kwam zijn presidentschap en, wat nog belangrijker was, 9/11.

Tijdens het presidentschap van Clinton werd de Amerikaanse macht duidelijker, werd Washington assertiever en gingen buitenlandse regeringen meer weerstand bieden. Enkele van Clintons economische adviseurs, zoals Mickey Cantor en Lawrence Summers, werden beschuldigd van arrogantie in hun omgang met andere landen. Diplomaten als Madeleine Albright en Richard Holbrooke gingen in Europa over de tong omdat ze het over Amerika hadden als, in de woorden van Albright, de 'onmisbare natie'. De Franse minister van Buitenlandse Zaken Hubert Vedrine bedacht tijdens de jaren 1990 de term 'hypermacht', die niet als een troetelnaam bedoeld was.[3]

Maar al deze klachten waren borrelpraat vergeleken bij de vijandigheid die George W. Bush losmaakte. Gedurende verscheidene jaren leek de regering-Bush zich te beroemen op haar minachting voor verdragen, multilaterale organisaties, de internationale publieke opinie en alles wat zweemde naar een verzoenende benadering van de wereldpolitiek. Tijdens de tweede ambtstermijn van Bush, toen het echec van deze confronterende benadering duidelijk was geworden, begon de regering op vele fronten haar koers te verleggen, van Irak en het vredesproces tussen Israëli's en Palestijnen tot Noord-Korea. Maar de nieuwe beleidslijnen werden laat op de dag ingevoerd, met behoorlijk wat gesputter en gemopper en met elementen in de regering die zich onmogelijk met de nieuwe strategie konden verzoenen.

Om het buitenlands beleid van de regering-Bush te begrijpen is het niet voldoende de aandacht te vestigen op de 'jacksoniaanse' opwellingen van Dick Cheney of Donald Rumsfeld of de Texaanse achtergrond van Bush of de onzalige neoconservatieve samenzwering. De cruciale factor die het beleid van Bush mogelijk maakte was 9/11. Vóór deze aanslagen waren de Verenigde Staten tien jaar lang op het wereldtoneel onaantastbaar geweest. Maar er waren verschillende beperkende omstandigheden in het binnenland – geld, het Congres en de openbare mening – die het voor Washington moeilijk maakten een unilaterale en strijdbare buitenlandse politiek te bedrijven. Militaire interventies en buitenlandse hulp waren beide onpopulair omdat het publiek wilde dat de Verenigde Staten zich na de ongemakken van de Koude Oorlog uit de wereld terug zouden trekken. De interventies op de Balkan, de uitbreiding van de NA-vo en de hulp aan Rusland vereisten aanzienlijke inspanningen van de regering-Clinton, vaak tegenover een sterke oppositie, ondanks het feit dat dit betrekkelijk kleine operaties waren die geen zwaar beslag op middelen legden. Dit alles veranderde met 9/11. Deze datum maakte een einde aan de binnenlandse discussies over de Amerikaanse buitenlandse politiek. Na deze verschrikkelijke aanslagen had Bush een verenigd land en een grotendeels sympathiserende wereld. De Afghaanse oorlog versterkte het beeld van de Amerikaanse almacht en moedigde de haviken in de regering aan dit succes als een argument te gebruiken om snel en vooral eenzijdig ten oorlog te trekken tegen Irak. De Verenigde Staten hadden de rest van de wereld en de oude mechanismen van legitimiteit en samenwerking niet nodig. Men ging ervan uit dat het nieuwe mondiale imperium een nieuwe werkelijkheid zou scheppen. De buitenlandse politiek van Bush berust op een simpele formule: unipolariteit + 9/11 + Afghanistan = unilateralisme + Irak.*

---

* Dit onderwerp hoort niet thuis in dit boek, maar ik stond achter het streven om Saddam Hoessein te verdrijven, hoewel ik van meet af aan gepleit heb voor een grotere invasiemacht en een internationaal gesanctioneerde interventie en bezetting. Mijn zienswijze was voornamelijk gebaseerd op het feit dat het Irak-beleid van het Westen was ingestort – dat sancties niet werden nageleefd, dat grote aantallen burgers vanwege het embargo het leven lieten en dat Al-Qaeda

In het unipolaire tijdperk is niet alleen de inhoud van de Amerikaanse politiek veranderd. Ook de stijl is veranderd, en is imperialistisch en autoritair geworden. Er is veel communicatie met buitenlandse leiders, maar het is eenrichtingverkeer. Andere regeringen worden vaak zonder meer van het beleid van de vs op de hoogte gesteld. Hogere Amerikaanse functionarissen leven in hun eigen luchtbel en komen maar zelden reëel in aanraking met hun ambtsgenoten buiten de grenzen, laat staan met andere buitenlanders. Een ervaren adviseur voor de buitenlandse politiek in een grote Europese regering vertelde mij: 'Wanneer we Amerikaanse functionarissen ontmoeten, praten zij en luisteren wij; we spreken hen zelden tegen en we spreken zelf maar zelden vrijuit omdat ze dat eenvoudigweg niet kunnen verwerken. Ze herhalen alleen maar het Amerikaanse standpunt, net als de toerist die denkt dat hij alleen maar harder en langzamer hoeft te praten om door ons begrepen te worden.'

'Zelfs wanneer je als hogergeplaatste functionaris met de regering van de vs te maken hebt,' schrijft de onverdacht pro-Amerikaanse Christopher Patten over zijn ervaringen als commissaris voor Externe Betrekkingen van Europa, 'ben je je bewust van je dienende rol; ook al word je door je gastheren hoffelijk behandeld, je wordt ontvangen als een ondergeschikte die van zijn goede wil komt getuigen en die hoopt

in woede was ontstoken over onze basis in Saudi-Arabië, vanwaaruit we het voor luchtvaart verboden gebied controleerden. Ik was er ook van overtuigd dat een moderner en gematigder Irak in het centrum van de Arabische wereld zou bijdragen aan een doorbraak in de disfunctionerende politieke dynamiek van de Arabische wereld. Al vanaf de eerste weken heb ik me verzet tegen het bezettingsbeleid van Washington. Achteraf gezien heb ik niet alleen de arrogantie en incompetentie van het Amerikaanse bestuur over Irak onderschat, maar ook de inherente moeilijkheid van de taak. Ik geloof nog steeds dat een modern, gematigd Irak een belangrijke bron van verandering zou kunnen zijn in de politiek van het Midden-Oosten. Ik hoop dat Irak, op de lange duur, deze rol zal vervullen, maar daarvoor is een onvoorstelbaar hoge prijs betaald – voor Amerikanen en voor de reputatie van Amerika, maar vooral voor de Irakezen. En buitenlandse politiek is een zaak van kosten en baten, niet van theologie.

bij zijn vertrek de zegen op zijn inspanningen mee naar huis te krijgen. In het belang van het nederige leiderschap waar president Bush terecht naar zegt te streven zou het voor sommigen van zijn raadgevers nuttig zijn elkaar eens diep in de ogen te zien!' Patten vervolgt: 'Wanneer ze in het buitenland een conferentie bijwonen, arriveren Amerikaanse regeringsambtenaren met het soort entourage waar koning Darius trots op zou zijn geweest. Er worden hotels gevorderd; steden worden lamgelegd; onschuldige voorbijgangers worden van de straat geveegd door mannen met speknekken en stukjes plastic die uit hun oren hangen. Dit is niet het soort tafereel dat mensen met hart en ziel aan je bindt.'[4]

De buitenlandse reisjes van president Bush lijken erop ingericht om zo min mogelijk met de bezochte landen in contact te komen. Hij wordt doorgaans vergezeld door zo'n tweeduizend Amerikanen, alsmede een aantal vliegtuigen, helikopters en auto's. Hij ziet weinig behalve paleizen en conferentiezalen. Zijn uitstapjes geven nauwelijks blijk van een poging om respect en waardering op te brengen voor het land en de cultuur van het land dat hij bezoekt. Deze reizen houden ook maar zelden ontmoetingen in met mensen buiten de regering, met zakenlieden, leidende figuren in de burgermaatschappij of activisten. Ook al moet een bezoek van de president natuurlijk strak geprogrammeerd worden, een grotere inspanning om de mensen in die vreemde landen te bereiken zou een grote symbolische waarde hebben. Neem een situatie waarbij Bill Clinton en India betrokken waren. In mei 1998 voerde India vijf ondergrondse kernproeven uit. De regering-Clinton sprak hierover onomwonden haar veroordeling van New Delhi uit, legde het sancties op en stelde een voorgenomen bezoek van de president voor onbepaalde tijd uit. De sancties bleken pijnlijk: volgens sommige schattingen kostten ze India het jaar daarna 1 procent van zijn groei van het bbp. Ten slotte bond Clinton in en ging hij in maart 2000 naar India. Hij bracht vijf dagen in het land door, bezocht beroemde bezienswaardigheden, trok traditionele kleding aan en nam deel aan dansen en ceremonies. Hij droeg de boodschap over dat hij India als land en beschaving waardeerde en bewonderde. Het resultaat was een transformatie. Clinton is in India een popster. En hoewel George W. Bush de meest pro-Indiase president in de Amerikaanse geschiedenis is, dwingt hij geen aandacht, aanhankelijkheid of achting af. Beleid is belangrijk, maar de symboliek die daaromheen wordt geweven is dat evenzeer.

Los van de wrevel die deze hooghartige stijl oproept, leidt hij er ook toe dat Amerikaanse functionarissen niet van de ervaring en deskundigheid van buitenlanders kunnen profiteren. De vn-inspecteurs in Irak verbaasden zich erover hoe weinig interesse functionarissen van de vs aan de dag legden om vóór de oorlog met hen in gesprek te komen. Onder de veilige rugdekking van Washington lazen deze functionarissen de inspecteurs – die Irak wekenlang hadden uitgekamd – de les over het bewijsmateriaal voor massavernietigingswapens. 'Ik dacht dat ze belang zouden stellen in onze eerstehandsrapporten over hoe deze fabrieken met een veronderstelde dubbele functie eruitzagen,' zei een inspecteur tegen mij. 'Maar nee, zíj legden míj uit waarvoor deze fabrieken gebruikt werden.'

In de ogen van buitenlanders lijken Amerikaanse functionarissen vaak geen enkel idee te hebben van de wereld waarvan ze geacht worden de touwtjes in handen te hebben. 'Er zijn twee soorten gesprekken, een met Amerikanen erbij, en een zonder,' zegt Kishore Mahbubani, die in het verleden minister van Buitenlandse Zaken van Singapore en ambassadeur van dat land bij de Verenigde Naties is geweest. Omdat de Amerikanen in een 'cocon' leven, zijn ze zich niet bewust van de 'sterk veranderde houding tegenover Amerika in de hele wereld'.

Deze keer is het anders

Het is al te gemakkelijk om de vijandigheid die voortsproot uit de campagne in Irak af te doen als louter afgunstig anti-Amerikanisme (ook al is dat voor een deel het geval). Conservatieven hebben beweerd dat het publiek in Europa elke keer in verzet is gekomen wanneer de Verenigde Staten een sterke militaire actie hadden uitgevoerd, bijvoorbeeld toen zij in het begin van de jaren 1980 kruisraketten in Europa stationeerden. In feite laat de geschiedenis precies het omgekeerde zien. De demonstraties en openbare protesten tegen de kruisraketten leverden goede televisie op, maar in werkelijkheid steunde 30 tot 40 procent van de Europeanen, en vaak meer, in de meeste peilingen het Amerikaanse beleid. Zelfs in Duitsland, waar de pacifistische gevoelens huizenhoog opliepen, steunde volgens een peiling in 1981 van *Der Spiegel* 53 procent van de bevolking de stationering van de kruisraketten. Een meerderheid van de Fransen steunde de Amerikaanse politiek tijdens het grootste deel van de twee ambtstermijnen van Ronald Reagan, en gaf aan hem bij de verkiezingen van 1984 zelfs de voorkeur boven de democratische kandidaat Walter Mondale. Op dit moment zijn daarentegen in de meeste Europese landen verbijsterende meerderheden, op vele plaatsen oplopend tot 80 procent, gekant tegen de buitenlandse politiek van de vs, tot op het punt dat de Verenigde Staten als de grootste bedreiging van de wereldvrede worden beschouwd.

Josef Joffe, een vooraanstaand Duitse commentator inzake internationale betrekkingen, signaleert dat anti-Amerikanisme tijdens de Koude Oorlog een links verschijnsel was. 'Als tegenwicht was er altijd een centrum-rechts dat anticommunistisch was en daarom pro-Amerikaans,' legt hij uit. 'De aantallen fluctueerden, maar er was altijd een stevige basis van steun voor de Verenigde Staten.' Kort gezegd hield de Koude Oorlog Europa pro-Amerikaans. In het jaar 1968 waren er bijvoorbeeld massale protesten tegen de Amerikaanse politiek in Vietnam, maar dit was ook het jaar van de Sovjetinvasie in Tsjecho-Slowakije. Europeanen (en Aziaten) konden zich tegen Amerika verzetten, maar hun opvattingen werden in evenwicht gehouden door bezorgdheid over de Sovjetdreiging. Ook dit gegeven wordt door de peilingen bevestigd. Zelfs het Europese verzet tegen de Vietnamoorlog bereikte nooit het niveau van het huidige verzet tegen Irak. Dit was ook buiten Europa het geval. In Australië steunde een meerderheid van het publiek de deelname van dat land aan de Vietnamoorlog tot het jaar 1971, waarin Australië zijn troepen terugtrok.

In de ogen van het grootste deel van de wereld ging de Irakoorlog niet over Irak. 'Wat kan het Mexico of Chili schelen wie de scepter zwaait in Bagdad,' zei Jorge Castañeda, de voormalige minister van Buitenlandse Zaken van Mexico tegen mij. 'Die oorlog moest ons laten zien hoe een supermacht zijn macht gebruikt. En dat is iets wat ons allemaal heel bezorgd maakt.' Zelfs wanneer er in Irak ten slotte een oplossing komt, zal dat alleen maar het probleem van Irak oplossen. Het probleem van Amerika blijft bestaan. Mensen maken zich alom zorgen over een wereld waarin één land zoveel macht heeft. Ook al kunnen ze deze macht niet aanvechten, ze kunnen hem wel obstakels in de weg leggen. In het geval van Irak kon geen enkel land de Verenigde Staten ervan weerhouden zonder internationale steun een oorlog te beginnen, maar de rest van de wereld heeft deze oorlog wel moeilijker gemaakt door bij de afwikkeling overwegend aan de zijlijn te blijven staan. Op het moment dat ik dit schrijf heeft nog geen enkel Arabisch land in Bagdad een ambassade geopend. En de niet-Arabische bondgenoten van de Verenigde Staten hebben zich al niet veel hulpvaardiger getoond.

Nicolas Sarkozy schept er behagen in om in Frankrijk 'de Amerikaan' en zelfs 'de neoconservatief' genoemd te worden. Hij is onbeschaamd pro-Amerikaans en maakt duidelijk dat hij Amerika op allerlei manieren wil navolgen. Toen hij in mei 2007, na zijn verkiezing tot president van Frankrijk, een ontmoeting had met Condoleezza Rice vroeg zij hem: 'Wat kan ik voor u doen?' Zijn antwoord was onthullend: 'Uw imago in de wereld verbeteren,' zei hij, 'het is moeilijk als het land dat het machtigste en het meest succesvol is – dat noodzakelijkerwijs de leider aan onze kant is – een van de minst populaire landen van de wereld is. Dit levert enorme problemen op voor u en voor uw bondgenoten. Doe dus alles wat in uw vermogen ligt om de indruk die uw land maakt te verbeteren – dat is wat u voor mij kunt doen.'[5]

De neoconservatieve schrijver Robert Kagan beweert dat de geschillen tussen Europa en Amerika over multilaterale samenwerking het ge-volg zijn van hun onderlinge krachtsverschil. Toen de grote landen van Europa wereldmachten waren, verheerlijkten ze de realpolitik en be-kommerden ze zich weinig om internationale samenwerking. Omdat Europa nu zwak is, zegt Kagan, geeft het de voorkeur aan regels en be-perkingen. Amerika daarentegen wil volledige vrijheid van handelen: 'Nu de Verenigde Staten machtig zijn, gedragen ze zich als een machti-ge natie.'[6] Maar deze redenering vertekent de geschiedenis en toont on-begrip voor de unieke plaats die Amerika in de twintigste-eeuwse di-plomatie heeft ingenomen. Amerika was het machtigste land ter wereld toen het de oprichting van de Volkerenbond voorstelde om de interna-tionale betrekkingen na de Eerste Wereldoorlog te regelen. Het was de dominante mogendheid aan het einde van de Tweede Wereldoorlog, toen het de Verenigde Naties oprichtte, het Bretton Woods-systeem van internationale economische samenwerking ontwikkelde en vorm gaf aan de belangrijkste internationale organisaties van de wereld. Amerika had de wereld aan zijn voeten, maar Franklin Delano Roose-velt en Harry Truman kozen ervoor geen Amerikaans imperium te ves-tigen. In plaats daarvan bouwden zij een internationale orde op van bondgenootschappen en multilaterale instellingen en hielpen ze de rest van de wereld weer op de been door er enorme hoeveelheden hulp en particuliere investeringen in te pompen. De belangrijkste manifestatie van dit streven, het Marshallplan, was in huidige dollars honderd mil-jard dollar waard. Met andere woorden: gedurende het grootste deel van de twintigste eeuw berustte het Amerikaanse streven naar interna-tionale samenwerking niet op angst en kwetsbaarheid, maar op zelfver-trouwen en kracht.

Een centraal element in deze benadering was de bijzondere aan-dacht die werd geschonken aan de diplomatie. Bedenk wat het voor Franklin Roosevelt betekend moet hebben om op het toppunt van zijn macht de halve wereld over te trekken naar Teheran en Jalta, teneinde daar in 1943 en 1945 Churchill en Stalin te ontmoeten. Roosevelt was een tot aan zijn middel verlamde patiënt en sleepte vijf kilo stalen beugels aan zijn benen met zich mee. Een reis van veertig uur over land en zee was slopend voor hem. Het was niet noodzakelijk voor hem om daarheen te gaan. Hij had te kust en te keur vervangers, zoals George Marshall en Dwight Eisenhower, die deze klus voor hem hadden kunnen doen. Of hij had de andere leiders bij zich kunnen uitnodigen. Maar FDR begreep dat Amerikaanse macht gepaard moest gaan met ruimhartigheid. Hij drong erop aan dat Engelse bevelhebbers als Montgomery hun rechtmatige aandeel kregen in de oorlogsroem. Hij haalde China, hoewel dat een arm boerenland was, binnen in de Veiligheidsraad van de VN omdat hij geloofde dat het belangrijk was dat het grootste Aziatische land in een mondiaal orgaan behoorlijk vertegenwoordigd was.

De standaard die door Roosevelt en zijn generatie was ingevoerd bleef gehandhaafd. Toen minister van Buitenlandse Zaken Marshall het plan opstelde dat zijn naam draagt, drong hij erop aan dat het initiatief en het toezicht bij de Europeanen zou berusten. Vanaf dat moment hebben de Verenigde Staten tientallen jarenlang voor andere landen dammen gebouwd en tijdschriften bekostigd en aan die landen technische kennis verstrekt. Ze hebben geleerden en studenten naar het buitenland gestuurd, zodat de mensen Amerika en de Amerikanen konden leren kennen. Ze toonden respect voor hun bondgenoten, ook al waren deze in geen enkel opzicht hun gelijken. Ze voerden gezamenlijke militaire oefeningen uit met kleine naties, ook wanneer deze maar weinig aan de paraatheid van de VS bijdroegen. Vijftig jaar lang hebben Amerikaanse presidenten en ministers van Buitenlandse Zaken de wereld afgereisd en gastvrijheid verleend aan hun tegenhangers in een onafgebroken doordraaiend diplomatiek carrousel.

Al deze inspanningen dienden natuurlijk onze belangen. Ze brachten een pro-Amerikaanse wereld tot stand die rijk en veilig was. Ze legden de grondslag voor een bloeiende wereldeconomie waarin anderen konden deelnemen en waarin het Amerika voor de wind ging. Maar het was een verlicht eigenbelang, dat rekening hield met de belangen van anderen. En bovenal gaf het andere landen – in woord en daad, inhoud en stijl – de zekerheid dat ze de kolossale macht van Amerika niet hoefden te vrezen.

Nieuwe regels voor een nieuwe tijd

Sommige Amerikanen geloven dat we niet van de geschiedenis moeten leren, maar dat we haar alleen hoeven te herhalen. Veel liberalen en democraten lijken met weemoed te verlangen naar een nieuwe regering-Truman die voor een nieuw tijdperk nieuwe instellingen zou creëren. Maar dit is heimwee en geen strategie. Toen Truman, Acheson en Marshall hun herstelplannen uitvoerden, lag de rest van de wereld in puin. Mensen hadden de vernietigende effecten gezien van nationalisme, oorlog en economisch protectionisme. Daarom was er sterke en algemene steun, vooral in de Verenigde Staten, voor een grootscheepse en edelmoedige inspanning om de wereld te hulp te komen, hem uit armoede te verlossen, wereldomspannende instellingen te creëren en internationale samenwerking tot stand te brengen, zodat een dergelijke oorlog nooit weer zou plaatsvinden. Amerika had het morele gezag dat voortvloeide uit zijn overwinning op het fascisme, maar beschikte ook over ongeëvenaarde macht. Het Amerikaanse bbp bedroeg ongeveer 50 procent van de wereldeconomie. Buiten de invloedssfeer van de Sovjet-Unie werd de leidende rol van Washington bij het ontwikkelen van nieuwe instellingen nooit wezenlijk betwist. Maar we leven nu in een andere wereld, en ook de positie van Amerika in deze wereld is veranderd. Als Truman en Marshall en Acheson nu nog in leven waren, zouden ze ook geen kant-en-klare oplossingen hebben. Op dit moment staan we voor de opdracht een nieuwe benadering voor een nieuw tijdperk te ontwikkelen, een benadering die is afgestemd op een mondiaal systeem waarin de macht veel sterker verdeeld is dan ooit tevoren en waarin iedereen zich krachtiger voelt.

De Verenigde Staten beschikken niet langer over de kaarten die ze in 1945 of zelfs in 2000 in handen hadden. Maar ze hebben nog steeds

sterkere kaarten in handen dan alle anderen – de meest complete portefeuille van economische, politieke, militaire en culturele macht – en
deze positie zal in de afzienbare toekomst niet worden aangetast. En
wat misschien nog belangrijker is: we hoeven de wereld niet opnieuw
uit te vinden. De internationale orde die de Verenigde Staten na de
Tweede Wereldoorlog hebben ingesteld moet nodig worden uitgebreid en herzien, maar hoeft niet opnieuw geschapen te worden. We
hoeven geen volledig nieuwe wereldorde op te bouwen. Zoals de politicoloog aan Princeton John Ikenberry scherpzinnig heeft opgemerkt,
biedt het op het Westen georiënteerde systeem dat in de jaren 1940 en
1950 tot stand is gekomen de mogelijkheid van een uitbreiding van de
wereldhandel en van de opkomst van nieuwe machten en nieuwe mechanismen van samenwerking en conflictbeheersing. Dit systeem kan
niet alle problemen aanpakken, zoals grote machtsconflicten en binnenlandse tragedies in verband met mensenrechten, maar dat ligt aan
de begrenzing van wat internationale relaties kunnen uitrichten en
niet aan deze specifieke structuren. Tegelijkertijd maken kernwapens
en afschrikking het buitengewoon kostbaar – suïcidaal kostbaar – voor
een opkomende macht om zich tegenover andere op militair gebied te
doen gelden. 'Het is, kort gezegd, moeilijk om de westerse orde van dit
moment omver te werpen en gemakkelijk om je erbij aan te sluiten,'
schrijft Ikenberry.[7] Dit is de manier waarop het moderne Japan en
Duitsland hun keuzemogelijkheden hebben afgewogen en hoe China
en India hun toekomst lijken te zien. Ze willen zeker macht, status en
respect veroveren, maar dan wel door binnen het internationale systeem te groeien en niet door het omver te werpen. Zolang deze nieuwe
landen het gevoel hebben dat ze welkom zijn, hebben ze alle aanleiding
om 'verantwoordelijke belanghebbenden' van dit systeem te worden.

Hoewel de opkomst van de anderen een reëel gegeven is, is het een
lang en langzaam proces. En het is een proces waarbij Amerika een belangrijke, zij het een andere rol kan spelen. Wanneer China, India,
Brazilië, Rusland, Zuid-Afrika en een grote schare kleinere landen zich
in de komende jaren voorspoedig ontwikkelen, zullen er nieuwe pun-

ten van spanning naar voren komen. Veel van deze opkomende landen hebben historische conflictstof, grensconflicten en actuele onenigheden met elkaar; in de meeste gevallen zal met hun economische en geopolitieke status ook hun nationalisme toenemen. Omdat Amerika ver van hen verwijderd ligt, is dit het een geschikte partner voor veel regionale naties die zich zorgen maken over de opkomst van een grote macht in hun midden. In feite wordt de Amerikaanse invloed, zoals de politicoloog William Wohlforth opmerkt, door de groei van een dominante regionale macht versterkt.[8] Deze factoren worden vaak in discussies over Azië naar voren gebracht, maar zijn evengoed van kracht voor andere plekken op de wereld. Het proces zal niet automatisch verlopen. Wanneer één van deze landen (China) opkomt, zal dit niet automatisch een tegenwicht oproepen waarbij het buurland (India) een formeel bondgenootschap met de Verenigde Staten zal nastreven. Daarvoor is de huidige wereld te gecompliceerd. Maar deze rivaliteiten bieden de Verenigde Staten een kans om in het centrum van de wereldorde een belangrijke en constructieve rol te spelen. Zij beschikken over de mogelijkheid de rol te spelen die Bismarck aan het einde van de negentiende eeuw voor korte tijd aan Duitsland had toebedeeld: de 'eerlijke makelaar' van Europa te zijn, die met elk van de grote landen nauwe betrekkingen smeedt, banden die nauwer zijn dan de banden tussen die landen onderling. Duitsland was de spil van het Europese stelsel. Als Amerika in de huidige wereld een mondiale makelaar zou zijn, zou dit niet alleen een taak zijn voor de Amerikaanse regering maar ook voor de Amerikaanse samenleving, met alle sterke punten en ideeën die die voor deze taak zou kunnen inzetten. Het is een rol die de Verenigde Staten, met hun mondiale belangen en hun mondiale aanwezigheid, hun veelzijdige machtsportefeuille en hun verschillende gemeenschappen van immigranten, heel goed zouden kunnen leren vervullen.

Deze nieuwe rol verschilt sterk van Amerika's traditionele rol als supermacht. Hij vereist overleg, samenwerking en zelfs compromissen. Hij ontleent zijn kracht aan het opstellen van de agenda, het vaststellen van de kwesties en het mobiliseren van coalities. Het is niet een hiërarchische rol waarin de Verenigde Staten eenzijdig beslissingen nemen en deze vervolgens aan een dankbare (of zwijgende) wereld meedelen. Maar de nieuwe rol is van wezenlijk belang omdat het opstellen van de agenda en het organiseren van coalities in een wereld met vele spelers belangrijke vormen van macht worden. De bestuursvoorzitter die een groep zelfstandige directeuren met zachte hand in een richting kan wijzen is nog steeds een heel machtige figuur.

De beste ideeën over een voorspoedig voortbestaan in de post-Amerikaanse wereld zijn ontwikkeld door de grote Amerikaanse multinationals. Zij zijn bezig nieuwe markten te veroveren door hun oude methodes te veranderen. Neem bijvoorbeeld General Electric, dat in het verleden niet in samenwerking met het buitenland geloofde. In het verleden wilde GE van al zijn buitenlandse investeringen 100 procent in eigen bezit hebben. Maar in de afgelopen vijf jaar heeft deze multinational een open oog gehad voor de groeiende effectiviteit en het groeiende zelfvertrouwen van plaatselijke firma's in opkomende markten als China, India, Brazilië, Rusland en Zuid-Afrika, en ingezien dat de van oudsher gevolgde strategie hem in de snelst groeiende delen van de wereld zou buitensluiten. En daarom heeft GE zijn strategie gewijzigd. De algemeen directeur Jeffrey Immelt vat het als volgt samen: 'Natuurlijk konden we kleine bedrijven blijven opkopen en ze in onze onderneming inpassen, maar we hebben geleerd dat het beter is de partner te zijn van een derderangsbedrijf dat nummer één wil worden, dan een klein bedrijfje op te kopen of alles zelf te doen.' De *New York Times* noemde dit een zich afwenden van 'management-imperialisme', van een 'luxe die GE zich niet langer kon permitteren'.[9] Washington, dat niet op zijn marktpositie wordt afgerekend, heeft nog niet bedacht dat diplomatiek imperialisme een luxe is die de Verenigde Staten zich niet langer kunnen permitteren.

Om geopolitieke en economische redenen is er nog steeds een sterke markt voor Amerikaanse macht. Maar wat nog belangrijker is: er blijft ook nog steeds een sterke ideologische vraag naar deze macht. 'Nie-

mand in Azië wil in een wereld leven die door Chinezen wordt overheerst. Er is geen Chinese droom waar mensen naar streven,' verklaarde Simon Tay, een geleerde uit Singapore. De voormalige president
van Brazilië, Fernando Henrique Cardoso, heeft betoogd dat de wereld
geen incidentele concessies op handelsgebied van Amerika verlangt,
maar wel dat het zijn eigen idealen trouw blijft en naleeft. Die rol, van
een land dat zich richt op universele idealen en deze in praktijk brengt,
is een rol die alleen Amerika kan vervullen.[10] In dit opzicht is de zachte
macht van Amerika sterk met zijn harde macht verbonden. De combinatie van deze twee krachten zal Amerika op het wereldtoneel nog
steeds een unieke rol geven. Maar deze rol moet veel zorgvuldiger en
competenter worden uitgespeeld.

Om concreter te beschrijven hoe Amerika in deze nieuwe wereld te
werk zou kunnen gaan heb ik vijf eenvoudige richtlijnen opgesteld.

1. Keuzes maken. De Amerikaanse almacht heeft Washington doen
geloven dat het ontslagen is van de noodzaak prioriteiten te stellen of
keuzes te maken. Washington wil alles tegelijk. Maar regeren is kiezen.
Het is van wezenlijk belang dat de Verenigde Staten hierin gediscipli-
neerder te werk gaan. In het geval van Noord-Korea en Iran kon de regering-Bush bijvoorbeeld niet besluiten of zij een verandering van regime wilde of een beleidsverandering (kernwapenvrij maken). Deze
twee wensen zitten elkaar in de weg. Als je een land dreigt met omverwerping van het regime, wordt het verlangen van dat regime naar
kernwapens alleen maar sterker.

Denk u eens in hoe de wereld er voor Iran uitziet. Het wordt om-
ringd door kernmogendheden (Rusland, China, India, Pakistan en Israël) en direct buiten zijn grenzen zijn tienduizenden Amerikaanse
manschappen gelegerd (in Irak en Afghanistan). De president van de
Verenigde Staten heeft herhaaldelijk duidelijk gemaakt dat hij het regime in Teheran als onwettig beschouwt, het omver wil werpen en dat
hij verschillende groeperingen met soortgelijke doelstellingen finan-
ciert. Zou iemand in Teheran hierdoor geneigd raken om het kernpro-
gramma op te geven? Door ons sterk te maken voor zowel beleidsver-

andering als omverwerping van het regime hebben we geen van beide
voor elkaar gekregen.

Of neem de Amerikaanse politiek met betrekking tot Rusland. We
hebben nooit goed op een rijtje kunnen krijgen waar onze grootste belangen en zorgen in de relatie met Moskou gelegen zijn. Zijn het de gevaarlijke rondzwervende kernwapens, die alleen met hulp van Moskou
veiliggesteld kunnen worden? Gaat het om steun van Moskou bij het
isoleren van Iran? Of om het gedrag van Moskou in Oekraïne? Of in
Georgië? Om het Russische verzet tegen het voorgestelde raketten-
schild in Oost-Europa? Of om de manier waarop het Kremlin zijn olie
en aardgas als machtsmiddelen gebruikt? Om de toestand van de mensenrechten in Rusland? Het recente beleid van de vs heeft al deze zaken op de agenda gezet. Als we geloven dat proliferatie van kernwapens en terrorisme de ernstigste kwesties zijn waarmee we op dit
moment geconfronteerd worden, zoals president Bush heeft gezegd,
zijn de beveiliging van het kernwapenarsenaal van Rusland en het verhinderen dat Iran kernwapens produceert stellig de twee kwesties
waarover we – boven alle andere – met Rusland tot samenwerking
moeten zien te komen.

De Verenigde Staten zullen vooral keuzes moeten maken met betrekking tot China. De omvang en de snelheid waarmee China als wereldmacht opkomt is in de geschiedenis niet door enig ander land geëvenaard, zelfs niet door de Verenigde Staten. China zal de beschikking
moeten krijgen over een politieke en zelfs militaire ruimte die met deze macht overeenstemt. Tegelijkertijd mag deze opkomst geen dekmantel worden voor expansionisme, agressie of bemoeizucht. Het tot
stand brengen van dit evenwicht: China aan de ene kant afschrikken
en aan de andere kant de legitieme groei van China accepteren, is de
centrale strategische opdracht voor de Amerikaanse diplomatie. De
Verenigde Staten kunnen en moeten grenzen stellen aan China. Maar
ze moeten ook inzien dat ze niet overal grenzen kunnen stellen. Het
belangrijkste obstakel waarvoor de Verenigde Staten bij de vormgeving aan een dergelijke politiek gesteld worden, is echter helaas een

binnenlands politiek klimaat dat alle concessies en tegemoetkomingen als verzoeningspolitiek en dus als een teken van zwakte beschouwt.

Het punt waarop de Verenigde Staten iets kunnen leren van de ervaringen van Groot-Brittannië is de noodzaak van het maken van grote strategische keuzes over waarop de vs hun energie en aandacht moeten richten. Engeland heeft een verstandige keuze gemaakt toen het geconfronteerd werd met de opkomst van de Verenigde Staten. Maar het is minder verstandig omgegaan met zijn eigen rijk. Aan het begin van de twintigste eeuw stond Londen voor eenzelfde soort dilemma als Washington op dit moment. Als er ergens op de wereld een crisis uitbrak, ongeacht de afstand tot Londen, keek de wereld naar Engeland en vroeg: 'Wat gaan jullie hieraan doen?' De strategische fout van Engeland was dat het tientallen jaren lang tijd en geld, energie en aandacht heeft besteed aan vruchteloze pogingen om in allerlei uithoeken stabiliteit te brengen. Het had veel minder moeten investeren in de constitutionele positie van Nederlandse boeren in Transvaal, iets wat tot de Boerenoorlog leidde, en zich moeten concentreren op zijn afnemende productiviteit en de opkomst van Duitsland in het centrum van Europa.

Britse elites verdiepten zich voor een deel in de Romeinse geschiedenis vanwege hun fascinatie voor een eerder groot rijk, maar ook omdat ze iets wilden leren over het besturen van uitgestrekte gebieden in verschillende werelddelen. Er was een vraag naar mensen die bedreven waren in taal, geschiedenis en rijksbestuur. Uiteindelijk overschaduwde deze vraag echter de behoefte aan het ontwikkelen van de ingenieurs van de toekomst. Door zijn macht en reikwijdte raakte Engeland ook in de ban van een historische lotsbestemming, een tendens die door een protestants reveil werd aangewakkerd. De historicus Correlli Barnett schreef (in de jaren 1970) dat Engeland halverwege de negentiende eeuw in de greep kwam van een 'morele revolutie', waardoor het zich verwijderde van de praktische en rationele samenleving die de industriële revolutie had voortgebracht, en zich bewoog in de richting van een samenleving die werd overheerst

door evangelisch christendom, buitensporig moraliseren en roman-
tiek.[11]

De Verenigde Staten kunnen gemakkelijk in een soortgelijke imperiale valkuil terechtkomen. Elke crisis waar ook ter wereld vraagt aandacht
en actie van Amerika. De tentakels en belangen van Amerika strekken
zich op dit moment even ver uit als die van Engeland op het hoogtepunt
van zijn rijk. Voor degenen die geloven dat de plaats van Amerika in de
wereld volledig verschilt van die van het Britse rijk is het leerzaam het
'Base Structure Report' voor het fiscale jaar 2006 te lezen. In dit rapport
beroemt het ministerie van Defensie zich erop dat het 'een van de grootste "huisbazen" van de wereld is, die beschikt over meer dan 571 200 ves-
tigingen (gebouwen, structuren en voorzieningen) op meer dan 3700
plaatsen, over bijna twaalf miljoen hectare.' Het rapport vermeldt een
wereldomspannend netwerk van 766 bases in veertig landen buiten de
vs, van Antigua tot het Verenigd Koninkrijk. Deze overzeese bases vertegenwoordigden in 2005 een waarde van ten minste 127 miljard dollar,
boden huisvesting aan 197 000 personeelsleden in uniform en een gelijk
aantal leden ondersteunend personeel en niet-militaire functionarissen,
en hadden daarnaast nog 81 000 buitenlanders uit de buurt in dienst.
Deze bases besloegen op buitenlands grondgebied een oppervlakte van
275 000 hectare en kostten de belastingbetalers alleen al voor het onder-
houd 13 miljard dollar.

Amerika is misschien machtiger dan Engeland in het verleden is geweest, maar toch mag het niet de les verwaarlozen dat het keuzes moet
maken. Amerika kan zich niet met alles bemoeien. Spanningen in het
Midden-Oosten zijn belangrijk, maar in de afgelopen zeven jaar hebben deze spanningen alle middelen, energie en aandacht van elk ander
aandachtspunt in de Amerikaanse buitenlandse politiek weggezogen.
Washington moet afstand nemen van de achtste eeuw n.C. door niet
langer als arbiter op te treden tussen aanspraken van soennieten en sjiieten in Bagdad, en de eenentwintigste eeuw binnenstappen in China,
India en Brazilië, waar de toekomst gemaakt wordt. Elke keuze om
zich met een bepaald geval in te laten, hoe geldig of urgent ook, is een

afleiding van de grotere strategische kwesties waarmee de Verenigde Staten geconfronteerd worden. Door ons te concentreren op wat urgent lijkt, zullen we wat echt belangrijk is uit het oog verliezen.

2. **Richt je op brede regels, niet op beperkte belangen.** De buitenlandse politiek van de vs is onderhevig aan een fundamentele spanning. Wil het land zijn eigen bijzondere belangen in het buitenland bevorderen of wil het een structuur van regels, praktijken en waarden ontwikkelen waaraan de wereld zich kan verbinden? In een tijd van opkomende nieuwe machten zou het belangrijkste doel van de Verenigde Staten het laatste moeten zijn – zodat deze landen, ook als ze machtiger worden, binnen het kader van het huidige internationale systeem blijven. Dit is de belangrijkste beperkende omstandigheid die we kunnen bedenken om te verzekeren dat de opkomst van de anderen niet ontaardt in een negatieve concurrentiespiraal waarbij grote machten als vrijbuiters hun eigen belangen en voordelen najagen en daarmee het hele systeem destabiliseren. Als we zo'n systeem willen laten werken, moeten wij ons zelf evengoed aan deze regels houden. Als de Verenigde Staten als een vrijbuiter te werk gaan wanneer dat hun goed uitkomt, waarom zou China dan niet hetzelfde doen met betrekking tot Taiwan? Of India met betrekking tot Pakistan? Als wij ons niet aan regels gebonden achten, waarom zij zich dan wel?

Dit betekent in de eerste plaats dat de Verenigde Staten zich opnieuw moeten engageren met de instellingen en mechanismes voor het oplossen van problemen en het optreden als bemiddelaars die vooral door henzelf in de afgelopen vijftig jaar zijn gecreëerd. Maar dit gaat verder dan meer vn-bijeenkomsten bijwonen en verdragen tekenen. Wanneer de Verenigde Staten universele waarden verkondigen moeten ze hun standpunten zorgvuldig formuleren. In zijn tweede inaugurele rede verklaarde George Bush dat het 'de politiek van de Verenigde Staten [is] om steun te geven aan de groei van democratische bewegingen en instellingen in elke natie en cultuur, met als uiteindelijk doel een einde te maken aan de tirannie in onze wereld.' Toch hebben de Verenigde Staten, toen aan democraten in Taiwan en Pakistan en Saudi-Arabië het zwijgen werd opgelegd, niets van zich laten horen, met als – plausibel – argument dat dit bijzondere gevallen zijn. Maar tegelijkertijd veegt Washington China en India de mantel uit omdat ze Noord-Korea en Birma niet sterk genoeg veroordelen. Diplomaten in beide landen zullen je vertellen dat dit voor hen bijzondere gevallen zijn. Instabiliteit in Birma ligt voor de Verenigde Staten ver van hun bed. Maar dat land heeft lange grenzen met China en India. Voor deze landen betekent instabiliteit miljoenen vluchtelingen. Washington zou moeten inzien dat als het zelf uitzonderingen maakt, andere landen dit ook zullen doen. Of anders moet het zijn eigen uitzonderingen laten varen. Maar geen van beide doen, en het ene prediken en het andere praktiseren, is hypocriet, wat ondoelmatig is en de Amerikaanse ge-loofwaardigheid ondermijnt.

Op het thema van terrorisme zijn de Verenigde Staten te kortzichtig geweest. De beste bescherming tegen de dreiging van terrorisme zou een systeem van douane- en immigratiecontroles zijn dat over de hele wereld toezicht houdt op mensen en goederen, aan de hand van de-zelfde standaarden en met een gemeenschappelijk gebruik van gege-vensbestanden. In de huidige situatie dwingt de eenzijdige benadering van Amerika andere landen en luchtlijnen tot dergelijke controles, maar alleen aan hun eigen grenzen – wat opstoppingen creëert met ne-gatieve consequenties voor de economie en voor het imago van Ame-rika in de wereld. Midden in een hausse van het internationale toeris-me zijn de reizen naar de Verenigde Staten sedert 9/11 in hun groei blijven steken.

Een belangrijker actueel voorbeeld van deze spanning heeft te ma-ken met nucleaire proliferatie. De Verenigde Staten vragen de rest van de wereld zich strikt te houden aan het non-proliferatieverdrag. Dit verdrag heeft een systeem met twee niveaus gecreëerd: naties die vóór 1968 kernwapens ontwikkeld hebben, mogen ze bezitten; de andere naties mogen dit niet (en moeten bepaalde richtlijnen in acht nemen bij hun ontwikkeling van kernenergie). Maar terwijl de Verenigde Staten erop aandringen dat niet-nucleaire mogendheden zich aan deze regels houden, hebben zijzelf en andere kernmogendheden geen stappen ondernomen om de andere instructie in het verdrag op te volgen, namelijk: 'serieuze onderhandelingen aan te gaan over effectieve maatregelen om de kernwapenwedloop te beëindigen en nucleaire ontwapening tot stand te brengen.' Wanneer de Verenigde Staten dus aan landen voorhouden dat de constructie van één enkel kernwapen een morele, politieke en strategische schanddaad is, terwijl ze zelf een arsenaal van meer dan vijfduizend raketten instandhouden en nieuwe wapens ontwikkelen en testen, klinkt deze veroordeling onoprecht. Op grond van dergelijke overwegingen hebben Henry Kissinger, George Shultz, William Perry en Sam Nunn voorgesteld dat de Verenigde Staten het voortouw zouden nemen bij een ambitieuze inspanning binnen de kring van de kernmogendheden, en vooral samen met Rusland dat met Amerika 85 procent van alle kernwapens in handen heeft, om het aantal wapens te verminderen, ze hun alarmstatus te ontnemen en uiteindelijk te streven naar een wereld zonder kernwapens. Ongeacht of we dit einddoel zullen bereiken, en of een wereld zonder nucleaire afschrikking wel een goed idee is, zouden de Verenigde Staten sterk aan geloofwaardigheid winnen wanneer ze zich voor dit doel serieus zouden inzetten. Anders zou het opnieuw de indruk wekken dat zij tegen de rest van de wereld zeggen: ' Doe wat ik zeg, niet wat ik doe.'

3. **Wees Bismarck, niet Engeland.** Josef Joffe stelt dat er twee historische analogieën zijn die de Verenigde Staten bij het ontwerp van een omvattende strategie kunnen onderzoeken: Engeland en Bismarck.[12] Engeland probeerde een tegenwicht te vormen tegen opkomende en bedreigende grote machten, maar stelde zich op het Europese continent terughoudend op. Bismarck koos er daarentegen voor om zich met alle grote machten in te laten. Zijn doel was om met elk van hen betere relaties te hebben dan deze landen onderling hadden, en de spil van het internationale systeem van Europa te worden.

Voor de Verenigde Staten is de Britse optie niet de juiste. Amerika heeft deze rol in het verleden gespeeld, tegen nazi-Duitsland en Sovjet-Rusland, maar de huidige omstandigheden maken een dergelijke strategie onverstandig. De wereld is niet in kampen verdeeld en de landen van de wereld zijn veel sterker met elkaar verbonden en van elkaar afhankelijk dan voorheen. 'Tegenwicht bieden' tegen een opkomende macht zou een gevaarlijke, destabiliserende en potentieel 'self-fulfilling' politiek zijn. Als Washington tegenwicht zou bieden tegen China, voordat Beijing enige serieuze neiging aan de dag had gelegd om de internationale orde te verstoren, zou het zichzelf isoleren – en zou het in economisch en politiek opzicht een hoge prijs moeten betalen voor het feit dat het zelf de verstorende kracht is. Gezien de enorme macht van Amerika moet het van elke omvattende strategie deel uitmaken dat Amerika zijn hand niet overspeelt. Anders zullen anderen, op verschillende manieren, proberen daartegen een tegenwicht te bieden.

Washington is daarentegen ideaal geschikt om in het huidige mondiale systeem een rol als die van Bismarck te spelen. Het heeft met bijna alle grote mogendheden beter relaties dan zij onderling hebben. In Azië heeft de regering-Bush uitstekend werk verricht door de banden met Japan, Australië en India aan te halen. Zij zou hetzelfde moeten proberen te doen met Rusland en China. Hoewel Washington het op vele punten met Moskou en Beijing oneens is, is het niet in het belang van de vs deze landen tot permanente tegenstanders te maken. Het pluspunt van de Bismarck-strategie is dat deze de Verenigde Staten de grootste invloed geeft bij alle partijen en het vermogen van de vs versterkt om vorm te geven aan een vreedzame en stabiele wereld. En als de zaken niet naar wens verlopen, geeft deze strategie de Verenigde Staten ook het recht en de ruimte om een evenwichtsherstellende rol te vervullen.

4. A la carte bestellen. Mensen die zich in theorie en praktijk met buitenlandse relaties bezighouden, hanteren overwegend één bepaalde theorie over het hoe en waarom van een duurzame internationale vrede. Deze theorie gaat ervan uit dat het stabielste systeem er een is waar-

in één enkele dominante mogendheid de orde handhaaft. Engeland en de Verenigde Staten hebben deze rol tweehonderd jaar vervuld. In elk van beide gevallen was de leider de dominante economische en militaire speler en werd deze leider de markt en de kredietverstrekker waarop men in laatste instantie kon terugvallen, het financiële centrum van de wereld en het land dat over de reservevaluta beschikte. In politiek-militaire termen stelde elk van deze beide mogendheden de vaarroutes op zee veilig, bood zij tegenwicht tegen opkomende dreigingen en kwam zij tussenbeide wanneer zij dit nodig achtte om verstoring van de orde te voorkomen. Hoewel beide landen veel fouten maakten, vormen de stabiliteit van het systeem en het succes van de wereldeconomie en de open samenlevingen die hun leiderschap tot stand hebben gebracht een buitengewoon waardevol erfgoed van de Anglo-Amerikaanse hegemonie.

Maar hoe staan de zaken als deze hegemonie begint te tanen? Amerika zal spoedig niet langer het enige land op de wereld zijn met een grote markt. De Europese Unie en China (en daarna India) zullen ook zo'n markt krijgen. Het is onwaarschijnlijk dat de dollar zijn onbetwiste positie als enige reservevaluta zal handhaven, met als gevolg dat deze munt zich zal moeten schikken in een mandje dat in hoofdzaak gevuld zal zijn met euro's en dollars, maar ook andere valuta zal bevatten. In bepaalde gebieden, bijvoorbeeld in de Zuid-Chinese Zee, zal de militaire kracht van de vs waarschijnlijk minder gewicht in de schaal leggen dan die van China. Bij internationale onderhandelingen zal Amerika met andere landen om de tafel moeten gaan zitten en daarmee compromissen moeten sluiten. Zal dit alles leiden tot instabiliteit en wanorde?

Niet noodzakelijk. De tweehonderd jaar van Anglo-Amerikaanse economie hebben een systeem geschapen dat niet zo zwak is als het misschien in de jaren 1920 en 1930 is geweest. (Toen de Engelse macht begon te tanen was Amerika niet bereid de rol van Engeland over te nemen en werd Europa aan zijn lot overgelaten.) Het uitgangspunt van het huidige systeem – een open wereldeconomie, multilaterale onderhandelingen – is breed geaccepteerd. Anne-Marie Slaughter heeft geschreven over de manier waarop wettelijke systemen een stelsel van transnationale standaarden tot stand brengen zonder dat iemand daar dwang op heeft uitgeoefend; waardoor er van onderop, met behulp van netwerken, een orde tot stand komt.[13] Niet elke kwestie zal zich voor een dergelijke stabilisatie lenen, maar veel kwesties wel. Met andere woorden: het is misschien onvruchtbaar en onnodig om voor de oplossing van elk probleem een supermacht te zoeken. Kleinschaliger oplossingen zouden even effectief kunnen zijn.

De Verenigde Staten zouden een dergelijke ad-hocorde moeten verwelkomen. Richard Haass, een voormalige functionaris van het ministerie van Buitenlandse Zaken, heeft het creatieve idee gelanceerd van 'à la carte multilateralisme'.[14] Geen enkele instelling of organisatie heeft het altijd bij het rechte eind, geen enkel kader is ideaal. De VN kunnen geschikt zijn voor het ene probleem, de NAVO voor een tweede en de OAS voor een derde. En voor een nieuwe kwestie zoals klimaatverandering is het misschien het verstandigst een nieuwe coalitie te vormen waarin de zakenwereld en niet-gouvernementele groeperingen zijn opgenomen. Het internationale leven zal alleen maar wanordelijker worden. Ontvankelijk en flexibel reageren levert in het veld waarschijnlijk betere resultaten op dan nadruk leggen op een zuivere benadering, op basis van het idee dat internationale problemen alleen zijn op te lossen zoals internationale problemen zijn opgelost in de negentiende eeuw, een eeuw waarin de staat abnormaal sterk was. Een organischer internationaal systeem waarin problemen worden aangepakt met behulp van een verscheidenheid van structuren en oplossingen kan zijn eigen soort van gelaagde stabiliteit tot stand brengen. Dit is niet zo aantrekkelijk als een formele vredesstructuur, die geworteld is in en geregisseerd wordt door een of twee centrale organisaties in New York en Genève. Maar het is misschien wel een meer realistische en duurzame orde.

Het zoeken naar orde is niet slechts een Amerikaans probleem. Als de opkomst van de anderen ook een versterking inhoudt van nationale trots, eigenbelang en assertiviteit, kan deze opkomst in aanleg overal ter wereld wanorde voortbrengen. Tegelijkertijd speelt deze opkomst zich af in een wereld waarin vrede en stabiliteit zeer lonend zijn, iets waaraan China, India en zelfs Rusland sterke motieven ontlenen om het systeem stabiel te houden. Het probleem is dat deze opkomende machten geen vanzelfsprekend en direct motief hebben om de gemeenschappelijke problemen op te lossen die dit nieuwe systeem oproept. Spanningen tussen naties, klimaatverandering, handelsconflicten, milieubederf en besmettelijke ziektes zouden allemaal kunnen voortwoekeren totdat er een crisis uitbreekt, en dan zou het te laat kunnen zijn. Het oplossen van dergelijke problemen en het wereldwijd voorzien in publieke goederen vereisen een moderator, organisator of leider.

5. Denk asymmetrisch. De Verenigde Staten hebben de sterkste strijdkrachten in de geschiedenis van de wereld. En toch is het hun zwaar gevallen in Irak de overhand te krijgen. De strijdkrachten van Israël zijn veruit superieur aan die van Hezbollah. Maar in het conflict met Hezbollah heeft de Israëlische overmacht geen beslissende overwinning opgeleverd. Waarom? Omdat in het huidige tijdsgewricht asymmetrische reacties gemakkelijker kunnen worden uitgevoerd en moeilijker te bestrijden zijn. Dit geldt niet alleen voor oorlog. Denk aan de opkomst van drugskartels, witwassyndicaten, gastarbeiders en terroristen, die allemaal veel kleiner en armer zijn dan de regeringen die zich tegen hen keren. In een tijd van voortdurende activiteit binnen grenzen en over grenzen heen, hebben kleine groepjes mensen die vindingrijk en vastbesloten zijn en door hartstocht bezield worden, belangrijke voordelen.

Bij het opereren binnen deze context is de eerste en belangrijkste les niet in vallen te lopen. In een videoboodschap uit 2004 deed Osama bin Laden zijn strategie met een verbijsterende openhartigheid uit de doeken. Hij noemde dit een strategie van 'provoceren en uitlokken': 'Het enige wat we moeten doen is twee mujahedin op pad sturen... [en] een lap stof met de woorden "Al-Qaeda" omhoogsteken om de generaals erop af te laten stormen en Amerika menselijke, economische en politieke verliezen toe te brengen.' Zijn aanwijzing is door terroristisch uitschot over de hele wereld goed begrepen. Zonder merkbare communicatie of samenwerking met Bin Laden, of verdere begeleiding van zijn kant, maken kleine cellen van Zuidoost-Azië en Noord-Afrika tot in Europa, nu bekend dat ze deel uitmaken van Al-Qaeda en blazen ze daarmee hun eigen belang op, vestigen wereldwijd de aandacht op hun zaak – en brengen natuurlijk Amerika op de been om hen te bestrijden. Dit soort overtrokken reactie maakt ook de militaire aanwezigheid en het militaire beleid van de vs – de bombardementen, de onbedoeld bijkomende schade – tot het voornaamste aandachtspunt. De gesprekken ter plaatse gaan dan niet langer over terrorisme, maar over het imperialisme van de vs.

Kijk naar de manier waarop de Verenigde Staten hun aanwezigheid in Afrika denken uit te breiden. De retoriek die de regering-Bush hierbij heeft gebruikt is prijzenswaardig: 'We willen voorkomen dat problemen zich ontwikkelen tot crises, en crises tot catastrofes,' heeft Theresa Whelan, waarnemend tweede staatssecretaris voor Afrikaanse zaken, in 2007 in een interview verklaard. 'Het is in ons nationale belang dat Afrika een stabiel werelddeel is.' De uitkomst van dit streven is echter geweest dat er een nieuw militair commando voor dit werelddeel is ingesteld, AFRICOM, met een eigen bevelhebber en staf. Maar de columnist David Ignatius van de *Washington Post* heeft de scherpzinnige vraag gesteld: 'Zijn de strijdkrachten van de vs het geëigende middel voor de natievorming die AFRICOM in zijn vaandel voert? Zal een sterkere Amerikaanse militaire aanwezigheid terrorisme en instabiliteit in dit werelddeel tegengaan of zal het nieuw voedsel geven aan anti-Amerikanisme?' De Verenigde Staten hebben veel belangen in Afrika, die uiteenlopen van het stabiel houden van landen en het inperken van de invloed van China tot het voorkomen van humanitaire rampen. Maar is een militair commando de weg naar dit doel? Of komt deze reactie alleen maar tot stand omdat de regering van de vs niet anders kan reageren dan door het instellen van een militair commando. Hier schuilt het gevaar van verspilling van

kostbare middelen, van een reactie op waargenomen Amerikaans imperialisme. Maar het diepere probleem ligt op het conceptuele vlak. Het is
een verkeerde diagnose van het probleem. 'Voor een man met een ha-
mer,' schreef Mark Twain, 'ziet elk probleem eruit als een spijker.'

De Verenigde Staten zouden creatief en asymmetrisch moeten denken. Dit biedt hun de mogelijkheid een van hun grootste voordelen tot
gelding te brengen. De Verenigde Staten beschikken over een veel breder
en dieper instrumentarium dan enkel en alleen hun strijdkrachten. Een
Amerikaans Afrikabeleid, bijvoorbeeld, dat zich richt op de versterking
van ons corps diplomatique, op steun bij natievorming en op technische
hulpdiensten, zou wel wat saaier zijn dan AFRICOM, maar zou op de
lange duur misschien effectiever zijn. Dit zou ook buiten Afrika gelden.
Waarin de Verenigde Staten tekortschieten in een land als Pakistan is
een bredere inspanning om het bij zijn modernisering te ondersteunen
en het ontbreekt aan een inspanning die duidelijk maakt dat de Verenigde Staten de bevolking van dat land tot bondgenoot willen maken en
niet uitsluitend tot strijdkrachten. Toen ik opgroeide in India fungeer-
den de Information Services van de VS als ambassadeurs van Amerikaanse cultuur, ideeën en idealen. Deze hele benadering van de diplomatie is na de Koude Oorlog in de ijskast gezet en zelfs na 9/11 niet in ere
hersteld. De militaire inspanning van de VS tegen islamitisch extremis-
me is met bijna een biljoen dollar bekostigd. Een ruime schatting van de
uitgaven voor diplomatieke en civiele activiteiten blijft nog beneden de
tien miljard.

Amerika omvat veel meer dan alleen zijn regering. En op dit brede
vlak vinden ook activiteiten plaats die meer beloven. Stichtingen, universiteiten, liefdadigheidsinstellingen en privépersonen zijn intensiever
en effectiever in het buitenland werkzaam geworden. Washington zou
meer van deze groepen moeten leren, meer met hen moeten samenwerken en andere Amerikanen bij dit werk moeten betrekken. In plaats van
ondervraagd, lastiggevallen en gedetineerd te worden, zouden Amerikaanse moslims moeten worden ingeschakeld bij de poging de aantrekkingskracht van het islamitisch fundamentalisme te begrijpen. Een van

de grote krachtbronnen van Amerika – zijn burgermaatschappij – is in de oorlog tegen de terreur grotendeels onaangesproken gebleven.

6. Legitimiteit is macht. De Verenigde Staten beschikken op alle gebieden over een overvloed van macht, behalve op één punt: legitimiteit. In de huidige wereld is dat een doorslaggevend tekort. Legitimiteit geeft je de mogelijkheid de agenda op te stellen, een crisis te benoemen en steun voor beleid te verkrijgen bij landen en bij niet-gouvernementele krachten zoals de particuliere zakenwereld en organisaties aan de basis. Legitimiteit heeft de popster Bono bijvoorbeeld in staat gesteld in een cruciale kwestie, schuldenverlichting, het regeringsbeleid te veranderen. Hij ontleende deze macht aan zijn intellectuele en morele gezag.

Legitimiteit bestaat in vele vormen. De regering-Clinton heeft bij drie belangrijke gelegenheden gebruikgemaakt van geweld: in Bosnië, Haïti en Kosovo. In geen van deze gevallen heeft zij de desbetreffende kwestie voorgelegd aan de Veiligheidsraad van de vn, maar er waren ook weinig aanwijzingen dat dit nodig was. De secretaris-generaal, Kofi Annan, deed zelfs uitspraken die het optreden in Kosovo leken te rechtvaardigen, door uiteen te zetten dat de soevereiniteit van de staat niet gebruikt mocht worden als dekmantel voor het creëren van humanitaire misstanden. Voor een deel kon de regering-Clinton hiermee wegkomen op grond van een fundamenteel vertrouwen. Hoewel de regering-Clinton – of die van George H.W. Bush – in veel opzichten assertief was, had de rest van de wereld geen behoefte aan garanties over haar bedoelingen. De huidige regering-Bush is niet de enige partij die schuld heeft aan de onrustbarende verandering die op dit punt heeft plaatsgevonden. Vanwege 9/11 had zij geen andere keuze dan de Amerikaanse macht tot gelding te brengen en zich op het wereldtoneel krachtig te manifesteren. Maar dit zou haar des te meer redenen gegeven moeten hebben om bij de uitvoering van wat noodzakelijk was een bereidheid tot overleg en samenwerking aan de dag te leggen. Het is één ding om je vijanden bang te maken, maar iets anders om de rest van de wereld de stuipen op het lijf te jagen.

De Verenigde Staten hebben nog steeds een aanzienlijk vermogen om de agenda op te stellen en daardoor legitimiteit te verlenen aan wat als een probleem, crisis of wandaad moet worden opgevat. Amerikaanse ideeën en idealen zijn nog steeds overwegend in de discussies over Darfur, de kernwapens van Iran en Birma. Maar Washington moet begrijpen dat het tot stand brengen van internationale openbare steun voor zijn visie op de wereld een kernelement is van de macht van de vs en niet louter een oefening in public relations. Andere landen, volken en groeperingen hebben nu toegang tot hun eigen verhalen en netwerken. Ze zullen niet voetstoots een versie van de gebeurtenissen accepteren die hun van buitenaf wordt aangereikt. Washington zal zijn zaak overtuigend moeten bepleiten. Deze taak is moeilijker geworden, maar ook belangrijker. In een steeds sterkere en meer gedemocratiseerde wereld is de ideologische strijd nauw met al het andere verbonden.

Het lijkt of de regering-Bush tijdens het voorspel van de oorlog in Irak nooit begrip heeft opgebracht voor de praktische waarde van legitimiteit. Amerikaanse functionarissen bestreden het standpunt dat ze geïsoleerd waren door te wijzen op hun bondgenoten in het 'nieuwe Europa', Azië en Afrika, waarvan er vele waren omgekocht of onder druk gezet om aan de coalitie deel te nemen. En terwijl de regeringen van Midden-Europa Washington steunden, kwamen de bewoners van deze landen met bijna dezelfde aantallen tegen Washington in verzet als in het oude Europa. Omdat Washington geen oog had voor dit onderscheid vergiste het zich in Turkije, van oudsher een trouwe bondgenoot die in de loop van de jaren 1990 steeds democratischer was geworden. De regering wilde de Verenigde Staten steunen, maar meer dan 90 procent van de Turkse bevolking was ertegen. Na een stemming in het parlement die met een krappe meerderheid werd besloten was het resultaat dat Turkije de Verenigde Staten niet kon steunen – wat betekende dat de oorlog op twee fronten tegen Saddam een oorlog werd op één enkel front, met ernstige bezwaren. Bij het begin van de oorlog hadden de Verenigde Staten slechts in één land van de wereld,

Israël, een meerderheid van de bevolking aan hun zijde. En hoewel je Tony Blair lof zou kunnen toezwaaien voor zijn loyaliteit, mag je niet verwachten dat de meeste democratische politici de wensen van een grote meerderheid van hun bevolking in de wind zouden slaan.

De gevaarlijkste tendens van dit moment is de opkomst van nationalisme, dat in een unipolaire wereld vaak vanzelf anti-Amerikaans wordt. Hoe moet je laten merken dat je een geheide Braziliaanse, Chinese of Russische patriot bent? Door in verzet te komen tegen Mr. Big. In de jaren 1970 was een groot deel van het binnenlands beleid van Indira Gandhi impopulair. Als ze echter tijdens campagnes haar stem tegen Amerika verhief, werd ze altijd toegejuicht. Waarom? India was toen al even sterk gefascineerd door Amerika en de Amerikaanse droom als tegenwoordig. In India werd het als een teken van kracht en moed beschouwd dat mevrouw Gandhi zich tegen de wereldleider kon laten gelden. Amerikanen vinden dit onzinnig en zijn van mening dat het oneerlijk is om hun land in een boksbal te veranderen. Ze hebben gelijk. Maar ze moeten het maar verdragen. Het levert heel veel voordelen op om een supermacht te zijn. Er staat ook een prijs op. Die prijs kan door attente diplomatie gemakkelijk verlaagd worden.

'Je kunt beter gevreesd zijn dan geliefd,' schrijft Machiavelli. Dit is een motto dat Dick Cheney zich ter harte neemt. In een toespraak uit 2007 citeert hij Bernard Lewis wanneer deze zegt dat dictators in het Midden-Oosten tijdens de Koude Oorlog geleerd hadden dat ze de Sovjet-Unie moesten vrezen, en niet Amerika. Maar Machiavelli en Cheney hebben ongelijk. De Sovjet-Unie werd inderdaad door haar bondgenoten gevreesd, terwijl de Verenigde Staten geliefd waren, of ten minste aardig werden gevonden. Wat is daar nu nog van over? Het is merkwaardig en verontrustend dat vice-president Cheney zich afgunstig beroept op de misdadige en uiteindelijk falende strategieën van een totalitaire dictatuur. Amerika heeft de wereld niet alleen door zijn macht getransformeerd, maar ook door zijn idealen. Toen de actievoerders voor democratie in China bij elkaar kwamen op het Plein van de Hemelse Vrede, richtten ze daar een geïmproviseerde figuur op die aan het Vrijheidsbeeld deed denken, en niet een F-16. Het imago van Amerika is misschien niet zo gunstig als de Amerikanen denken, maar het is in laatste instantie beter dan de alternatieven. Daarom heeft de wereld de enorme Amerikaanse macht zo lang verdragen.

Angst en walging

Voordat de Verenigde Staten deze strategieën kunnen invoeren moeten zij zich echter op een veel algemener punt anders gaan opstellen. Ze moeten ermee ophouden angstig weg te duiken. Angst heeft in de Verenigde Staten een klimaat van paranoia en paniek teweeggebracht, en angst is de oorzaak geweest van onze strategische misstappen. Omdat onze angst ons heeft doen geloven dat we geen andere keuze hadden dan snel en op eigen houtje, preventief en eenzijdig op te treden zijn we er, in niet meer dan zes jaar, in geslaagd tientallen jaren van internationale sympathie te verspelen, bondgenoten te verstoten en vijanden te versterken, terwijl we maar weinig van de grote internationale problemen waarmee we geconfronteerd worden hebben opgelost. Om zijn plaats in de wereld terug te winnen moet Amerika eerst zijn zelfvertrouwen herwinnen.

Volgens bijna alle objectieve maatstaven bevinden de Verenigde Staten zich op dit moment in een gezegende positie. Zij worden geconfronteerd met problemen, crises en tegenstand, maar vergeleken bij willekeurig welke van de grote dreigingen uit het verleden: nazi-Duitsland, Stalins agressie en een kernoorlog, zijn de omstandigheden gunstig en komt de wereld in onze richting. In 1933 wees Franklin Delano Roosevelt op het werkelijke gevaar voor de Verenigde Staten. 'Het enige dat we te vrezen hebben is de angst zelf,' zei hij. 'Naamloze, onredelijke en ongerechtvaardigde angst.' En hij waarschuwde tegen angst op een moment waarop het Amerikaanse economische en politieke stelsel op instorten stond, een kwart van de arbeidsbevolking werkloos was en het fascisme wereldwijd in opmars was. Wij hebben ons daarentegen de stuipen op het lijf gejaagd in een tijd van mondiale vrede en voorspoed. Zolang we dit goed blijven beseffen – dat de wereld onze kant op komt – hoeven we geen verkeerde inschattingen en beoordelingen te maken en hoeven we de ontwikkelingen die in de wereld gaande zijn niet verkeerd te begrijpen.

Amerika is een land geworden dat verteerd wordt door angst, dat zich zorgen maakt over terroristen en schurkenstaten, moslims en Mexicanen, buitenlandse ondernemingen en vrijhandel, immigranten en internationale organisaties. De sterkste natie in de geschiedenis van de wereld ziet zich nu aangevallen door onbeheersbare krachten. Hoewel de regering-Bush aan deze stand van zaken heeft bijgedragen, is het een verschijnsel dat niet aan één enkele president kan worden toegeschreven. Maar al te veel Amerikanen zijn ten prooi gevallen aan een retoriek van de angst.

De presidentscampagne van 2008 had gelegenheid kunnen scheppen voor een nationale discussie over de nieuwe wereld waarin we leven. Maar op het moment van schrijven is deze campagne aan de kant van de Republikeinen uitgedraaid op een oefening in opgeklopte hysterie. 'Ze haten jullie!' heeft Rudy Giuliani tijdens zijn campagne herhaaldelijk uitgeroepen, om zijn publiek onbarmhartig te herinneren aan al die engerds buiten de deur. 'Ze willen jullie hier niet!' riep hij waarschuwend tegen een gehoor in Oglethorpe University, in Atlanta. 'Of jou, of jou, of jou,' voegde hij daar, naar men zegt met een agressief uitgestoken vinger, aan toe. Giuliani heeft de Amerikanen herhaaldelijk opgeroepen om niet alleen in het offensief te blijven, maar zelfs op nieuwe fronten het offensief te openen.

In zijn boek *Courage Matters* gaf senator John McCain blijk van een veel verstandiger benadering en schreef hij: 'Stap toch in die verdomde lift! Stap toch in dat verdomde vliegtuig! Bereken de kans dat een terrorist je kwaad doet. Dat is nog steeds net zo onwaarschijnlijk als dat je door een vloedgolf naar zee wordt meegetrokken.' Toen hij dit neerschreef aan het eind van 2003 voegde hij daar nog een verstandige vuistregel aan toe: 'Houd het terrorisme-alarm in de gaten en ga weer naar buiten als het niet langer geel is.' Helaas is het alarm sinds 9/11 nooit meer lager geweest dan geel (dat een 'verhoogd' risico van een terroristische aanslag aanduidt). Op luchthavens heeft het alarm bijna voortdurend op oranje gestaan, op 'hoog risico', het op één na hoogste niveau van waakzaamheid. Toch geeft het ministerie van Binnenlandse Veiligheid toe dat 'er op dit moment geen geloofwaardige informatie beschikbaar is die waarschuwt voor een binnenkort te verwachten bedreiging van het moederland'. Sinds 9/11 zijn er in het hele land maar twee of drie buitengewoon kleinschalige terroristische complotten opgerold en is er in Amerika geen enkele slapende Al-Qaeda-cel ontdekt.

Maar zoals veel Amerikaanse politici hem beschrijven is er nog steeds sprake van een overweldigende, wereldomspannende en genadeloze vijand. Giuliani gooide Iran en Al-Qaeda terloops op een hoop. Mitt Romney ging nog verder door alle vermeende boosdoeners over één kam te scheren. 'Dit gaat over sjiieten en soennieten. Dit gaat over Hezbollah en Hamas en Al-Qaeda en de Moslimbroederschap,' heeft hij kortgeleden verklaard. In werkelijkheid is Iran een sjiitische mogendheid en heeft het de Verenigde Staten zelfs geholpen om het door Al-Qaeda gesteunde regime van de Taliban in Afghanistan omver te werpen. Met Al-Qaeda verbonden radicale soennieten hebben in Irak sjiieten afgeslacht, en door Iran gesteunde sjiitische milities hebben gereageerd door soennieten in Irak terecht te stellen. We herhalen op dit moment een van de voornaamste fouten uit het begin van de Koude Oorlog: dat we al onze potentiële tegenstanders op één hoop gooien in plaats van hen te verdelen. Mao en Stalin waren allebei rotzakken. Maar het waren rotzakken die het land aan elkaar hadden, een gegeven dat tot groot voordeel van de vrije wereld benut had kunnen worden. Zo'n gelegenheid onbenut laten is geen voorbeeld van kracht, maar een voorbeeld van stompzinnigheid.

De strijd om de eerste plaats wat betreft spierballenvertoon heeft nieuwe beleidsideeën opgeleverd, die uiteenlopen van slecht tot krankzinnig. Romney, die zich afficheert als de slimme wereldwijze manager, heeft kortgeleden uiteengezet dat hoewel 'sommige mensen gezegd hebben dat we Guantánamo moeten sluiten, we [de omvang van] Guantánamo naar mijn mening moeten verdubbelen.' Romney vroeg in 2005: 'Houden we [moskeeën] in de gaten? Luisteren we die af?' Natuurlijk is dit voorstel nog zachtaardig vergeleken bij datgene wat afgevaardigde Tom Tancredo, ook een Republikeinse kandidaat voor het presidentschap, in datzelfde jaar opperde. Toen hem een vraag werd gesteld over een mogelijke kernaanval van radicale islamieten op de Verenigde Staten, deed hij de suggestie dat de Amerikaanse strijdkrachten moesten dreigen met het 'uitschakelen' van Mekka.

Sommigen prijzen de agressieve benadering van de regering-Bush voor het voorkomen van een volgende terroristische aanslag op Amerikaanse bodem na 11 september. Deze regering verdient zeker lof voor het ontmantelen van de infrastructuur van Al-Qaeda in Afghanistan en in andere landen waar het vroeger afdelingen of aanhangers had, hoewel deze operatie minder succesvol is geweest dan veel mensen denken. Maar sinds 9/11 heeft er een reeks van terroristische aanslagen plaatsgevonden in landen als Engeland, Spanje, Marokko, Turkije, Indonesië en Saudi-Arabië, landen die zich eveneens hard tegenover het terrorisme hebben opgesteld. De rode draad bij deze aanslagen is dat ze door plaatselijke groeperingen zijn gepleegd. Het is veel gemakkelijker om activisten uit het buitenland op te sporen en tegen te houden dan om een plaatselijke groepering te ontdekken.

Het cruciale voordeel van de Verenigde Staten in dit opzicht is dat zij geen geradicaliseerde binnenlandse bevolking hebben. Amerikaanse moslims behoren doorgaans tot de middenklasse en zijn over het algemeen gematigd en goed ingeburgerd. Ze geloven in Amerika en in de Amerikaanse droom. De eerste omvattende peiling onder moslims in de vs, die in 2007 is uitgevoerd door het Pew Research Center, heeft vastgesteld dat meer dan 70 procent van hen gelooft dat je, als je in Amerika hard werkt, vooruit kunt komen. (Bij de gehele Amerikaanse bevolking is dit slechts 64 procent.) Hun reacties op bijna alle vragen lagen binnen de Amerikaanse hoofdstroom, en verschilden opvallend van de reacties van islamitische bevolkingsgroepen elders. Ongeveer 13 procent van de moslims in de vs gelooft dat zelfmoordaanslagen gerechtvaardigd kunnen zijn. Hoewel dit cijfer uiteraard te hoog is, komt het gunstig voor de dag in vergelijking met de 42 procent bij Franse en 88 procent bij Jordaanse moslims.

Dit duidelijke Amerikaanse voordeel, dat getuigt van het vermogen van Amerika om nieuwe immigranten in te burgeren, staat steeds sterker onder druk. Als Amerikaanse leiders gaan insinueren dat de hele moslimbevolking met argusogen gevolgd moet worden, zal dat de relatie van deze gemeenschap met de Verenigde Staten veranderen. Voorstellen van presidentskandidaten over het afluisteren van Amerikaanse moskeeën en het bombarderen van Mekka zijn zeker geen stappen in de juiste richting.

Hoewel Democraten op de meeste van deze punten verstandiger zijn, blijft deze partij in de ban van de angst dat ze niet als voldoende daadkrachtig zal overkomen. De presidentskandidaten van deze partij steken elkaar naar de kroon om te bewijzen dat ze net zo stoer en strijdbaar zullen zijn als de grootste havik bij de Republikeinen. Toen de kandidaten tijdens een presidentieel debat in South Carolina in 2007 de vraag kregen voorgelegd hoe ze op een volgende terroristische aanslag zouden reageren, beloofden ze onmiddellijk terug te slaan en de – niet nader genoemde – vijand aan te vallen en te vernietigen. Barack Obama, de enige die anders reageerde, werd zich al snel van zijn kwetsbare positie bewust en sloot zich gehoorzaam bij de anderen aan. Na het debat deden zijn tegenstanders de suggestie dat zijn oorspronkelijke reactie aantoonde dat hij niet sterk genoeg in zijn schoenen stond om president te zijn. (In feite was de aanvankelijke reactie van Obama de juiste. Hij zei dat het eerste dat hij zou doen was vast te stellen of de reactie op de aanslag effectief zou zijn, en dat hij vervolgens zou nagaan of we de best mogelijke informatie hadden om erachter te komen wie de aanslag had gepleegd, en dat hij dan met bondgenoten actie zou ondernemen om het verantwoordelijke netwerk te ontmantelen.)

We zullen nooit in staat zijn te verhinderen dat een klein groepje aso's een verschrikkelijke terreurdaad pleegt. Ongeacht de opmerkzaamheid en competentie van onze inlichtingendiensten en wetshandhavers zullen de mensen in een groot, open en divers land altijd in staat zijn door de mazen van het net te glippen. De werkelijke toets van Amerikaans leiderschap is niet of we een aanslag met 100 procent zekerheid kunnen voorkomen, maar hoe we erop reageren. Stephen Flynn, een deskundige op het gebied van binnenlandse veiligheid bij de Council on Foreign Relations, betoogt dat wij ons veerkracht ten doel moeten stellen: hoe snel we ons van een verstoring kunnen herstellen. In de materiaalwetenschappen is veerkracht het vermogen van een materiaal om na een vervorming zijn oorspronkelijke vorm te herstellen. Als er op een dag bommen ontploffen, moeten we ervoor zorgen dat ze op economisch, sociaal en politiek gebied zo min mogelijk verstoring teweegbrengen. In dat geval zou de terrorist zijn belangrijkste doel niet bereiken. Als we ons niet laten terroriseren hebben we het terrorisme in een doorslaggevend opzicht overwonnen.[15]

De sfeer van angst en paniek die we op dit moment om ons heen zaaien zal waarschijnlijk het omgekeerde effect teweegbrengen. In het geval dat er nog een volgende aanslag plaatsvindt, kunnen er twee dingen bijna met zekerheid voorspeld worden. De feitelijke gevolgen van de aanslag zouden beperkt zijn en het land in staat stellen snel tot de normale situatie terug te keren. Maar Washington zou volledig van slag raken. Politici zouden over elkaar heen vallen om te bezweren dat ze iemand zouden verpulveren en vernietigen… maar wie? Een represailleaanval zou passend en belangrijk zijn, als je het juiste doel zou kunnen treffen. Maar hoe zou het zijn als de schuldigen hun basis hadden in Hamburg of Madrid of Trenton? Het is veel waarschijnlijker dat een toekomstige aanslag zal voortkomen uit landen die onbewust en ongewild terroristen herbergen. Gaan we Engeland of Spanje bombarderen omdat daar een terroristische cel gevestigd is?

Het andere waarschijnlijke effect van een volgende terroristische aanslag zou een toename zijn van de beperkingen op beweging, privacy en burgerlijke vrijheden die Amerika al enorme economische, politieke en morele kosten hebben bezorgd. Het screenen van passagiers op luchthavens, dat jaarlijks bijna vijf miljard dollar kost, wordt naarmate er nieuwe potentiële 'risico's' ontdekt worden met elk jaar belastender. Het visasysteem, dat beperkend en uitsluitend is geworden, zal dit steeds sterker worden met elke keer dat er een misdadiger wordt binnengelaten. Geen enkele van deze procedures is ontworpen met aandacht voor het evenwicht tussen de behoefte aan veiligheid en de behoefte aan openheid en gastvrijheid. Ze leggen er eenzijdig de nadruk op dat een ambtenaar, op elk moment of op elke plaats waarop hij onraad vermoedt, iemand beter kan tegenhouden, ondervragen, arresteren en deporteren.

Onze angsten gaan veel verder dan de angst voor terrorisme. Lou Dobbs van CNN is de spreekbuis geworden van een paranoïde en boos segment van onze bevolking dat voortdurend tekeergaat tegen de sinistere krachten die ons onder de voet lopen. Voor rechts zijn illegale immigranten een obsessie geworden. De partij van het vrije ondernemen heeft zich ingezet voor een enorme uitbreiding van de bevoegdheden van de politie om mensen van werk af te houden. De Democraten maken zich begrijpelijkerwijs bezorgd over de lonen van werknemers in de Verenigde Staten, maar deze angsten zijn nu vooral gericht op vrijhandel die, hoewel hij niet het probleem vormt (de bescherming van Amerikaanse ondernemingen tegen concurrentie is een zekere weg naar lagere productiviteit), binnen de partij snel aan steun verliest. De historische heroriëntatie van zijn partij door Bill Clinton, in de richting van de toekomst, markten, handel en doelmatigheid, wordt verkwanseld door het streven naar kortstondige populariteit. Of het nu gaat om terrorisme, handel, immigratie of enige vorm van internationalisme, de politieke dynamiek van de Verenigde Staten bestaat uit wegduiken.

Voor een deel bestaat de buitenlandse politiek uit wat we doen, maar voor een ander deel uit wat we zijn. Hubert Humphrey heeft herhaaldelijk gezegd dat de Wet op de Burgerrechten van 1964 een van de belangrijkste beleidsmaatregelen van dat decennium was op het gebied van de buitenlandse politiek. En inderdaad is Amerika zelf vaak het grootste tegengif geweest tegen de buitenlandse politiek van de vs. Op momenten dat het optreden van Amerika in de wereld hard of misplaatst of oneerlijk heeft geleken is Amerika zelf altijd open, verwelkomend en verdraagzaam geweest. Ik herinner me hoe ik in de jaren 1970 Amerika heb bezocht, op een moment waarop India, als land, officieel anti-Amerikaans was. Het Amerika dat ik in werkelijkheid ervoer was een krachtige weerlegging van de propaganda en de karikaturen van de kant van zijn vijanden. Maar op dit moment dreigt de karikatuur, door zorgeloosheid, angst en bureaucratische lafheid, werkelijkheid te worden.

Per slot van rekening is openheid de grootste kracht van Amerika. Veel schrandere beleidsmakers hebben slimme ideeën uitgewerkt waarvan zij denken dat deze de Amerikaanse productiviteit, besparingen en gezondheidszorg zullen verbeteren. Hiermee kunnen ze hun eigen macht vergroten. Maar historisch gesproken is Amerika niet succesvol geweest vanwege de inventiviteit van zijn regeringsprogramma's maar vanwege de kracht van zijn samenleving. Het land heeft gefloreerd omdat het zich tegenover de wereld is blijven openstellen, voor goederen en diensten, ideeën en uitvindingen, en bovenal voor mensen en culturen. Deze openheid heeft ons in staat gesteld snel en flexibel te reageren op nieuwe economische omstandigheden, met opmerkelijk gemak ons aan verandering en diversiteit aan te passen en de grenzen van vrijheid en autonomie steeds verder te verleggen. Zij heeft Amerika in staat gesteld de eerste universele natie te creëren, een plaats waar mensen van over de hele wereld kunnen werken, met elkaar kunnen verkeren en een gemeenschappelijke droom en een gemeenschappelijke bestemming kunnen delen.

In het najaar van 1982 ben ik hier aangekomen als achttienjarige student uit India, twaalfduizend kilometer verder weg. Amerika maakte een moeilijke periode door. Die december liep de werkloosheid op tot 10,8 procent, hoger dan op enig moment sinds de Tweede Wereldoorlog. De rentetarieven schommelden rond de 15 procent. Vietnam, Watergate en de Iraanse gijzelingscrisis hadden het Amerikaanse zelfvertrouwen aangetast. De Sovjet-Unie was in opmars en bezig zijn invloed ver buiten zijn grenzen uit te breiden, van Afghanistan en Angola tot Midden-Amerika. Dat jaar in juni viel Israël Libanon binnen en maakte een toch al explosieve situatie nog gespannener.

Toch was Amerika een verrassend open en expansief land. Het werd belichaamd door Reagan. Hoewel hij op dat moment in de peilingen op het laagste niveau van zijn populariteit stond, straalde hij vanuit het middelpunt van de storm optimisme uit. In het aangezicht van de opkomende macht van Moskou sprak hij zelfverzekerd van een dodelijke crisis in het Sovjetsysteem en voorspelde hij dat het op de 'puinhoop van de geschiedenis' terecht zou komen. En aan de andere kant van de politieke tweedeling stond Thomas (Tip) O'Neill, de beminnelijke Iers-Amerikaanse voorzitter van het Huis van Afgevaardigden, die de mildheid en verdraagzaamheid van het traditionele liberalisme personifieerde. Overal waar ik kwam was de sfeer warm en verwelkomend. Het was een gevoel dat ik nog nooit eerder had meegemaakt: een land dat wijdopen stond voor de wereld, voor de toekomst en voor mij. Voor een jonge buitenlandse student leek het een onbeperkte overvloed en belofte in te houden.

Als Amerika in deze nieuwe en uitdagende tijd wil blijven bloeien, en met de opkomst van de anderen succesvol wil blijven, hoeft het slechts één enkele toets te doorstaan. Het moet een plek blijven die voor de jonge student die het land nu binnenkomt even uitnodigend en opwindend is als het voor deze onbeholpen achttienjarige een generatie geleden was.

Noten

2. De beker vloeit over

1. Ted Robert Gurr en Monty G. Marshall, *Peace and Conflict 2005: A Global Survey of Armed Conflicts, Self-Determination Movements, and Democracy,* Center for International Development and Conflict Management, University of Maryland, College Park (juni 2005).
2. Steven Pinker, 'A Brief History of Violence' (toespraak op de Technology, Entertainment, Design Conference, Monterey, Californië, maart 2007).
3. Kevin H. O'Rourke, 'The European Grain Invasion, 1870–1913, *Journal of Economic History* 57, nr. 4 (december 1997), 775–801.
4. Voor een goed, toegankelijk overzicht van de laat negentiende-eeuwse 'positieve aanbodschok ' zie Gary Saxonhouse, 'The Integration of Giants into the Global Economy', AEI: Asian outlook, nr. 1 (31 januari 2006).
5. Zie een overzicht van de *Economist* over 'The New Titans' in het nummer van 14 september 2006 .
6. Michael Specter, 'The Last Drop', *The New Yorker,* 23 oktober 2006.
7. Larry O'Hanlon, 'Arctic Ice Melt Gets Stark Reassessment', Discovery News, 6 september 2007, beschikbaar op http://dsc.discovery.com/news/2007/09/06/arcticice_pla.html?category=earth.
8. Zbigniew Brzezinski, 'The Dilemma of the Last Sovereign', *American Interest* 1, nr. 1 (najaar 2005).

9. Benjamin Schwarz, bespreking van Stephen E. Ambrose, The Good Fight, in *Atlantic Monthly*, juni 2001, 103.
10. Naazneen Barma et al., 'The World without the West', *National Interest*, nr. 90 (juli/augustus 2007), 23–30.
11. Thomas L. Friedman, *The World Is Flat: A Brief History of the Twenty-first Century* (New York: Farrar, Straus and Giroux, 2006), p. 226. De uitspraak van Andy Grove wordt aangehaald in Clyde Prestowitz, *Three Billion New Capitalists: The Great Shift of Wealth and Power to the East* (New York: Basic Books, 2005), p. 8.
12. Gabor Steingart, *The War for Wealth: Why Globalization Is Bleeding the West of Its Prosperity* (New York: McGraw-Hill, 2008).

3. Een niet-westerse wereld?

1. De feiten over de reizen van Zheng He komen uit verschillende bronnen waaronder Gavin Menzies, *1421: The Year China Discovered America* (New York: Harper Perennial, 2004); David Landes, *The Wealth and Poverty of Nations* (New York: W. W. Norton, 1999); en Kuei-Sheng Chang, 'The Maritime Scene in China at the Dawn of Great European Discoveries', *Journal of the American Oriental Society* 94, nr. 3 (juli-september 1974), 347–359.
2. Kenneth Pomeranz, *The Great Divergence: China, Europe, and the Making of the Modern World Economy* (Princeton: Princeton University Press, 2000). Volgens Pomeranz is China minder achterlijk dan in mijn beschrijving. Maar Angus Maddison, William McNeil en David Landes zijn voor dit globale onderwerp betere gidsen, en Philip Huang (zie hieronder) weerspreekt Pomeranz op een overtuigende manier tot in bijzonderheden.
3. Geciteerd in Bernard Lewis, 'The West and the Middle East', *Foreign Affairs* 76, nr. 1 (januari/februari 1997), 114.
4. Daniel J. Boorstin, *The Discoverers* (New York: Vintage Books, 1985), p. 64. David S. Landes maakt in zijn werk, vooral in *Revolu-*

tion in Time: Clocks and the Making of the Modern World (Cambridge: Harvard University Press, 1983), ook gebruik van de ontwikkeling van de klok ter illustratie van de tegengestelde houding tegenover innovatie en technologische verandering in oosterse en westerse samenlevingen.

5. David S. Landes, 'Why Europe and the West? Why Not China?' *Journal of Economic Perspectives* 20, nr. 2 (voorjaar 2006), 18.

6. Philip C.C. Huang, 'Development or Involution in Eighteenth-Century Britain and China: A Review of Kenneth Pomeranz's The Great Divergence: China, Europe, and the Making of the Modern World Economy', *Journal of Asian Studies* 61, nr. 2 (mei 2002), 501–538.

7. Landes, 'Why Europe and the West?', 18.

8. Paul Kennedy, *The Rise and Fall of the Great Powers: Economic Change and Military Conflict from 1500 to 2000* (New York: Random House, 1987), p. 13.

9. J.M. Roberts, *History of the World* (Oxford: Oxford University Press, 1993).

10. Deze redenering zal bekend voorkomen aan de lezers van Jared Diamond, *Guns, Germs, and Steel: The Fates of Human Societies* (New York: W.W. Norton, 2005). Ook David Landes, *The Wealth and Poverty of Nations* en Eric Jones, *The European Miracle: Environments, Economies, and Geopolitics in the History of Europe and Asia,* 3e druk (Cambridge: Cambridge University Press, 2003), beschouwen de aardrijkskunde als een doorslaggevende factor bij de ontwikkeling van een samenleving.

11. Niall Ferguson, *Empire: The Rise and Demise of the British World Order and the Lessons for Global Power* (New York: Basic Books, 2004).

12. Geciteerd in Braj B. Kachru, *The Indianization of English: The English Language in India* (Oxford: Oxford University Press, 1983), pp. 59–60.

13. Max Boot, *War Made New: Technology, Warfare, and the Course of History, 1500 to Today* (New York: Gotham Books, 2006). In 'The

West and the Middle East', beschrijft Bernard Lewis hoe de effecten van de militaire modernisering zich door de Ottomaanse samenleving verbreidden. De opbouw van een intelligenter corps officieren hield in dat het onderwijssysteem hervormd moest worden en het mobiel maken van de strijdkrachten bracht met zich mee dat er zwaar geïnvesteerd moest worden in wegen en moderne infrastructuur. Zo leidde het streven om veldslagen te winnen ook tot culturele en economische veranderingen.

14. Samuel P. Huntington, 'The West: Unique, Not Universal', *Foreign Affairs* 75, nr. 6 (november/december 1996), 28–46.

15. Kishore Mahbubani, 'Will India Emerge as an Eastern or Western Power?' (Center for the Advanced Study of India, Penn Club, New York, 9 november 2006); Indrajit Basu, 'Western Wear Rivals the Indian Sari', *Asia Times Online*, 10 mei 2007.

16. Fabrizio Gilardi, Jacint Jordana en David Levi-Faur, 'Regulation in the Age of Globalization: The Diffusion of Regulatory Agencies across Europe and Latin America', IBEI Working Paper, 2006, 1.

17. Jason Overdorf, 'Bigger Than Bollywood', *Newsweek International*, 10 september 2007.

18. Christian Caryl, 'Turning Un-Japanese', *Newsweek International*, 13 februari 2006.

19. Diana Crane, 'Culture and Globalization: Theoretical Models and Emerging Trends', in *Global Culture: Media, Arts, Policy, and Globalization*, red. Diana Crane, Nobuko Kawashima en Kenichi Kawasaki (Londen: Routledge, 2002).

4. De uitdager

1. Melinda Liu, 'Beijing Reborn', *Newsweek International*, 13 augustus 2007.

2. Jun Ma en John Norregaard, *China's Fiscal Decentralization* (International Monetary Fund, oktober 1998).

3. Minxin Pei, *China's Trapped Transition: The Limits of Developmental Autocracy* (Cambridge: Harvard University Press, 2006).

4. Ibid.

5. Pan Yue, waarnemend hoofd van het Chinese Staatsbureau voor milieubescherming, geciteerd in Jamil Aderlini en Mure Dickie, 'Taking the Waters', *Financial Times*, 24 juli 2007.

6. Joseph Kahn en Jim Yardley, 'As China Roars, Pollution Reaches Deadly Extremes', *New York Times*, 26 augustus 2007.

7. John Thornton, 'Long Time Coming: The Prospects for Democracy in China', *Foreign Affairs* 87, nr. 1 (januari/februari 2008), 2–22.

8. Ik ben Mr. Lee Kuan Yew dankbaar voor het feit dat hij me van deze serie op de hoogte heeft gesteld en er vervolgens voor heeft gezorgd dat deze mij werd toegezonden. Een van de televisiestations in Singapore heeft de hele serie met Engelse ondertiteling uitgezonden, zodat ik de hele show heb kunnen zien.

9. Joseph Needham, *Within the Four Seas: The Dialogue of East and West* (Londen: Allen & Unwin, 1969), p. 63.

10. Ibid., 90.

11. Thomas Fuchs, 'The European China: Receptions from Leibniz to Kant', *Journal of Chinese Philosophy* 33, nr. 1 (2006), 43. 12. E-mail aan de auteur.

13. Robert Gilpin, *War and Change in World Politics* (Cambridge: Cambridge University Press, 1981), 94–95.

14. Ernest Harsch, 'Big Leap in China-Africa Ties', *Africa Renewal* 20, nr. 4 (januari 2007), 3.

15. Carlos H. Conde, 'Asean and China Sign Trade and Services Accord', *International Herald Tribune*, 14 januari 2007.

16. 'Out of Their Silos; China and America', *Economist*, 10 juni 2006.

17. Joshua Cooper Ramo, 'The Beijing Consensus' (Foreign Policy Centre, London, 2004).

5. De bondgenoot

1. Dominic Wilson and Roopa Purushothaman, *Dreaming with* BRICS: The Path to 2050 (Goldman Sachs, Global Economics Paper nr. 99, 1 oktober 2003).
2. 'GM to triple parts sourcing from India', *Times of India*, 20 november 2007.
3. Jahangir Aziz en Steven Dunaway, 'China's Rebalancing Act', *Finance & Development* 44, nr. 3 (september 2007).
4. Yasheng Huang, 'Will India Overtake China?' *Foreign Policy*, juli/augustus 2003, 71–81.
5. Manjeet Kripalani, 'Read All About It: India's Media Wars', *BusinessWeek*, 16 mei 2005.
6. Van de Wereldgezondheidsorganisatie, beschikbaar op http://www.who.int/countries/ind/en/.
7. Zie bijvoorbeekld zijn artikel 'India and the Balance of Power', *Foreign Affairs* 85, nr. 4 (juli/augustus 2006), 17–32.
8. Chaudhuri zet deze ideeën nader uiteen in his *Hinduism: A Religion to Live By* (Oxford: Oxford University Press, 1979).
9. Mohamed El Baradei, 'Rethinking Nuclear Safeguards', *Washington Post*, 14 juni 2006.
10. Robert D. Blackwill, 'Journalist Roundtable on India' (afschrift), met als gastheer David B. Ensor, 23 februari 2006.

6. De Amerikaanse macht

1. James Morris, *Pax Britannica: Climax of an Empire* (New York: Harcourt Brace, 1980).
2. Geciteerd in Karl Meyer, 'An Edwardian Warning: The Unraveling of a Colossus', *World Policy Journal* 17, nr. 4 (winter 2000/2001), 47–57.
3. Niall Ferguson, *Empire: The Rise and Demise of the British World*

Order and the Lessons for Global Power (New York: Basic Books, 2002), p. 268.

4. Lawrence James, *The Rise and Fall of the British Empire* (New York: St. Martin's Press, 1996), p. 212.

5. Paul Kennedy, 'Why Did the British Empire Last So Long?' in *Strategy and Diplomacy, 1870–1945: Eight Studies* (Londen: Allen & Unwin, 1984), pp. 197–218.

6. De feiten over de economische situatie van Engeland zijn grotendeels afkomstig uit Paul Kennedy, *The Rise and Fall of Great Powers* (New York: Random House, 1987), pp. 151–200. Maddison en Barnett (zie hieronder) zijn ook nuttige bronnen.

7. Deze theorie over het verval van Engeland wordt uitvoerig uiteengezet in Correlli Barnett, *The Collapse of British Power* (Gloucestershire: Sutton Publishing, 1997).

8. Niall Ferguson, *The Pity of War* (New York: Penguin Books, 1998).

9. Kennedy, *Rise and Fall of Great Powers*, p. 317.

10. James, *Rise and Fall of the British Empire*, p. 464.

11. Dominic Wilson en Roopa Purushothaman, *Dreaming with* BRICS: *The Path to 2050* (Goldman Sachs, Global Economics Paper nr. 99, 1 oktober 2003). Hoewel deze alom geciteerde studie de beste bron is voor dergelijke projecties verdient het aandacht dat de BRICS [Brazilië, Rusland, India en China] na de verschijning van deze studie sneller gegroeid zijn dan de economen van Goldman aannamen.

12. Michael W. Holman, *Profiting from International Nanotechnology* (Lux Research, december 2006).

13. James Fallows, 'China Makes, the World Takes', *Atlantic Monthly*, juli/augustus 2007.

14. Greg Linden, Kenneth Kraemer en Jason Dedrick, *Who Captures Value in a Global Innovation System? The Case of Apple's iPod* (Personal Computing Industry Center, juni 2007).

15. Het citaat van Immelt verscheen oorspronkelijk in een interview met het *Globalist magazine*, 'A CEO's Responsibilities in the Age of Globalization', 17 maart 2006.

16. Bialik schreef twee columns over dit onderwerp in the *Wall Street Journal*: 'Outsourcing Fears Help Inflate Some Numbers', 26 augustus 2005, en 'Sounding the Alarm with a Fuzzy Stat', 27 oktober 2005. Het onderzoek aan Duke University, getiteld 'Framing the Engineering Outsourcing Debate: Placing the United States on a Level Playing Field with China and India', stond onder leiding van dr. Gary Gereffi en Vivek Wadhwa.

17. *The Emerging Global Labor Market: Part ii – The Supply of Offshore Talent in Services* (McKinsey Global Institute, juni 2005).

18. Alan S. Brown en Linda LaVine Brown, 'What Are Science & Math Test Scores Really Telling U.S.?' *Bent of Tau Beta Pi*, winter 2007, 13–17.

19. Michael Alison Chandler, 'Asian Educators Looking to Loudoun for an Edge', *Washington Post*, 19 maart 2007.

20. Recente artikelen van Eberstadt verschaffen goede achtergrondinformatie over de demografische tendensen in verschillende regio's en de invloed op hun respectievelijke economieën: 'Born in the usa', *American Interest*, mei/juni 2007; 'Critical Cross-Cutting Issues Facing Northeast Asia: Regional Demographic Trends and Prospects', *Asia Policy* (januari 2007); en 'Healthy Old Europe', *Foreign Affairs* 86, nr. 3 (mei/juni 2007), 55–68.

21. Richard N. Cooper, 'Living with Global Imbalances: A Contrarian View', *Policy Briefs in International Economics* (Institute for International Economics, november 2005).

22. Met een bevestiging van het wereldleiderschap in financiële dienstverlening van New York en de vs, beschikbaar op www.senate.gov/~schumer/SchumerWebsite/pressroom/special_reports/2007/NY-REPORT%20_FINAL.pdf.

7. Wat Amerika zich ten doel kan stellen

1. Toespraak op de Economische Top van de G8, Houston, Texas, 11 juli 1990.

2. Charles Krauthammer, 'The Unipolar Moment', *Foreign Affairs* 70, nr. 1 (1990/1991), 23–33.

3. Toespraak voor de Association France-Amériques, Parijs, 1 februari 1999.

4. Chris Patten, *Not Quite the Diplomat: Home Truths about World Affairs* (Londen: Allen Lane, 2005), p. 229.

5. Zoals verteld door Sarkozy's adviseur voor nationale veiligheid, Jean-David Levitte, in Adam Gopnik, 'The Human Bomb', *The New Yorker*, 27 augustus 2007.

6. Robert Kagan, *Of Paradise and Power: America and Europe in the New World Order* (New York: Alfred Knopf, 2003).

7. John Ikenberry, 'The Rise of China and the Future of the West', *Foreign Affairs* 87, nr. 1 (januari/februari 2008).

8. William C. Wohlforth, 'The Stability of a Unipolar World', *International Security* 21, nr. 1 (zomer 1999), 5–41.

9. Claudia Deutsch, 'The Venturesome Giant', *New York Times*, 5 oktober 2007.

10. Fernando Henrique Cardoso, 'A Collaborative Contract', *Newsweek*: Issues 2008, Special Edition, december 2007.

11. Correlli Barnett, *The Collapse of British Power*, oorspronkelijk verschenen in 1972.

12. Josef Joffe, 'How America Does It', *Foreign Affairs* 76, nr. 5 (september/oktober 1997), 13–27.

13. Anne-Marie Slaughter, 'The Real New World Order', *Foreign Affairs* 76, nr. 5 (september/oktober 1997), 183–197.

14. Richard N. Haass, 'Paradigm Lost', *Foreign Affairs* 74, nr. 1 (januari/februari 1995), 43–58.

15. Stephen Flynn, *The Edge of Disaster: Rebuilding a Resilient Nation* (New York: Random House, 2007).

Dankbetuiging

Dit boek is het product van veel reizen, lezen en denken in de afgelopen jaren, maar komt ook voort uit hartstocht. Ik ben als jongeman in Amerika gekomen, ben van dit land gaan houden en heb hier een leven en een gezin opgebouwd. Ik wil het beste voor dit land en ik ben er vast van overtuigd dat de energie en de wilskracht van Amerika, wanneer deze goed gebruikt worden, zowel Amerika als de wereld ten goede kunnen komen.

Dit boek heeft voor mij ook een nieuwe ervaring ingehouden: het is de eerste keer dat ik een boek heb geschreven terwijl twee kinderen actief mijn aandacht vroegen. Ik heb vaak veeleisende verplichtingen vanwege mijn werk, maar bij dit project was veruit het grootste probleem dat ik me in mijn studeerkamer moest terugtrekken op momenten dat mijn kinderen me nodig hadden. Ik hoop dat ik een behoorlijk evenwicht hebben weten te bewaren tussen mijn gezin, mijn werk en dit boek.

Het schrijven van een boek terwijl je tegelijkertijd nog een aantal andere borden in de lucht moeten houden vraagt niet alleen eigen inzet, maar ook hulp, geduld en begrip van anderen. Ik wil vooral mijn dank betuigen aan al mijn slimme en welwillende collega's bij *Newsweek*, met name aan Rick Smith, Mark Whitaker (nu bij NBC News), Jon Meacham, Nisid Hajari en Tony Emerson. Voordat ik bij *Newsweek* kwam, had ik altijd gehoord dat Donald Graham een uitzonderlijke goede baas was; nu kan ik dit uit eigen ervaring bevestigen. Drie jaar geleden ben ik op PBS gestart met een tv-programma, *Foreign Exchange*, waarvan ik tot november 2007 de presentator ben geweest. Mijn dank gaat uit naar Bruce Blair, Mark Sugg en vooral naar Sujata Thomas, die me hierbij geweldig terzijde hebben gestaan.

Sharon Sullivan en Patricia Huie hebben de acrobatiek van mijn beroepsleven met grote competentie en toewijding in goede banen geleid, en mijn dagelijks werk tot een heel plezierige ervaring gemaakt, waarvoor ik hun zeer erkentelijk ben.

Bij het onderzoek voor dit boek ben ik geholpen door vier buitengewoon getalenteerde jonge mensen, die nu allemaal met belangrijker zaken bezig zijn: Robert Wiesenberger, Rukhmini Punoose, Alan Isenberg en Barrett Sheridan. Barrett heeft het langst en gedurende de meest intensieve fase aan dit boek gewerkt, en het eindproduct heeft veel te danken aan zijn harde werk, scherpe intelligentie en zuivere oordeel.

Ik heb een paar vrienden – Andrew Moravscik, Gideon Rose, Zachary Karabell en Allison Stanger – gevraagd delen van het manuscript te lezen en ben hun zeer dankbaar voor hun uiterst nuttige commentaar. Daniel Kurtz-Phelan heeft het hele boek gelezen en het proza gefatsoeneerd.

Tina Bennett, mijn agent, was in elke fase zo enthousiast over dit project dat ik haar moeilijk kon geloven, terwijl het me tegelijkertijd op de been hield. Drake McFeely, mijn redacteur, is klasse. Zijn commentaar was goed gekozen en sneed hout. Drakes assistent, Kyle Frisina, moest een manuscript heel wat sneller in een boek omzetten dan gebruikelijk is en deed dit zonder een moment te klagen. Cullen Stanley heeft fantastisch werk geleverd voor de rechten van dit boek in het buitenland. Wanneer ik verhalen hoor over de goede oude tijd toen agenten en uitgevers zich nog diepgaand interesseerden voor kwaliteit en inhoud, krijg ik het gevoel dat de vertellers van deze verhalen de mensen bij Janklow en Nesbit en W.W. Norton niet hebben leren kennen.

Ik heb dit boek opgedragen aan mijn broer Arshad, die een jaar vóór mij in Amerika is gekomen. Als zijn eerste jaar in de VS hem niet zo goed was bevallen, denk ik dat ik hier nu niet zou zijn. Sindsdien zijn we, door dik en dun, vrienden en metgezellen gebleven. We hebben veel van de ideeën uit dit boek samen besproken en ik heb veel aan zijn inzichten gehad. Ik heb ook geprofiteerd van een heel leven van wijsheid, aanmoediging, steun en liefde van mijn moeder, Fatma Zakaria. Mijn vader, Rafiq Zakaria, is drie jaar geleden overleden. Ik had de thema's uit dit boek graag met hem willen bespreken.

Ergens in de afgelopen herfst heb ik mijn vrouw Paula een concept van enkele hoofdstukken gegeven en haar om commentaar gevraagd. Ze heeft er een stuk van gelezen, een aantal opmerkingen gemaakt en daarna tegen me gezegd: 'Ik denk dat mijn beste bijdrage aan dit boek kan zijn dat ik het gezin draaiend en de kinderen uit je vaarwater houd.' Ze is altijd een uitstekende redactrice geweest, omdat ze zelf een begaafd schrijfster is, maar onder de gegeven omstandigheden had ze gelijk. Zonder haar hulp had ik de geestelijke rust en het uithoudingsvermogen niet gehad om dit boek te schrijven. Ik dank haar voor haar liefde en vriendschap.

Mijn dochter, Lila, die vijf werd toen dit boek ter perse ging, liet me weten dat ze heel blij was dat ik er klaar mee was omdat ze mijn computer nu kon gebruiken om naar YouTube te surfen en de liedjes van *High School Musical* te beluisteren. Mijn zoon Omar, die acht is, maakte zich meer zorgen over het project zelf. Toen ik hem uitlegde waar het boek over ging zei hij wat ongerust: 'Waarom wil je een boek schrijven over de toekomst? Als het niet uitkomt zal niemand je boek meer kopen.' Ik hoop maar dat ik hem niet zal teleurstellen.

Register